教員
採用試験

スイスイとける

2026
年度版

一般
教養

合格問題集

TAC教員採用試験研究会

JN015649

TAC出版
TAC PUBLISHING Group

はじめに

　本書は教員採用試験で出題される一般教養の頻出問題を確実に、そして短期間で学習できるように編纂した問題集です。学生の方は多くの履修科目があり、多忙なキャンパスライフを送っておられることでしょう。既卒の方は民間企業に勤務したり、講師として教壇に立たれたりして、学生時代以上に多忙な日々となり、十分な学習時間を確保するのが難しいといわれています。特に既卒の方は学生時代のような学習上のサポートを受けることが難しく、独学による受験となりがちです。そこで、本書は多忙な方でも一般教養を効率よく学ぶことができるように編集上の工夫を凝らしました。本書には次のような特徴があります。

・答え合わせがしやすいように問題と解答解説を見開きにしました。
・○×の理由がわかりやすい丁寧な解説をしました。
・学習進度がわかりやすい科目別の構成としました。

　確実な学力を養うため、敢えて応用度の高めの問題も収録しています。できなかった問題でも解説を熟読することによって、確かな知識が身につくはずです。確かな知識で合格を万全なものにしましょう。

　受験は時間との勝負です。受験に勝利するためには、「限られた時間で最大の学習効果を発揮する」教材を手にすることが何より重要です。まずは本書を開いて、効率よく学習するためのコツをつかんでください。

　「資格の学校」TACは、さまざまな分野の資格試験・採用試験において多くの合格者を輩出してきました。長年にわたって培ってきたTACならではのノウハウが本書の各所に散りばめられています。本書を手にしたあなたは、合格への第一歩を踏み出したといえるでしょう。

　本書を学習した教員採用試験受験生の方々が見事合格の栄冠を勝ち取られ、明日の教育界で活躍されることを願ってやみません。

TAC教員採用試験研究会

本書の特長・学習法

テーマ別収録なので学習しやすい

過去の出題傾向をもとにして、各科目の出題頻度の高い問題を科目・テーマ別に収録しました。近年頻出の生活に即した実践的な応用問題も掲載しています。

学習日を記入できる

日付欄に学習をした日付を記入して学習進度を確認できます。間違った問題は繰り返し学習するようにしましょう。

ぜひチャレンジしてみましょう！

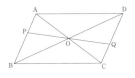

数学

問題25 図形⑨

次の図のように、平行四辺形ABCDで、対角線の交点Oを通り、2辺AB、CDと交わる直線を引く。このとき、AB、CDとの交点をそれぞれP、Qとすると、OP＝OQとなることを次のように証明した。空欄 ア ～ ウ に当てはまるものの組合せとして最も適切なものを、後の1～5のうちから選びなさい。

〈証明〉
△APOと△CQOにおいて、
平行四辺形の対角線はそれぞれの中点で交わるので、OA＝OC ……………(1)
AB／DCより、 ア は等しいので、∠PAO＝∠QCO ……………(2)
イ は等しいので、∠POA＝∠QOC ……………(3)

(1)(2)(3)より、 ウ がそれぞれ等しいので、△APO≡△CQOとなる。合同な三角形の対応する辺の長さは等しいので、OP＝OQである。

1　ア　対頂角　　イ　同位角　　ウ　2辺とその間の角
2　ア　同位角　　イ　対頂角　　ウ　2辺とその間の角
3　ア　同位角　　イ　錯角　　　ウ　1辺とその両端の角
4　ア　錯角　　　イ　対頂角　　ウ　1辺とその両端の角
5　ア　錯角　　　イ　同位角　　ウ　1辺とその両端の角

学習日　／　／　／

50

👍 本書を使った効果的なアウトプット＋インプット学習法

①問題を解いたら**解答解説**を熟読する。
②間違った問題は**合格テキスト**を読んでさらに理解を深める。
③完全にマスターしたら**日付欄**に日付を記入。
④上記の学習を**3回**繰り返す。
⑤試験直前になったら**2回以上間違った問題**をもう一度解く。

解答解説

平行四辺形の特徴は3つ。①2組の対辺はそれぞれ等しく平行である、②2組の対角はそれぞれ等しい、③対角線はそれぞれの中点で交わる、である。また、図形⑧の解説で記した、錯角と同位角の特徴を思い出しながら設問に向かうとよい。証明文は、平行四辺形の上記の特徴③、つまり、対角線は中点で交わるという特徴からOA＝OCとし、また特徴①の、平行な対辺を結ぶ対角線が作りあげる錯角の特徴から∠PAO＝∠QCOとしている（2本の平行な直線と、それに交わる1本の直線がつくる錯角の角度は等しい）。さらにここでは、2本の直線が交わってできた向かい合った角＝対頂角の角度が等しいことから、∠POA＝∠QOCとして、これらが2つの三角形が合同であるための条件、つまり「1辺とその両端の角が等しいこと」を満たしているから、△APQと△CQOは合同であること、さらに2組、【中】ちの1組の辺、OPとOQの長さが同一であることを証明している。なお、以下の3つのいずれかの条件を満たしたとき、三角形は合同であるといえる。①3組の辺がそれぞれ等しい、②2組の辺と、その間の角がそれぞれ等しい、③1組の辺と、その両端の角がそれぞれ等しい。

正解 **4**

 ワンポイントアドバイス

2つの三角形の対応する辺の長さが等しいことは、三角形が合同であることを用いて証明することができます。

答え合わせがすぐできる

問題と解答解説を見開きにしているので、答え合わせがすぐできます。そのため、学習効率が抜群です。

選択肢の○×がよくわかる

選択肢の○×がよくわかる丁寧な解説を記載しています。なぜこの肢は誤っているのか、熟読して正解肢の選び方を会得して下さい。

解法のポイントがわかる

発展学習のため、適宜ワンポイントアドバイスを記載。解法のヒントや覚えておくと便利な着眼点を紹介しています。

繰り返し学習することで弱点を完全に克服できます。試験直前に間違った問題だけ復習することで合格率アップ。

目次

人文科学

社会科学

自然科学

時事問題

スイスイとける
一般教養　合格問題集

問題1 漢字の読み書き①

① 下線部の漢字の読み方がすべて異なるものを、次の1～4の中から1つ選びなさい。

1 絵<u>画</u>を描く 　<u>画</u>伯と話す 　<u>画</u>期的な作品だ
2 <u>素</u>性を知る 　要<u>素</u>を調べる 　絵の<u>素</u>養がある
3 銀<u>行</u>に行く 　親に孝<u>行</u>する 　修<u>行</u>の旅に出る
4 <u>手</u>紙を書く 　<u>手</u>綱を引く 　<u>手</u>腕を発揮する

② 次のア～オについて、下線部の漢字の表記が正しいものの組合せとして最も適切なものを、後の1～5のうちから選びなさい。

ア　同音<u>異義</u>語を学ぶ。
イ　<u>絶対絶命</u>の危機。
ウ　社会人を<u>対照</u>とした本を出す。
エ　責任から<u>開放</u>される。
オ　国民の<u>支持</u>率が高い政党。

1　ア　と　イ
2　イ　と　ウ
3　ウ　と　エ
4　エ　と　オ
5　ア　と　オ

学習日　／　／　／

2

解答解説

1

1は左から、「かい『が』を描く」「『が』はくと話す」「『かっ』き的な作品だ」で、同じ読みがある。2は、「『す』じょうを知る」「よう『そ』を調べる」「絵の『そ』ようがある」で、同じ読みがある。3は、「ぎん『こう』に行く」「親にこう『こう』する」「しゅ『ぎょう』の旅に出る」で、同じ読みがある。4は、「『て』がみを書く」「『た』づなを引く」「『しゅ』わんを発揮する」で、すべて違う読み方をしている。4が正解。なお、「修行」は仏教や武道などの**精神修養**などに用い、「修業」は仕事などの**技術**を身につけるための努力に用いる言葉。「行」と「業」の使い分けが必要である。

正解　4

2

イの「**絶体絶命**」は、「絶対」ではない。「体（からだ）も命も」絶えそう（に追い詰められている）、という意味。ウは「対照」ではなく「**対象**」。「対象」は、「行為の目標とする人やもの」に対して使う言葉。「批判の対象」「恋愛対象」「社会人を対象としたビジネス書」などと用いる。一方、「対照」は、「比較対照」などに使う。照らし合わせること、コントラスト。「色の対照が際立っている」「ふたりの性格は対照的だ」などと使う。もうひとつ「対称」という言葉もある。「対称」は、つりあうこと。シンメトリーであること。「左右対称」などと使う。エは、「開放」ではなく「**解放**」。からだや心が自由になること。責任から解き放される場合には「解放」を使う。「開放」は開けはなつこと。制限をとくこと。「いつもは入場料をとる庭園だが、今日は無料開放している」などと用いる。

正解　5

国語

問題2 漢字の読み書き②

① 次のA〜Dの文の下線部の漢字について、正しいものの組合せを、あとの1〜4のうちから1つ選びなさい。

A　遺伝子変異に関心を持ち、新たな研究を始める。
B　台風による大雨で、市内を流れる一級河川の堤防が決懐した。
C　社会保障制度は私たちの生活を守る重要な機能だ。
D　自発的に学ぼうとする気持ちを換気することが大切だ。

1　AとB　　2　AとC　　3　BとC　　4　BとD

② 「おおざと」の部首に属する漢字を、次の1〜4のうちから1つ選びなさい。

1　那
2　印
3　快
4　限

学習日　／　／　／

4

解答解説

1

Bの「けっかい」は、「懐」ではなく「壊」が正しい。豪雨などにより堤防やダムが崩れたり破断されたりすること。「壊れる」や「破壊」の「壊」を用いる。設問部の「懐」は「懐かしい」や「ふところ」を意味する字。Dの「かんき」は、この文では「喚起」とするのが正しい。「喚起」は、呼び起こすこと。「喚」は、「大声を出す」「呼び寄せる」などを意味する文字。「喚声」などにも使う。設問文の「換気」は、（部屋などの）空気を入れ替えること。Cの漢字は正しい。「ほしょう」についても「保障」「保証」「補償」の意味の違いが問われることがある。「保障」は「権利や自由や安全が失われないように守ること」。「安全保障」「社会保障」などといった用い方をする。「保証」は「（責任を）請け合うこと」。「品質を保証する」「保証人」などと用いる。「補償」は「損失を償うこと」。

正解 2

2

「おおざと」は、「こざとへん」に近いかたちの部首が、「つくり」になったときの呼び名。かたちが近いために「こざとへん」に対して、「おおざと」と呼ばれるようになったというが、もともとは別の文字からできている。「こざとへん」のもとになった字は、「阜」という文字。「岐阜県」の「阜」で、「おか」とも読む。「少し高い場所」を意味し、「丘」のほか「盛り土」「段々」「高台」「山」などを表す。一方、「おおざと」のもとの漢字は「むら」を意味する「邑」。読みとしては「ゆう」とも読み、意味はほかに「集落」。大ざっぱにいえば「人の集まるところ」を示すため、邸、郡、都、邦などがある。それぞれ、「やしき」「こおり・ぐん」「みやこ」「くに」。左から右に向かうほど規模が大きくなっているが、どれも人が集まる場所や地域を意味している。

正解 1

問題3 **漢字の読み書き③**

1 次の1～4の下線部のカタカナを漢字で書き表したときに、例文の「コウ」と
同じ漢字を用いるものを1つ選びなさい。

【例文】 首相が大臣を<u>コウテツ</u>する。

1 狭い道を<u>ジョコウ</u>運転して通過する。
2 ささいなことに<u>コウデイ</u>する。
3 非常に<u>コウチ</u>な作品を展示する。
4 契約<u>コウカイ</u>の書類にサインする。

2 次の四字熟語が「複雑に絡んだ物事を鮮やかに処理する。」という意味になる
とき、（ a ）にあてはまる漢字として正しいものを、あとの1～4のうちか
ら1つ選びなさい。

快刀乱（ a ）

1 鋭
2 麻
3 気
4 堂

学習日 ／ ／ ／

解答解説

①

　1は「徐行」。スピードをゆるめて走ること。2は「拘泥」。こだわること。3は「巧緻」。細かいところまで巧みなという意味。4は「更改」。約束や契約の内容を新たに**変えること**。

　例文の「更迭」は、ある人の役職を解いて、別の人を据えること。本来の意味としては「**変えること**」だが、ポジションの高い役職（の人の変更）について用いられるため、しばしば「何かのしくじりのための交替（変更）させられること」と、ネガティブな意味合いをもつことが多い。「更」という文字そのものが、「**新しくする**」「**かわる**」という意味をもっている。

正解　4

②

　「**快刀乱麻**」が正しい四字熟語。「かいとうらんま」と読む。設問文は「快刀乱麻」だが、もとは「快刀乱麻を断つ」が省略されたかたち。「乱麻」はからみあった麻糸。「快刀」の刀は、「刀」というよりは、むしろ「刃物」のことで、快刀は、切れ味のよい刃物。全体で「切れ味のよい刃物でもつれた糸を断ち切る」という意味から、「込み入った状況にうまく対処し**解決すること**」という意味として用いられるようになった。

正解　2

問題4 熟語

1　次のア～オのうち、類義語の組合せとして最も適切なものを、後の1～5のうちから選びなさい。

ア　穏健 ― 温和
イ　縁故 ― 縁起
ウ　静寂 ― 閑静
エ　忌避 ― 非難
オ　概念 ― 解答

1　ア　と　ウ
2　ア　と　オ
3　イ　と　ウ
4　ウ　と　エ
5　エ　と　オ

2　次の1～4の下線部のカタカナを漢字で表したときに、熟語「握手」と同じ組み立て方となるものを1つ選びなさい。

1　大逆転で応援席は<u>カンキ</u>に包まれた。
2　私を支えてくれた<u>シンユウ</u>に感謝している。
3　<u>ノウゼイ</u>は国民の義務である。
4　遠くから<u>ライメイ</u>が聞こえてきた。

学習日　／　／　／

8

解答解説

1

イの「縁故」は、血筋や特別な関係による人との関わり合いのこと。「縁起」は、よいできごと・悪いできごとの前兆。また、ものごとの始まりや、寺社の由来などのこと。「この寺の縁起は〜」のように用いる。エの「忌避」は、いやだと感じて避けること。「非難」は、過ちや欠点をとがめること。「避難」なら、災難を避けてほかの場所へと移動することなので、「忌避」にやや近い。オの「概念」は、（ある事物について）その本質を示した総括的な考え方。「解答」は、与えられた問題に答えを出すこと。またその答えそのもの。なおアの「穏健」と「温和」はどちらも穏やかなさま。ウの「静寂」と「閑静」はどちらも静かなようす。アとウが類義語の組み合わせとして正しい。

正解 1

2

「握手」がどのような組み立てかを考えてみよう。「手を握る」と、「動詞＋目的語」となる熟語である。「音読み」で考えてみると、1の「カンキに包まれた」は「歓喜」。どちらの字も「よろこび」という同じ意味をもつ。2の「シンユウに感謝している」は「親友」。「親しい友」で、「修飾語＋被修飾語」の関係になっている。3の「ノウゼイは国民の義務」は「納税」。「税を納める」と、「動詞＋目的語」の関係になっている。4の「ライメイが聞こえてきた」は「雷鳴」。「雷の音」と考えれば、「修飾語＋被修飾語」、「雷が鳴る」と考えれば、「主語＋動詞」になる。よって、3が正解。

正解 3

問題5 対義語・四字熟語①

1　次の四字熟語の反対の意味をもつことわざとして正しいものを、下の1～4の中から1つ選びなさい。

一石二鳥

1　瓜のつるには茄子はならぬ
2　虻蜂取らず
3　逃がした魚は大きい
4　柳の下にいつも泥鰌は居らぬ

2　次のア～オの文中の四字熟語について、漢字の表記が正しいものの組合せとして最も適切なものを、後の1～5のうちから選びなさい。

ア　皆が異句同音に賛成した。
イ　私は心機一転、新しい土地で学ぶ。
ウ　短刀直入に申し上げます。
エ　人生は一期一会だ。
オ　彼の振る舞いは、言後道断だ。

1　ア　と　イ
2　ア　と　ウ
3　イ　と　エ
4　ウ　と　エ
5　ウ　と　オ

学習日　／　／　／

解答解説

1

「一石二鳥」は、1つの行為で利益を2つ得ること。対義語は、2の「虻蜂取らず」。あれもこれも手に入れようとして何も手に入らないこと、である。選択肢1の「瓜のつるには茄子はならぬ」は、ありふれた親からはきわめてすぐれた子どもは生まれない、という意味。「蛙の子は蛙」も同義。これらの対義語としては「鳶が鷹を生む」がある。3の「逃がした魚は大きい」は、手に入れそこなったものは、悔しさもあって、実際よりも価値があるように感じてしまうこと。4の「柳の下にいつも泥鰌は居らぬ」は、「たまたま一度、幸運を得たからといって、再度、同じ方法でうまくいくとは限らない」の意味。

正解 2

2

アは、異「口」同音が正解。「異口」は、異なった口、つまり別々の人、「同音」は同じ言葉、意見。全体で、「皆が、口をそろえて同じ内容を言うこと」。ウは、「単」刀直入が正解。「単刀」はたった1本の刀の意味。たった1本の刀で敵のなかへまっすぐに斬り込んでいくことから、「まわりくどいことはせずに、いきなり核心をつく」という意味になった。「短刀」ではない。オは、言「語」道断が正解。「ごんごどうだん」と読むが、「言語（げんご）」と書く。現在は、「言葉にできないほどひどい（内容であること）」という意味で使われているが、もとは仏教の言葉で「究極の真理は、言葉では言い表せないほど奥深い」という意味。正しい表記はイとエ。なお、エの「一期一会」は「いちごいちえ」と読む。

正解 3

問題6 **対義語・四字熟語②**

1 次のア〜オの四字熟語について、漢字の表記が正しいものの組合せとして最も
   適切なものを、後の1〜5のうちから選びなさい。

ア 公明正大
イ 撒頭撒尾
ウ 適在適所
エ 千載一遇
オ 危機一発

1 ア と ウ
2 ア と エ
3 イ と エ
4 イ と オ
5 ウ と オ

2 対義語の組合せとして誤っているものを、次の1〜4のうちから1つ選びなさ
   い。

1 干渉 ⇔ 放任
2 玄人 ⇔ 凡人
3 総合 ⇔ 分析
4 丁重 ⇔ 粗略

学習日

12

国語 対義語・四字熟語②

解答解説

1

イは、「**徹頭徹尾**」が正しい。「徹」はぎょうにんべん、「徹底的に」「徹夜」など「貫き通す」イメージをもつ文字であることから、「最初から最後まで」「あくまでも」。てへんの「撤」は、「その場からとりはらう」という言葉。ウは「**適材適所**」が正しい。材は「人材」のこと。「適した人材を適切な場所（仕事）につける」という意味。オは、「**危機一髪**」が正しい。「髪の毛一筋ほどの差で危険な状態に陥りそうなこと」。かつて公開された海外のスパイ映画のタイトルに、あえて「危機一「発」」を用いた邦題をつけたことから、間違える人が増えたといわれる。なお「公明正大」は、「公平で、私心がなく、正しいこと」。「千載一遇」は、「千年に一度しかないような、よいめぐりあわせ」。千載は「千歳」とも書き、千年のこと。「遇」は「思いがけなく出あうこと」。

正解 **2**

2

1 ○ 肢文の通り。「干渉」は、自分以外の人の考え方に立ち入って、自分に従わせようとすること。「放任」は、放っておくこと、なるように任せておくこと。

2 × 「**玄人**」は「くろうと」と読み、ある技術に熟達している人、専門家。対義語は、「素人（しろうと）」である。「凡人」は、とくにすぐれた点のない人。ふつうの人。対義語は「偉人」「賢人」「傑物」など。

3 ○ 肢文の通り。「総合」は、いろいろなものをひとつにまとめること。「分析」は、ものごとを要素ごとに分け、細かい点まではっきりさせること。

4 ○ 肢文の通り。「丁重」は、人やものへの扱いに心がこもっていて、礼儀正しいようす。ていねい。「粗略」は、人やものへの扱いがおろそかなこと。ぞんざい。

正解 **2**

問題7 慣用句・ことわざ①

1 次のア～オの慣用句について、空欄□に当てはまる漢字一文字が同じものの組合せとして最も適切なものを、後の1～5のうちから選びなさい。

ア □に火をともす
イ □によりをかける
ウ □から鼻へ抜ける
エ □に負えない
オ □の中へ入れても痛くない

1 ア と ウ
2 ア と エ
3 イ と オ
4 ウ と エ
5 ウ と オ

2 次のア～エの慣用句すべての空欄□に当てはまる言葉として最も適切なものを、後の1～5のうちから選びなさい。

ア □が利く
イ □が高い
ウ □にかける
エ □を折る

1 手　　2 鼻
3 目　　4 腰
5 頭

学習日 ／　／　／

14

解答解説

1

アは、「『爪』に火をともす」。生活が貧しく苦しいさま。あるいは、とてもけちなこと。ろうそくを用いず、自然とのびる爪に火をともして灯りをとるという意味。イは、「『腕』によりをかける」。十分に技術を発揮しようとして意気込むこと。ウは、「『目』から鼻へ抜ける」。ものごとをすぐに理解できること。判断も速く、聡明な様子をいう。エは、「『手』に負えない」。自分の実力ではどうにもできない、の意味。処置に困ること。「**手に余る**」などともいう。オは、「『目』の中に入れても痛くない」。かわいくてたまらないようす。溺愛すること。小さな異物が入っても痛い「目」に入れられるほどいとおしいという意味。ウとオが、同じ「目」を用いた慣用句なので、正解は5。

正解　5

2

すべて「鼻」を用いた慣用句。アの「**鼻が利く**」は、「嗅覚が鋭いこと」がもとの意味。そこから、隠しごとなどを鋭敏に見抜くこと、利益に敏感なさま。イの「**鼻が高い**」は、得意げなようす。誇らしく思っているようす。ウの「**鼻にかける**」は、誇らしげにふるまうこと。自慢する。得意がる。エの「**鼻を折る**」は、相手のうぬぼれや負けん気を砕くこと。「鼻っ柱を折る」ともいう。イの「**鼻が高い**」と、ウの「**鼻にかける**」は、意味は似ていてもニュアンスに違いがある。「鼻が高い」は、何かを誇らしく思っているというプラスイメージの言葉。一方、「鼻にかける」は、誇らしげにふるまう姿や自慢げな様子がいやな感じに映るというネガティブな意味合いをもつ。

正解　2

問題8 **慣用句・ことわざ②**

① 次のア〜オのうち、四字熟語とことわざが反対の意味と捉えることのできる組合せとして最も適切なものを、後の1〜5のうちから選びなさい。

ア 厚顔無恥 ― 面の皮が厚い
イ 暖衣飽食 ― 爪に火をともす
ウ 自画自賛 ― 出る杭は打たれる
エ 意気揚々 ― 武士は食わねど高楊枝
オ 一石二鳥 ― 二兎を追う者は一兎をも得ず

1 ア と イ
2 ア と オ
3 イ と ウ
4 イ と オ
5 ウ と エ

② 次のことわざ・慣用句とその意味の組合せとして、誤っているものを選びなさい。

	ことわざ・慣用句	意味
1	他山の石	自分を磨く助けとなる、他人の良くない言行や出来事。
2	河童の川流れ	名人や上手な人であっても、失敗を招くことがあること。
3	雨垂れ石をうがつ	小さな力でも根気よく続ければ、いつか必ず成功すること。
4	柳に雪折れなし	柔軟なものは、強剛なものよりもかえってよく事に耐えること。
5	気が置けない	気を許せず、油断ができないということ。

学習日  ／ ／ ／

解答解説

1

アの「**厚顔無恥**」と「**面の皮が厚い**」は、ほぼ同じ意味。「厚顔」は厚かましいこと。イの「**暖衣飽食**」の「飽食」は食べ物に囲まれているさま。「暖衣」は暖かい服。ぬくぬくとした、満ちたりてぜいたくな生活という意味。貧しい生活や、けちな性格を表す「爪に火をともす」とは反対の意味。ウの「**自画自賛**」は、自分で自分をほめること。「自画」は自分で描いた絵の意味。「出る杭は打たれる」は、才能などがある人、あるいは差し出た態度をとる人は、人から憎まれる、あるいは非難されがちになる、という意味。エの「**意気揚々**」は、自信たっぷりに気持ちが高まっているようす。威勢のいいふるまい。「武士は食わねど高楊枝」はやせがまんをすること。「高楊枝」は楊枝をくわえている姿。食事ができないほど窮していても、満腹かのようにふるまうこと。オの「**一石二鳥**」は、1つの行為で2つの利益を得ること。2つのことを同時に成し遂げようとしても、結局どちらも得られないという意味の「二兎を追う者は一兎をも得ず」とは、反対の意味である。

正解　**4**

2

1、2、3、4はどれも、例文とその意味は正しい。1の「**他山の石**」は、「人のふり見て我がふり直せ」と言い換えることもできる。2の「**河童の川流れ**」には似た慣用句・ことわざがたくさんある。「猿も木から落ちる」「上手の手から水が漏れる」「弘法も筆の誤り」など。例文と意味が異なっているのは、5の「**気が置けない**」。「気が置けない」は、余計な気づかいや遠慮をする必要がない、という意味。「気を置く」は、「(ある人に対して)気づかいを置く」こと。つまり「心を許せない」状態なので、「気が置けない」は、その反対にプラスの印象をもつ言葉となる。

正解　**5**

問題9 **文法①**

① 次の文における敬語の使い方として最も適切なものを、1〜4の中から1つ選びなさい。

1　お客様がいらっしゃいました。
2　私の御提案を申し上げます。
3　父は出かけていらっしゃいます。
4　粗品ですが、どうぞいただいてください。

② 次の文章の下線部と同じ種類及び用法の接続詞が使われているものを、下の1〜4の中から1つ選びなさい。

図書館は月曜日が休館だ。ただし、祝日の月曜日は除く。

1　遠くで雷鳴がした。すると、雨がにわかに降り出した。
2　猫はかわいい。だが、家では飼えない。
3　ここにいようか。それとも、出かけようか。
4　待ち合わせに遅れた。なぜなら、渋滞していたからだ。

学習日 ／ ／ ／

解答解説

1

尊敬語と謙譲語の問題。尊敬語は「相手を立てる」ときに用いる言葉。一方、謙譲語は「へりくだって」言うときの言葉。自分や身内の立場を一歩下げることで、相手を立てる表現。尊敬語には「いらっしゃる、おいでになる」「おっしゃる、言われる」などがあり、謙譲語には「うかがう、まいる」「申し上げる、申す」などがある。

2は「私の提案を申し上げます」などが正しい表現。自分が発する言葉として「申し上げる」は適切だが、自分の提案に「御」をつけるのはおかしい。3は、自分の身内（父）について述べているため、「父は出かけております」などの謙譲表現が適切。「いる」の謙譲語は「おる」。4は、「粗品ですが、どうぞお召し上がりください」などがよい。「食べる」の尊敬語は「召し上がる」、「いただく」は謙譲語なので、相手に対して用いるのは失礼になる。食べ物以外のものを差し出すときには、「どうぞお納めください」などと表現する。

正解 1

2

例題の「ただし」は、前に述べた内容に「補足的な説明」「条件」「例外」をつけるときに用いる接続詞。選択肢1の「すると」は、すでに起きたできごとのすぐあとに、結果として、別のできごとが起こったときなどに用いる、順接の接続詞。3の「それとも」は、すでに述べたものとは別のことを提案するときに用いる言葉。4の「なぜなら」は、前の文章を受けて、理由を説明するための接続詞。2の「だが」は、逆接の接続詞。前に述べられていることとは違う情報などをつけ加える場合などに用いる。例題の「ただし」と言い換えがきくのは、4つの選択肢のなかでは、「だが」だけである。

正解 2

問題10 **文法②**

1　敬語の使い方として最も適切なものを、次の1〜4のうちから選びなさい。

　1　（保護者からかかってきた電話に対して）「校長は外出中でいらっしゃいません。」
　2　（相手との約束の日時を決めるときに）「いつ、こちらに参りますか。」
　3　（混み具合を尋ねた客に対して）「まだ多くの方がお待ちしていらっしゃいます。」
　4　（先生に自分の父親の言葉を伝えるときに）「父がよろしくと申しておりました。」

2　次の敬語について、種類が違うものとして最も適切なものを、次の1〜4のうちから選びなさい。

　1　尊父
　2　貴校
　3　芳名
　4　弊社

学習日

解答解説

①

1　×　「いらっしゃる」は「いる」の尊敬語＝相手を立てる言い方。上司であっても自分サイドにいる校長をもち上げた表現は、電話の相手に対して不適切。「いる」の一歩ひいた表現である謙譲語の「おる」を用いて、「外出しております」が適当。

2　×　「参る」は「行く」の謙譲語。謙譲語は自分や身内、仲間の言動に用いる、「自分たちを一段下げた表現」なので、会話の相手に対して用いるのは失礼にあたる。尊敬語を用いた「おいでになる」「いらっしゃる」が適切。

3　×　「お待ちする」は謙譲語、「お待ちになる」は尊敬語である。自分を一段下げた「お〜する」の表現のあとに、尊敬語「いらっしゃいます」では統一感がない。「お待ちになられています」などが適切。

4　○　肢文の通り。「申す」は「言う」の謙譲語。身内の父を一段下げた表現。

正解　4

②

漢字にも尊敬を表す文字と謙譲を表す文字がある。選択肢1の「尊父」は、「父」の前に「尊」の字をつけて尊敬を示している。2の「貴校」は「（学）校」の前に「貴」をつけて尊敬を示している。選択肢3の「芳名」は「名」の前に「芳」（かんばしい、評判がよいという意味）をつけて尊敬を表している。一方、4の「弊社」の「弊」は、「ぼろぼろな」「悪い」などの意味で、謙譲を表す。「小社」も同様に謙譲表現である。

正解　4

国語

問題11 **文法③**

① 次の例文の下線部と同じ使い方がされているものを、あとの1〜4のうちから
1つ選びなさい。

【例文】　この問題は先生<u>でも</u>わかりません。

1　この野菜は荒れ地<u>でも</u>育ちます。
2　いくら呼ん<u>でも</u>返事がなかった。
3　大丈夫だと思う。<u>でも</u>、やっぱり心配だ。
4　彼女は女優<u>でも</u>ある。

② 次の古文の（　a　）〜（　c　）にあてはまる語の組合せとして正しいもの
を、あとの1〜4のうちから1つ選びなさい。

　　昔、田舎わたらひしける人の子ども、井のもとに出でて遊びけるを、大人
になりに（　a　）ば、男も女も、恥ぢかはしてありけれど、男はこの女を
こそ得（　b　）と思ふ。女はこの男をと思ひつつ、親のあはすれども、聞
かでなむあり（　c　）。

　　　　　　　　　　　　　　　　　　　　　　　　　　　　【『伊勢物語』による】

1　a　けら　　b　む　　c　けり
2　a　けら　　b　め　　c　けれ
3　a　けれ　　b　め　　c　ける
4　a　けれ　　b　む　　c　けり

解答解説

1

選択肢1の「荒地『でも』」は、「（荒地）であっても」「（荒地）でさえ」と言い換えられる。2の「いくら呼ん『でも』」は、「だ＋のに」つまり、「〜したのに」という意味。ある行動に対して期待した反応がなかった、という表現。3の「大丈夫だと思う。『でも』心配だ」は、逆接の接続詞。文頭などにつかって「そうはいうものの」という意味。4の「女優『でも』ある」は、事実や状況がいくつか同時にあるときに、そのうちの1つをつけたして述べる表現。例文の「先生『でも』わかりません」は、「（先生）であっても、（先生）でさえ」という意味なので、選択肢1と同じ用法である。

正解 1

2

設問文の意味は、「地方まわりをしている人の子どもたちは、（かつては）井戸のまわりに出て遊んでいたのに、大人になったためにお互いに恥ずかしがるようになっていたけれど、男はこの女とぜひ一緒になりたいと思っていた。女はこの男をと思い、親が勧める人がいても、その人との結婚を承服しないでいた」である。初めの（　　）の前後の言葉を分解すると、「なり に （　　）ば」。「なり」は「なる」の、「に」は完了の助動詞「ぬ」のそれぞれ連用形で「なった」の意味。（　　）には過去の助動詞「けり」の活用が入り、「ば」は、接続助詞。「ば」の直前に已然形がくると、「〜なので」、「〜のところ」、「（〜のときは）いつも」の意味になる。文脈から「大人になったので」が適当と思われるから、（　　）には「けり」の已然形「けれ」が入る。2番目の（　　）は係り結び。「この女をこそ得」と直前に、係助詞の「こそ」がある。「こそ」は已然形とともに係り結びをつくるので、意志の助動詞「む」の已然形「め」が入る。最後の（　　）は、「聞かでなむあり（　　）」と、直前の係助詞「なむ」を受けて、過去の助動詞「けり」の活用が入る。ぞ、なむ、や、かに対する活用形は連体形なので、「ける」となる。

正解 3

23

国語

問題12 国語常識①

1 次の㋐と㋑と同じ季節を表す季語の組み合わせとして正しいものを、下の1〜4の中から1つ選びなさい。

㋐ 小春　　㋑ 土用

1 ㋐ 寒月　　㋑ 薫風
2 ㋐ 柘榴　　㋑ 葵
3 ㋐ 東風　　㋑ 十六夜
4 ㋐ 夷講　　㋑ 種蒔

2 次の二十四節気と旧暦が示す季節の組み合わせとしてすべて正しいものを、1〜4の中から1つ選びなさい。

1 立春 ― 春　　芒種 ― 夏　　小暑 ― 秋　　大寒 ― 冬
2 穀雨 ― 春　　立夏 ― 夏　　霜降 ― 秋　　雨水 ― 冬
3 啓蟄 ― 春　　処暑 ― 夏　　立秋 ― 秋　　小雪 ― 冬
4 清明 ― 春　　大暑 ― 夏　　白露 ― 秋　　立冬 ― 冬

学習日　／　／　／

解答解説

1

「小春」は、冬の季語。「小春日和」は11月頃の春のような日をいう。「土用」は、「土用の丑の日にはうなぎを食べるとよい」とされる習慣から夏を想起する場合も多いように、夏の季語。ただし、「土用」といわれる期間は、四季それぞれにあり、立春、立夏、立秋、立冬の直前18日間をさす。例題は、「冬の季語と夏の季語」の組み合わせである。選択肢では、1の「寒月」は、**冬の冴えわたった月**のこと。「薫風」は、**初夏の季語**。若葉や青葉の薫りを運んでくる穏やかな風のこと。2はどちらも植物名。「柘榴」は「ざくろ」と読み、秋の季語。「葵」は徳川家の家紋として有名な植物、あおい。夏の季語。3の「東風」は「こち」、春の季語。太平洋（日本列島の東側）から吹き込む温かい風のことで、雪どけを促す。「十六夜」は「いざよい」と読む秋の季語。仲秋の満月（旧暦の8月15日）の翌日の、欠け始めた月のこと。4の「夷講（えびすこう）」は冬の季語、「種蒔（たねまき）」は春の季語。

正解　1

2

立春	雨水	啓蟄	春分	清明	穀雨	＝	春の季語
立夏	小満	芒種	夏至	小暑	大暑	＝	夏の季語
立秋	処暑	白露	秋分	寒露	霜降	＝	秋の季語
立冬	小雪	大雪	冬至	小寒	大寒	＝	冬の季語

二十四節気は、1年を24の「節気」に分けたもの、およそ15日おきに変化する。節分の翌日の立春からが春とされる。6つの節気ごとに季節がかわる。どの季節でもひとつ目と4つ目は聞き覚えがあるはず。さらに夏と冬は、小暑・大暑、小寒・大寒がありわかりやすい。暑中見舞い・寒中見舞いは、この期間のあいさつ。夏至の前の「芒種」は種まきのこと。「大暑」のふたつ先の「処暑」は、暑さもここまで、の意味。立秋以降の「秋の節気」は、気温の変化の激しさを感じさせる。選択肢1の「小暑」は夏、2の「雨水」は春、3の「処暑」は秋の季語である。

正解　4

問題13 国語常識②

① 次のア〜オについて、月の異名が正しいものの組合せとして最も適切なものを、後の1〜5のうちから選びなさい。

ア　2月 ― 霜月
イ　4月 ― 如月
ウ　7月 ― 文月
エ　8月 ― 水無月
オ　9月 ― 長月

1　ア　と　イ
2　ア　と　ウ
3　イ　と　エ
4　ウ　と　オ
5　エ　と　オ

② 次の1〜4の俳句とその句に表現されている季節の組合せについて、適切なものを1つ選びなさい。

1　万緑の中や吾子の歯生え初むる　（中村草田男）　―　春
2　五月雨を集めて早し最上川　　　（松尾芭蕉）　　―　夏
3　遠山に日の当りたる枯野かな　　（高浜虚子）　　―　秋
4　流氷や宗谷の門波荒れやまず　　（山口誓子）　　―　冬

学習日　／　／　／

26

解答解説

1

1月 睦月（むつき）	2月 如月（きさらぎ）	3月 弥生（やよい）
4月 卯月（うづき）	5月 皐月（さつき）	6月 水無月（みなづき）
7月 文月（ふみづき）	8月 葉月（はづき）	9月 長月（ながつき）
10月 神無月（かんなづき）	11月 霜月（しもつき）	12月 師走（しわす）

1月の「睦月」の「睦」は「むつむ」つまり仲良くするという意味。正月の行事などで人が集まることからこの名になったともいわれる。2月の「如月」は「衣更着」がもとの文字で、「寒さが厳しく、重ね着をするころ」が由来というのが有力な説。4月の「卯月」は、卯の花が咲き誇るころ、9月の**「長月」**は、**夜が長くなり始めるころ**とされる。選択肢アの「霜月」は11月、イの「如月」は2月、エの「水無月」は6月である。

正解 4

2

1　×　**「万緑」**は、夏の季語。野山の木々の葉が生えそろって、緑一色になっているような景色。草田男のこの句によって、季語とみなされるようになった。

2　○　肢文の通り。五月雨は、旧暦5月、つまり梅雨のころに降る農作物には大切な雨。旧暦の5月は夏である。

3　×　**「枯野」**は、冬の季語。枯れた野原は、色も薄茶色などに変わって、ひっそりとし、さみしく寒々しい印象がある。

4　×　**「流氷」**は春の季語。宗谷岬（オホーツク海）に流氷が到達するのは、主に2月と3月。さらに北の海で凍った流氷が日本に流れ着くと春の訪れである。

正解 2

問題14 古文・漢文①

次の文章中の下線部㋐〜㋓の現代語訳の組合せとして最も適切なものを、後の1〜5のうちから選びなさい。

仁和寺にある法師、㋐ 年寄るまで石清水を拝まざりければ、㋑ 心憂く覚えて、あるとき思ひ立ちて、ただ一人、徒歩より詣でけり。極楽寺・高良などを拝みて、かばかりと心得て帰りにけり。

さて、かたへの人にあひて、「年ごろ思ひつること、果たしはべりぬ。聞きしにもすぎて尊くこそおはしけれ。そも、参りたる人ごとに山へ登りしは、何事かありけん、㋒ ゆかしかりしかど、神へ参るこそ本意なれと思ひて、山までは見ず。」とぞ言ひける。

少しのことにも、先達は㋓ あらまほしきことなり。

（出典：『徒然草』第五十二段　兼好法師　※一部表記を改めたところがある。）

1　㋐ 年を取るまで　　　　　　㋑ 残念に思って
　　㋒ 知りたかったけれど　　　㋓ あってほしくないものである

2　㋐ 寄り道するまで　　　　　㋑ 心がおどって
　　㋒ 行きたくなかったので　　㋓ あってほしくないものである

3　㋐ 寄り道するまで　　　　　㋑ 残念に思って
　　㋒ 行きたくなかったので　　㋓ あってほしくないものである

4　㋐ 年を取るまで　　　　　　㋑ 残念に思って
　　㋒ 知りたかったけれど　　　㋓ あってほしいものである

5　㋐ 年を取るまで　　　　　　㋑ 心がおどって
　　㋒ 行きたくなかったので　　㋓ あってほしいものである

学習日　／　／　／

解答解説

仁和寺にいたある僧が、石清水八幡宮に参詣したときの話。石清水八幡宮は、由緒ある神社で、広大な境内をもつ。本宮は、山の上にあり（上院）、山のふもとには、高良神社などのある下院がある。そのことを踏まえて、以下の本文の意味を読むと内容がわかりやすい。

（本文大意）

仁和寺に務めていたある僧は、年をとるまで石清水八幡宮に参詣したことがなく、残念に思っていた。ある日、思い立って、ひとりで歩いて石清水八幡宮に出かけて行ったが、下院にある、神仏混交の寺院「極楽寺」や高良神社（摂社＝（石清水八幡宮に）付属している神社）などに参詣しただけで帰ってきてしまった。そして（戻ってきてから）、近くにいる人（仲間）に、「ずっと願っていたことを成し遂げました。耳にしていたよりずっと尊い場所でした。ところで、参詣の方々が、みな、山の上へとのぼっていったのは、どうしたことだったのでしょう。知りたくはありましたが、神様にお詣りすることこそ目的でしたので（そのついでに山にのぼるなどは失礼だと思い）山の上は見ずに帰ってまいりました」といった。こんな些細なことでも、先導者（教えてくれる人）の存在というのは重要なものだ。

下線アの「年寄るまで」は、「**年を取るまで**」の意味。下線イの「心憂く覚えて」は、「**残念に思って**」。下線ウの「ゆかしかりしかど」は、「ゆかし＝知りたい」の変化したもので「**知りたかったけれど**」という意味。下線エの「あらまほしきことなり」は、「あら（ありの未然形）」と願望や希望を表す助動詞「まほし＝ほしい」が連続した言葉で、「**あってほしいものである**」。「**先達**」は、あるカテゴリーに詳しい人、ガイドともいえるから、「情報を教えてくれる人」が必要だ、と読むこともできる。

正解 **4**

🖐 ワンポイントアドバイス

「ゆかし」には「心が惹かれる」の意味があり、そこから「知りたい」「見たい」などの意味にもなります。

問題15 古文・漢文②

次の文章中の下線部(ア)〜(エ)の現代語訳の組合せとして最も適切なものを、後の1〜5のうちから選びなさい。

はしたなきもの　(ア) こと人をよぶに、われぞとてさし出（いで）たる。物など取らするおりはいとど。(イ) おのづから人の上などうち言ひ、そしりたるに、幼き子どもの聞きとりて、その人のあるに言ひ出たる。

(ウ) 哀（あはれ）なる事など、人の言ひ出、うち泣きなどするに、げにいと哀なり、など聞きながら、(エ) 涙のつと出こぬ、いとはしたなし。

（出典：『枕草子』第122段　清少納言）
※一部表記を改めたところがある。

1　(ア) 他の人を呼んだのに　　(イ) たまたま人のうわさ話などをしていて
　　(ウ) 悲しい話など　　　　(エ) 涙が急に出てこないのは

2　(ア) 特別な人を呼んだのに　(イ) 自然と人のうわさ話などをしていて
　　(ウ) 悲しい話など　　　　(エ) 涙がつたって出てきてしまったのは

3　(ア) 他の人を呼んだのに　　(イ) 自分から身の上話などをしていて
　　(ウ) みっともない話など　(エ) 涙が急に出てこないのは

4　(ア) 特別な人を呼んだのに　(イ) 自然と人のうわさ話などをしていて
　　(ウ) みっともない話など　(エ) 涙がつたって出てきてしまったのは

5　(ア) 特別な人を呼んだのに　(イ) 自分から身の上話などをしていて
　　(ウ) 悲しい話など　　　　(エ) 涙がつたって出てきてしまったのは

学習日　／　／　／

解答解説

清少納言『枕草子』の「はしたなきもの」の段。「はしたなきもの」とは、「きまりのわるいこと、間が悪いと感じること」という意味。設問部アの「こと人をよぶに」の「こと人」は、「異人」と書く。異なる人、つまり「別の人」。（自分ではなく）別の人を呼んでいるのに、ということ。そのあとの「われぞとてさし出たる」は、わたしのことだと（勘違いして）出しゃばってしまったときなどは、の意味。「物など取らするおりはいとど」は、何かをくれるときなどは、よほど（きまりが悪い）。「いとど」は、「よほど、なおさら」の意味。設問部イの「おのづから人の上などうち言ひ」は、「たまたまある人のことを話していて」という意味。「おのづから」は、「たまたま、偶然にも」。「人の上」は、「（その）人のうわさ」。次の「そしりたるに」は現代語の「そしる」とほぼ同じ意味で、「悪く言っていたときに」の意味。「幼き子どもの聞きとりて、その人のあるに言ひ出たる」は、「小さな子たちが聞き覚えてしまい、その人がいる場所で言い出してしまった場合」ということ。「子ども」は「子」に複数形を表す「ども」を加えた言葉。設問部ウから続く「哀なる事など、人の言ひ出」は、「悲しい話などを誰かが始めて」の意味。「うち泣きなどするに、げにいと哀なり、など聞きながら」は、「泣いたりするときなど、本当に悲しい話だと思って聞いてはいるものの」ということ。最後の設問部エの「涙のつと出こぬ」は、全体として、「すぐに涙が出てこないのは」ということ。「つと」は「すぐに」「急に」の意味。最後の「いとはしたなし」は、「とてもきまりが悪いものだ」の意味。

正解 1

🖐 ワンポイントアドバイス

「おのづから」は「自然に」の意味のほか「たまたま、偶然にも」の意味があります。

問題16 古文・漢文③

国語

次の文章中の下線部㋐～㋓の現代語訳の組合せとして最も適切なものを、後の1
～5のうちから選びなさい。

㋐ 神無月のころ、栗栖野といふ所を過ぎて、ある山里にたづね入る事侍りし
に、はるかなる苔の細道を踏み分けて、心細く住みなしたる庵あり。木の葉に埋も
るるかけひの雫ならでは、㋑ 露おとなふものなし。閼伽棚に菊・紅葉など折り散
らしたる、㋒ さすがに住む人のあればなるべし。

かくてもあられけるよと、㋓ あはれに見るほどに、かなたの庭に大きなる柑子
の木の、枝もたわわになりたるが、まはりをきびしく囲ひたりしこそ、少しことさ
めて、この木なからましかばと覚えしか。

（出典：『徒然草』第11段　兼好法師）
※一部表記を改めたところがある。

1　㋐　陰暦10月のころ　　㋑　まったく音をたてるものがない
　　㋒　やはり　　　　　　㋓　しみじみとした思いで

2　㋐　陰暦10月のころ　　㋑　さらに音をたてるものがない
　　㋒　だれも　　　　　　㋓　しみじみとした思いで

3　㋐　陰暦２月のころ　　㋑　まったく音をたてるものがない
　　㋒　やはり　　　　　　㋓　みじめな思いで

4　㋐　陰暦２月のころ　　㋑　さらに音をたてるものがない
　　㋒　だれも　　　　　　㋓　みじめな思いで

5　㋐　陰暦10月のころ　　㋑　さらに音をたてるものがない
　　㋒　やはり　　　　　　㋓　みじめな思いで

学習日　／　／　／

32

解答解説

吉田兼好の『徒然草』のうち「神無月のころ」の段。前半の単語の意味は、次の通り。「神無月」は旧暦の10月。「心細く」は形容詞「心細し（＝ものさびしい）」の連用形。「住みなし」はサ行四段活用「住みなす（＝～のように住む）」の連用形。「かけひ」は原文では「懸樋」。竹の節を抜いて作った、水道用の水の通り道。「閼伽棚」は「仏さまへ供える花や水を置く棚」。「つゆ」は打消し語をともなって、「まったく～ない」。現代文に直すと「10月ごろに、栗栖野という場所の先にある山里に人を訪ねた。ずっと続く苔むした狭い道を踏みいっていくと、もの寂しく住んでいるような庵があった。水道のかけいは木の葉に埋もれかけてはいるものの、水の音がしているが、それ以外にはまったく音のするものがない。閼伽棚に菊や紅葉が無造作に折って置かれているところをみると、やはり住む人はいるのだろう」。また、「あられけるよ」の「あら」はラ行変格活用の「あり」の未然形、直後の「れ」は可能を表す助動詞。「あはれ」はプラスの心の動きを表す言葉。「柑子」はみかんの仲間。「ことさめ」は動詞「ことさむ（＝興がさめる、しらける）」の連用形。「ましか」は「ましかば（～まし）」の形で用いられる助動詞。「もし～だったら（～だろう）」と事実とは異なることを考え、述べるときに用いる（反実仮想）。ここでは「ましかば」の後半（「よからまし」）が省略されている。後半を現代文に直すと、「こんなふうにも住むことができるのだなあとしみじみ思って（設問部エ）いると、むこうの庭に大きい柑橘系の木があって、枝がしなるほど実がなっている。それはいいのだが、厳重に周囲を囲ってあるのを見て、少ししらけてしまった。この木がなければよかったのに」。なお、前半の「閼伽棚」の読み方を問う出題もある。

正解 1

🤚 ワンポイントアドバイス

「ましかば～（まし）」は、反実仮想の用法です。

問題17 古文・漢文④

　次の文章を現代語訳した際の下線部(ア)〜(エ)の組合せとして最も適切なものを、後の１〜５のうちから選びなさい。

　熊谷あまりに(ア)　いとほしくて、いづくに刀を立つべしともおぼえず、目もくれ心も消えはてて、前後不覚におぼえけれども、さてしもあるべきことならねば、泣く泣く首をぞ(イ)　かいてんげる。

　「あはれ、弓矢取る身ほど(ウ)　口惜しかりけるものはなし。武芸の家に生まれずは、なにとてかかる憂きめをば見るべき。(エ)　情けなうも討ちたてまつるものかな。」

　とかきくどき、袖を顔に押し当ててさめざめとぞ泣きゐたる。

（出典：『平家物語』　※一部表記を改めたところがある。）

1　(ア)　かわいそうで　　(イ)　切ってしまった
　　(ウ)　誇れる　　　　　(エ)　非情にも

2　(ア)　かわいらしくて　(イ)　振ってしまった
　　(ウ)　悔やまれる　　　(エ)　非情にも

3　(ア)　かわいらしくて　(イ)　切ってしまった
　　(ウ)　悔やまれる　　　(エ)　残念なことに

4　(ア)　かわいそうで　　(イ)　振ってしまった
　　(ウ)　誇れる　　　　　(エ)　残念なことに

5　(ア)　かわいそうで　　(イ)　切ってしまった
　　(ウ)　悔やまれる　　　(エ)　非情にも

学習日　／　／　／

解答解説

『平家物語』の「敦盛の最期」の一部。一ノ谷の戦いに敗れた平家軍を源氏方が追う。源氏方のひとり熊谷直実は、逃げてゆく武者を引き留めて、刀を突きつけるが、自分の息子と同じくらいの年齢の、しかも薄化粧をした高貴そうなその武者（平敦盛）を殺すのをためらい始める。逃がすことも考えたが、味方の軍勢がこちらにやってくるので、逃がしたところで誰かに殺されてしまう。いっそこの手で……、とジレンマに陥りながら、敦盛を討ち取る場面である。「いとほしくて」は、**「気の毒で、かわいそうで」**の意味。続く文、「いづくに刀を立つべしともおぼえず」以降は、「どこに刀を突き立てたらいいかわからずに、目もくらみ、心も自分のものとは思えないほど混乱し切ってしまっていたが」。「さてしもあるべきことならねば」は、「そうしてばかりもいられないので」。「さて」は「そのまま」。「あり」が加わると「そのままでいる」の意味。ここでは「さて」と「あり」のあいだに、前の語を強調する「しも」が入っていて、「さてしもあるべきことならねば（そうしてばかりもいられないので）」、熊谷は、泣きながら（敦盛の）首を切り落とした。「かいてんげる」は、「かいてける」のあいだに、音便の「ん」が入って、「かいてんげる」となっている。「かいて」は、掻いて（切って）、「てんげる」は「〜してしまった」なので、全体で**「切ってしまった」**になる。設問部ウを含んだ「口惜しかりけるものはなし」は、「悔やまれるものはない」。さらに、武士の家に生まれなければ、このような憂き目には合わないですんだのに、と境遇を嘆いている。「情けなうも討ちたてまつるものかな」は、「非情にもお討ち申し上げることになったのだ」。「情けなう」は「情けがない＝**非情にも**」の意味。（熊谷は）繰り返し嘆き、涙を流しながら顔を袖に当てて、さめざめと泣いていた。

正解 5

🖐 ワンポイントアドバイス

「さてしも」の「しも」は、強意の副助詞「し」＋強意の係助詞「も」。

問題18 古文・漢文⑤

1 次の文章は、ある書物の本文の一部を抜粋したものである。その書物の原典として最も適切なものを、後の1〜4のうちから選びなさい。

子曰く、朝に道を聞かば、夕べに死すとも可なり。

子曰く、君子は和して同ぜず、小人は同じて和せず。

子貢問いて曰く、一言にして以て終身之を行なう可き者有りや、と。子曰く、其れ恕か。己の欲せざる所は、人に施すこと勿れ、と。

子曰く、故きを温めて新しきを知る。以て師為る可し。

1　史記
2　孟子
3　論語
4　孫子

2 次の和歌は『万葉集』におさめられているものである。（　a　）にあてはまる言葉として正しいものを、あとの1〜4のうちから1つ選びなさい。

> 家にあれば笥に盛る飯を草枕（　a　）にしあれば椎の葉に盛る　　有間皇子

1　里
2　春
3　旅
4　山

学習日　／　／　／

36

解答解説

1

『論語』は、儒教の祖である**孔子**とその高弟の言葉や行動をまとめた書物。「子曰く（孔子のおっしゃることには）」で、項目が始まることが多い。孔子（紀元前552頃〜前479年）は中国の春秋時代の思想家である。選択肢1の『史記』は、前漢の武帝の時代に**司馬遷**が編纂した中国の歴史書。2の『孟子』は、自らを孔子の後継者とした儒教の思想家・孟子の逸話や問答を集めた本。紀元前4世紀に編まれた。4の『孫子』は、兵法書。著者は、孔子と同じ春秋時代を生きた軍事思想家の孫武とされる。いまだに評価の高い軍事理論書のひとつである。

問題文の意味はそれぞれ次の通り（「子曰く」の意味、および3つ目の「子貢問いて曰く」で始まる文意は省く）。「朝、人としての道を悟ることができれば、その夜に死んだとしても、満足である」「すぐれている人は、いさこざを避けるようにうまくはやるが、自分の意思を捨ててまで相手に合わせたりしない。一方、つまらない人間は、簡単に相手の言葉に同調してしまうのに、仲良くしようとはしない」「過去の事実や先人の考えを学んだうえで現在のことを考えられるなら、ものごとがよく見え、人に教える資格もある」。

正解 3

2

「草枕」は、草を枕に眠る＝野宿をすることから、「**旅**」の**枕詞**となっている。このことを知っていれば正解はたやすいが、歌の意味からも推測は可能。この歌を「家にあれば笥に盛る飯を　草枕　（　　）にしあれば椎の葉に盛る」と区切って考えると、全体が対になっていることがわかる。草枕の前とあとが対をなしているなら、「家」と対になる言葉が（　　）に入るはずである。意味は、「家にあれば笥に盛る飯を」は、「家では飯は器に盛るものだが」。「笥」は「筍（たけのこ）」ではなく、「器」を意味する漢字（たけかんむりの下は「旬」ではなく「司」）。「旅にしあれば　椎の葉に盛る」は、「旅の途中の今は、椎の葉に（飯を）盛っている」である。謀反の疑いで捕らえられた有間皇子（ありまのみこ）が、尋問ののち、護送される旅の途中で詠んだ歌。二度とできそうもない平穏な食事を想っている。

正解 3

問題19 古文・漢文⑥

① 次のア〜エの古文と作品の組み合わせとして正しいものを、下の１〜４の中から１つ選びなさい。

ア　木の花は、濃きも薄きも、紅梅。桜は、花びら大きに、葉の色濃きが、枝ほそくて咲きたる。藤の花は、しなひ長く、色濃く咲きたる、いとめでたし。

イ　むかし、男ありけり。女のえ得まじかりけるを、年を経てよばひわたりけるを、からうじて盗みいでて、いと暗きに来けり。

ウ　花はさかりに、月はくまなきをのみ見るものかは。雨にむかひて月を恋ひ、たれこめて春の行方知らぬも、なほあはれに情ふかし。

エ　この芸において、大かた七歳を以て初めとす。この頃の能の稽古、かならず、その者自然とし出だす事に、得たる風体あるべし。

1　ア　枕草子　　イ　伊勢物語　　ウ　徒然草　　エ　風姿花伝
2　ア　枕草子　　イ　大和物語　　ウ　方丈記　　エ　南総里見八犬伝
3　ア　方丈記　　イ　大和物語　　ウ　徒然草　　エ　南総里見八犬伝
4　ア　方丈記　　イ　伊勢物語　　ウ　枕草子　　エ　風姿花伝

② 次の文の下線部を表す時間として最も適切なものを、あとの１〜４のうちから１つ選びなさい。

> 風激しく吹きて、静かならざりし夜、戌の時ばかり、都の東南より火出で来て、西北に至る。　　　　　　　　　　　　　　　　（『方丈記』）

1　午後５時頃　　　2　午後８時頃
3　午後11時頃　　　4　午前２時頃

学習日　／　／　／

解答解説

1

アは、観察眼と洗練されたセンスを感じさせる文章。『枕草子』は、著者の清少納言が見聞きした宮中の生活を記した随筆のほか、著者の「好きなもの」や、そのときに関心を寄せているテーマについて書いた「ものづくし」と呼ばれるタイプの作品である。イの『伊勢物語』は、短編の歌物語集。「むかし、男ありけり」で始まる段が多いのが特徴。主人公の名は伏せられて、恋愛を中心に書かれているが、モデルとなったのは在原業平とされる。ウの『徒然草』は吉田兼好の、思索や雑感、逸話を記したもの。特徴的なのは、一般的な美意識などへの批判精神があふれている点。ウの冒頭には、そうしたものがよく表れている。エの『風姿花伝』は、世阿弥が記した能の理論書。彼が体得した演技・演出などのさまざまな視点から芸論を述べている。「この芸」は能を指す。

正解 1

2

鴨長明の『方丈記』からの一節。かつては一日の時間帯に、「十二支」が当てはめられていた。十二支のなかはそれぞれ４つに分けられていて、「丑三つ（うしみつ）刻（どき）」は、「丑」の時間帯を「４つにわった３つめ」ということ。厳密ではないが、十二支のひとつひとつがおよそ２時間、そのなかが30分ずつに分けられている、と考えてよい。「子（ね）」の時間帯は夜の11時（23時）から翌午前１時まで。「丑」の時間帯は午前１時から午前３時。その「３つめの30分」が「丑三つ」なので、午前２時からのこと。設問の「戌（いぬ）」の時間帯は（十二支では「戌」は「子」のふたつ前だから）、「子」の４時間前、午後７時からの２時間、つまり午後8時ごろ、が正解である。

正解 2

問題20 日本文学①

① 作者と俳句の組み合わせとしてすべて正しいものを、次の1～4の中から1つ
選びなさい。

	作 者	俳 句
1	尾崎放哉	入れものが無い両手で受ける 春風や闘志いだきて丘に立つ
2	河東碧梧桐	赤い椿白い椿と落ちにけり 曳かれる牛が辻でずつと見廻した秋空だ
3	高浜虚子	桐一葉日当りながら落ちにけり うしろすがたのしぐれてゆくか
4	正岡子規	柿くへば鐘が鳴るなり法隆寺 咳をしても一人

② 『古今和歌集』に和歌が収められている歌人の組み合わせとして正しいものを、
次の1～4の中から1つ選びなさい。

1　西行　　　　後鳥羽上皇　　藤原定家
2　紀貫之　　　小野小町　　　藤原敏行
3　大伴家持　　山部赤人　　　山上憶良
4　紀友則　　　在原業平　　　式子内親王

解答解説

1

正解は、河東碧梧桐（かわひがしへきごとう）の２句。碧梧桐は、高浜虚子（たかはまきょし）とともに「正岡子規の高弟」と称された人物だが、のちに自由律俳句へと進んだ。自由律俳句で著名な俳人が、尾崎放哉（おざきほうさい）と種田山頭火（たねださんとうか）。設問中にある句のうち、尾崎放哉のものは「入れものが無い両手で受ける」と「咳をしても一人」。種田山頭火の句は「うしろすがたのしぐれてゆくか」。「柿くへば鐘が鳴るなり法隆寺」は、正岡子規（まさおかしき）の句。正岡子規は、俳句ばかりでなく、近代日本文学に大きな影響を与えた文学者。子規の高弟、高浜虚子の句は「春風や闘志いだきて丘に立つ」「桐一葉日当たりながら落ちにけり」である。

正解 2

2

『古今和歌集』は、およそ1,000首の和歌が収められた平安時代の勅撰和歌集。20巻からなる。恋の歌、季節の歌が多いのが特徴である。勅撰とは、天皇や皇族の勅命によって編まれた、という意味。和歌が集められているおもな人物は、撰者＝紀貫之、凡河内躬恒（おおしこうちのみつね）、紀友則、壬生忠岑（みぶのただみね）。その他＝在原業平、伊勢、小野小町、（僧正）遍照、藤原敏行など。正解は「2」。なお『新古今和歌集』に収められた歌人は、藤原定家（撰者）、西行、慈円、藤原俊成、後鳥羽上皇、式子内親王（しょくしないしんのう）など。「上皇」は天皇を退位したあとの名称。「内親王」は女性皇族の名称のひとつ。また、選択肢３の３人は、万葉集の歌人。ほかに額田王（ぬかたのおおきみ）、柿本人麻呂（かきのもとのひとまろ）などがいる。『万葉集』の成立は奈良時代末期、『古今和歌集』は延喜年間（10世紀初期）、『新古今和歌集』は鎌倉初期の成立。『万葉集』のころはおおらかさが目立ち、『古今和歌集』『新古今和歌集』と時代がくだるにつれて、技巧が強くなるといわれている。

正解 2

問題21 日本文学②

1 次の作品と作者等の組み合わせとしてすべて正しいものを、1～4の中から1つ選びなさい。

1 『日本書紀』稗田阿礼   『源氏物語』紫式部   『古事記伝』本居宣長
2 『十六夜日記』阿仏尼   『徒然草』兼好法師
  『東海道中膝栗毛』近松門左衛門
3 『浮雲』二葉亭四迷   『みだれ髪』樋口一葉   『山椒魚』井伏鱒二
4 『路傍の石』山本有三   『二十四の瞳』壺井栄   『潮騒』三島由紀夫

2 次の作品と作者の組み合わせとしてすべて正しいものを、1～4の中から1つ選びなさい。

1 『更級日記』菅原孝標女   『土佐日記』紀友則   『蜻蛉日記』藤原道綱母
2 『枕草子』清少納言   『方丈記』鴨長明   『玉勝間』井原西鶴
3 『こころ』夏目漱石   『山月記』中島敦   『恩讐の彼方に』菊池寛
4 『金閣寺』幸田露伴   『天平の甍』井上靖   『風立ちぬ』堀辰雄

学習日 ／ ／ ／

解答解説

1

1　×　『日本書紀』は720年に完成したといわれる歴史書。舎人親王（とねりしんのう）らが編纂にあたった。稗田阿礼（ひえだのあれ）は、712年に完成した『古事記』を誦習していた人物。編纂したのは太安万侶。『古事記伝』は、国学者の本居宣長が江戸時代に記した『古事記』の解説（注釈）書である。

2　×　『東海道中膝栗毛』は十返舎一九（じっぺんしゃいっく）の作。近松門左衛門は『曽根崎心中』『国性爺合戦』などで知られる江戸時代の浄瑠璃作者。『十六夜日記』（いざよいにっき）は鎌倉時代の作品。吉田兼好は鎌倉時代末期から南北朝時代の人物。

3　×　『みだれ髪』の作者は、与謝野晶子。樋口　葉は『たけくらべ』『にごりえ』などで知られる。どちらの作家も、明治時代の初期に生まれている。

4　○　肢文の通り。

正解 4

2

1　×　『土佐日記』の作者は紀貫之。紀貫之はまた『古今和歌集』の編纂の中心人物。その従兄弟といわれる紀友則も、『古今和歌集』に多くの和歌が収録されている。

2　×　『玉勝間』（たまかつま）は江戸時代の国学者、本居宣長の1005段からなる随筆集。井原西鶴は、江戸時代の浮世草子作者、人形浄瑠璃作者。『好色一代男』（こうしょくいちだいおとこ）などを記した。

3　○　肢文の通り。

4　×　『金閣寺』の作者は三島由紀夫。幸田露伴は『五重塔』などを記した。露伴の娘の幸田文（こうだあや）は作家、その娘（露伴の孫）の青木玉は、随筆家である。

正解 3

日本文学③

1　次の俳句のうち『おくのほそ道』に収められていないものを、1～4の中から
　1つ選びなさい。

　　1　行く春や鳥啼き魚の目は泪
　　2　風流の初めやおくの田植うた
　　3　野ざらしを心に風のしむ身かな
　　4　閑かさや岩にしみ入る蟬の声

2　次の和歌で『小倉百人一首』に収められていないものを、1～4の中から1つ
　選びなさい。

　　1　東の　野に炎の　立つ見えて　かへり見すれば　月傾きぬ
　　2　かささぎの　渡せる橋に　置く霜の　白きを見れば　夜ぞふけにける
　　3　人はいさ　心も知らず　ふるさとは　花ぞ昔の　香ににほひける
　　4　来ぬ人を　まつほの浦の　夕なぎに　焼くや藻塩の　身もこがれつつ

学習日　　／　　／　　／

44

解答解説

1

「野ざらしを心に風のしむ身かな」は、**松尾芭蕉**の最初の紀行作品である『野ざらし紀行』に収められた句。1684年8月の江戸出立から、翌年の4月に戻るまでの紀行文であるが、句集としての性格も強い。芭蕉の故郷である伊賀、奈良、京都などをめぐっている。そのほかの句は、いずれも『おくのほそ道』に収められたもの。「行く春や鳥啼き魚の目は泪」は、江戸の千住で詠んだもの。「風流の初めやおくの田植うた」は須賀川での句、「閑かさや岩にしみ入る蟬の声」は、出羽国の立石寺に参詣した際の句。なお、『おくのほそ道』は、奥州と北陸道の紀行文。西行の500回忌にあたる1689年に、門人の**河合曾良**を連れて江戸を出発、ゆかりの深い地を訪ねながら1691年に江戸に戻った。

正解 3

2

1は、7～8世紀ころの歌人、**柿本人麻呂**の歌。万葉集に収められているが、百人一首には収められていない。百人一首収録の人麻呂の歌は、「あしびきの 山鳥の尾の しだり尾の ながながし夜を ひとりかも寝む」である。なお、上の歌の読みは「ひむがしの のにかぎろひの たつみえて かへりみすれば つきかたぶきぬ」。2、3、4はどれも百人一首に選ばれている。2は奈良時代の歌人、**大伴家持**（おおとものやかもち）の歌。「かささぎの渡せる橋」とは、七夕の夜に、織姫と彦星が会えるようにと鵲（かささぎ）が翼を並べて天の川にかけた橋のこと。3は、平安時代の歌人、紀貫之の歌で『古今和歌集』に収められたのち『百人一首』に採られた。意味は、「人の心のことはわからないけれど、故郷にあるこの梅の花は、昔と同じようにかぐわしいものだ」。4は、『新古今和歌集』の撰者でもある**藤原定家**の歌。思い人に恋い焦がれる心情を、夕方の風景をまじえて描いている。

正解 1

問題23 外国文学①

① 次の文学作品と作者の組み合わせとしてすべて正しいものを、1～4の中から1つ選びなさい。

1 『ドン・キホーテ』セルバンテス 『罪と罰』ゴーリキー
2 『白鯨』魯迅 『女の一生』モーパッサン
3 『青い鳥』プルースト 『トニオ・クレーゲル』ゲーテ
4 『月と六ペンス』モーム 『人形の家』イプセン

② 作品と作者の組み合わせとしてすべて正しいものを、次の1～4の中から1つ選びなさい。

1 『かもめ』チェーホフ 『変身』カフカ
2 『アンナ・カレーニナ』ドストエフスキー 『車輪の下』ヘッセ
3 『ペスト』カミュ 『ハックルベリー・フィンの冒険』コナン・ドイル
4 『赤と黒』スタンダール 『賢者の贈り物』ディケンズ

学習日 ／ ／ ／

解答解説

①

1 × 『罪と罰』はロシアの作家、**ドストエフスキー**の作品。**ゴーリキー**もロシアの作家、社会主義活動家。

2 × 『白鯨』の著者は、アメリカの小説家、**ハーマン・メルヴィル**。**魯迅**は『阿Q正伝』『狂人日記』などで知られる中国の小説家、思想家。

3 × 『青い鳥』は、ベルギーの詩人・劇作家のメーテルリンクの作品。**プルースト**は、『失われた時を求めて』で知られるフランスの小説家。『トニオ・クレーゲル』の著者はドイツの作家、**トーマス・マン**である。

4 ○ 肢文の通り。

正解 4

②

1 ○ 肢文の通り。

2 × 『アンナ・カレーニナ』の著者はロシアの作家、**トルストイ**。ほかに『戦争と平和』などがある。

3 × 『ハックルベリー・フィンの冒険』は『トム・ソーヤーの冒険』も著したアメリカの作家、**マーク・トウェイン**。**コナン・ドイル**はシャーロック・ホームズを生み出した作家。『失われた世界』などのSF小説も著わしている。

4 × 『賢者の贈り物』は、『最後の一葉』とともに**オー・ヘンリー**の代表作とされる。短編小説および掌編小説を多く発表した。**ディケンズ**は、『クリスマス・キャロル』『二都物語』などで知られるイギリスの作家。

正解 1

問題24 外国文学②

① 次の作品でシェイクスピアの四大悲劇でないものを、1～4の中から1つ選び
なさい。

1 『ロミオとジュリエット』
2 『ハムレット』
3 『リア王』
4 『マクベス』

② 作品と作者の組み合わせとして正しいものを、次の1～4の中から1つ選びな
さい。

1 『金色夜叉』幸田露伴　　　『友情』武者小路実篤　　　『若菜集』島崎藤村
2 『潮騒』三島由紀夫　　　　『沈黙』遠藤周作　　　　　『路傍の石』山本有三
3 『蒲団』田山花袋　　　　　『雪国』川端康成　　　　　『風立ちぬ』立原道造
4 『戦争と平和』トルストイ　　『赤毛のアン』リヒター
　『老人と海』ヘミングウェイ

学習日　／　／　／

解答解説

1

シェイクスピアは、ルネサンス期の**イギリス**を代表する劇作家、詩人である。イングランド王国のストラトフォード・アポン・エイヴォンに1564年に生まれた。ロンドンに出たとされる1592年からおよそ20年活動したのちに引退したと考えられている。「**四大悲劇**」と呼ばれるのは、『ハムレット』『オセロー』『マクベス』『リア王』で、いずれも17世紀に入ったばかりの頃（1601年から1605年）の作品。『ロミオとジュリエット』は16世紀の末、1596年である。『ヴェニスの商人』『真夏の夜の夢』なども代表作とされている。イギリスの放送局BBCが2002年に行った「The 100 Greatest Britons of all time by UK BBC（イギリスのもっとも偉大な100人）」の調査では、チャーチル、ダイアナ、ダーウィンなどに続き5位に入っている。

正解 1

2

1　×　『金色夜叉』は尾崎紅葉の作品。幸田露伴の代表作は『五重塔』など。

2　○　肢文の通り。

3　×　『風立ちぬ』は堀辰雄。立原道造は『萱草に寄す』などで知られる詩人。川端康成は、日本人で初めてノーベル文学賞を受賞した作家（1968年）。『飼育』『万延元年のフットボール』などの著書のある大江健三郎も1994年にノーベル文学賞を受賞している。

4　×　『赤毛のアン』は、ルーシー・モード・モンゴメリの作品。リヒターは、「ドイツ最高峰」と言われる画家。

正解 2

英語

問題1　単語①

[1]　次の（　　）に入る最も適切な語または語句を、下の1〜4の中から1つ選び
なさい。

I'm interested in soccer but I don't play it. I often go to the stadium and enjoy
（　　）games.

　1　watch　　2　to watch　　3　watching　　4　watched

[2]　次のア〜オの英単語とその意味について、正しいものを二つ選ぶとき、その組
合せを解答群から一つ選びなさい。

　ア　strength　—　state of being weak
　イ　initiative　—　imitating
　ウ　discipline　—　being confused
　エ　unique　—　being the only one of its sort
　オ　advice　—　opinion about what to do, how to behave

【解答群】　1　ア、イ　　2　ア、ウ　　3　ア、エ　　4　ア、オ　　5　イ、ウ
　　　　　　6　イ、エ　　7　イ、オ　　8　ウ、エ　　9　ウ、オ　　0　エ、オ

学習日　／　　／　　／

解答解説

□1

"enjoy …（（～を）楽しむ）"は、直後に動詞の"…ing"の形（あるいは名詞）をとる決まりがあるため、正解は"enjoy watching games.（試合を見て楽しむ）"である。設問部全体の意味は、「サッカーに興味はあるのだけれど、自分ではやりません。しばしばスタジアムまで足を運んで、試合を見て楽しんでいます」。"enjoy"以外に、うしろに"…ing"の形を従える動詞には、"keep …（～し続ける）"、"avoid …（～を避ける）"、"look forward to …（～するのを楽しみにする）"などがある。「～し続ける」を意味する"go on"も"He went on working without a break.（彼は休みなしに働き続けた）"というように動詞の"…ing"か名詞を従える。なお、stop eatingといえば「食べるのをやめる」、stop to eatなら「食べるために立ち止まる」となる"stop"のように、不定詞も動名詞も従える言葉もある。

正解 **3**

□2

ア　×　strength（強さ）。state of being …は「～な状態」、weakは「弱い」なので、全体として「弱さ」となり、むしろ反対の意味。

イ　×　initiative（自発性、主導権）。imitating（まねをすること）とは意味が異なる。

ウ　×　discipline（自制心、訓練）。being confused（混乱）とは意味が異なる。

エ　○　肢文の通り。unique（唯一の）。説明語句の意味は「ある分類（sort）で唯一の存在となるもの」。

オ　○　肢文の通り。advice（忠告）。説明語句の意味は、「どうすべきか、どのようにふるまう（behave）べきかについての意見」。

正解 **0**

英語

問題2 単語②

1 次の（　　）に入る最も適切な語または語句を、下の1〜4の中から1つ選び
なさい。

If it（　　　）tomorrow, we'll have to cancel the barbecue.

1　rained　　2　to rain　　3　raining　　4　rains

2 次の文の（　　）にあてはまる最も適切な語または語句を、下の1〜4の中か
ら1つ選びなさい。

The girl eating some cake（　　　）very happy.

1　look　　2　looking　　3　looks　　4　to look

学習日　／　／　／

52

解答解説

1

設問文の意味は「もし明日、雨が降ったら、バーベキューをキャンセルしないといけない」。「もし〜なら」と「未来のこと」についての会話なので、時制は現在でよい。また、（　　）の位置は主語"it"のあとなので述語動詞として適当なかたちをとる必要がある。4の"rains"が正解。一方、仮定法過去は、現在の事実とは違うことがらを、仮定法過去完了は、過去の事実とは違うことがらを「もし〜なら」と表現するときに用いるものである。たとえば、仮定法過去完了なら、「もし先週、晴れていたら、バーベキューをキャンセルしないですんだのに」と、「過去の事実と異なること」、いわば、心のなかの空想などを述べる。願望や後悔などの感情が入っている場合が多い。

正解 4

2

主部は、"The girl eating some cake."　"eating"以下が"the girl"の説明語句となっている。意味は「ケーキを食べているその少女」。そのあとに"（　　）very happy."が続いている。"very happy"は「とても幸せ」。主部と、「とても幸せ」をつなぐ「述語動詞」が必要なので、（　　）には「主語に続く適切な形の動詞」が入る。主語"The girl"は三人称単数、時制はこの文章からは明らかではないが、選択肢に「述語動詞」となる候補は2つしかない。どちらも現在だから、述語動詞には"s"がつかなければならない。3の"looks"が正解。なお"look"には、「見る」だけでなく、「〜のように見える」という意味もあり、文章全体の意味は、「ケーキを食べているその少女は、とても幸せそうだ」となる。また"cake"はホールケーキでない場合には、不可算名詞なので、"some cake"となり、"cakes"とはならない。"I ate a cake."という場合には「ホールケーキをひとつ食べた」という意味になるため、ひと切れのケーキを食べた場合には"I ate a piece of cake."と表現する。

正解 3

問題3 熟語

日本の小学校、中学校について説明した次の英文中の（　ア　）、（　イ　）にあてはまる語句の組合せとして最も適切なものを、あとの1〜6のうちから選びなさい。

In elementary schools, the class teacher teaches most of the regular subjects. In junior high schools, the teacher changes （　ア　） the subject. Schools have various regulations （　イ　） live a healthy and safe life.

	ア	イ
1	according to	so that every student can
2	teaching to	such as every student as
3	used to	so that every student can
4	according to	what every student
5	teaching to	what every student
6	used to	such as every student as

学習日 ／ ／ ／

英語

熟語

解答解説

（大意）

「小学校では、担任の教諭が、ほとんどの正規科目を教える。中学校では教師は教科（　ア　）変わる。（　イ　）が健康で安全な学校生活を送る（　イ　）、学校にはさまざまな校則がある」。

"elementary schools"は「小学校」。"most of ..."は「ほとんどの〜」、"subject"は「もの、こと、ひとつのテーマ」と幅広い言葉。ここでは「科目、教科」、"regular subjects"で「正規科目」。"various"は「さまざまな」、"regulations"は「規則」。"regular"なこと、つまり「いつもそうであるべきこと（守らなくてはいけないこと）＝規則」である。"rules（ルール）"よりも厳格さがある。選択肢のアの列にある言葉のうち、"according to ..."は「〜によると、〜に応じて」。"teaching to ..."はとくに熟語というわけではない。「教えている」に"to ...（〜（人）に）"と対象をつけたかたち。"used to ..."は「かつて〜したものだ」。「...」には動詞の原形が入る。選択肢のイの列では、"so that ..."は「〜する（できる）ように」という意味の文章を"that"以下でつくって、その前の主節を説明する構文。"such as ..."は「〜のような（もの、こと）」の意味。まず「私は今年になって3か所を旅行した」と大まかなことを伝え、その具体的な場所を"such as England, Korea, and Bali."というようにあげていくときなどに用いる。名詞語句だけでなく、"We can played it, such as they had fun.（彼らが楽しんだように、私たちもそれで遊べる）"というように、文章をつなげることもできる。"what ..."は「...」以下に文章を従えて、「〜のこと（もの）」の意味をつくる。

（　ア　）は、「科目によって（応じて）」なので"according to"が適切。（　イ　）は、「すべての生徒が（健康で安全な学校生活を送れる）ように」という文章をつくる"so that ..."が適切である。

正解 **1**

 ワンポイントアドバイス

"according to ..."は「〜によると、〜に応じて」。

英語

問題4 文法①

① 次の文の（　　）に入る最も適切な語句を、下の1〜4の中から1つ選びなさい。

This computer is（　　　）than that one.

1 far expensive　　　2 much expensive

3 more expensive　　4 the most expensive

② 次の英文の（　　）内に入るものとして最も適切なものを、後の1〜5のうちから選びなさい。

I（　　　）a cold for over a week.

1 have

2 have been

3 have had

4 would have

5 caught

学習日 ／ ／ ／

56

解答解説

1

比較級の問題。比較級は、形容詞の語尾に"-er"をつけるか、形容詞の前に"more"を加える。"…＋-er than A（形容詞の語尾に-erをつける）"あるいは、"more … than A"で、「Aよりも〜」。設問部の意味は、「このコンピュータは、あれより（　　）だ」。選択肢で使われている形容詞はすべて"expensive（高価な）"。比較級の作り方として正しいのは、選択肢3。なお「ずっと高価だ」と強調するときには、この文章に限らず、比較級の前に"much"をつけるとよい。設問文を例にとると、"much more expensive"となる。また、形容詞を最上級にするときには、形容詞の語尾に-estをつけるか、形容詞の前に"the most"を加える。「もっとも高価なコンピュータ」なら"the most expensive computer"となる。

正解 3

2

"over"は「以上」、"for over a week"で「1週間以上」。設問文全体は「私は1週間以上風邪をひいている」と言いたいらしいことがわかる。「風邪をひく」は"have a cold""catch a cold"。「過去のある時点から現時点まで続いている」ことを表す「現在完了」は、"have＋過去分詞"のかたちをとるから、選択肢3の"have had"が正解。"I have had a cold for over a week."という文になる。「現在もその状態であること」を意味するため、「いつからそうなのか」を言いたいときには、「明らかに過去を示す"ago（昔）"などの言葉」は使わずに、期間を示す"for"や、「〜以来」を意味する"since"を用いる。"since"の場合には一緒に"before（前）"を用いて"since one week before（1週間前から）"などと言う場合が多い。

正解 3

問題5 **文法②**

① 次の英文の（　　）に当てはまるものとして最も適切なものを、後の1〜5の うちから選びなさい。

I didn't know how to use a video camera, and（　　　）my father.

1　didn't　2　so did　3　neither did　4　neither was　5　doesn't

② 次の英文の（　　）に当てはまるものとして最も適切なものを、後の1〜5の うちから選びなさい。

I saw Mr. Smith（　　　）San Francisco.

1　until　2　since　3　over　4　before　5　at

学習日

58

解答解説

1

"I didn't know how to use a video camera."は、「私はビデオカメラの使い方を知らなかった」と過去のことを述べる否定文。"how to ..."は「～の仕方」。次の"and（　　）my father"の選択肢を見ると、"not"や"neither"などの否定の言葉が多く、「父もできなかった」と、さらに否定の文章が続きそうだと推測できる。前の文章を受けて、再度同じように否定する場合には、"neither"を"neither＋助動詞＋主語"という形で用いて、「（こちらも）～でない」と、表す。このときの時制は最初の文の時制と同じものにする。最初の文が一般動詞なら、こちらでは"do/does/did"を用い、最初の文にbe動詞やその他の助動詞があれば、こちらでもそれを用いる。設問文では"didn't know"と一般動詞が否定されていて、過去形。うしろの文で"neither"を用いる場合は、これに合わせ過去形の"did"を用いるが、"neither"そのものに否定の意味があるので、"neither did not my father"と再度"not"を用いることはせずに、"neither did my father"とする。

正解　3

2

"I saw Mr. Smith."は、「私はスミス氏に会った」。"San Francisco"は「サンフランシスコ」という地名。したがって、この英文は「私はサンフランシスコでスミス氏に会った」という意味となり、（　　）には場所を表す前置詞が入ることになる。よって、5が正解となる。

正解　5

問題6 **ことわざ**

1 次の英文ア～エと、その内容を表す日本語のことわざA～Dを組み合わせるとき、その組合せとして適切なものを、あとの1～4のうちから1つ選びなさい。

ア What is done cannot be undone.　　A 論より証拠
イ Facts speak for themselves.　　　　B ちりも積もれば山となる
ウ Perseverance will win in the end.　C 覆水盆に返らず
エ Many a little makes a mickle.　　　D 石の上にも3年

1 ア — C　　イ — B　　ウ — D　　エ — A
2 ア — C　　イ — A　　ウ — D　　エ — B
3 ア — D　　イ — B　　ウ — C　　エ — A
4 ア — D　　イ — A　　ウ — C　　エ — B

2 次の英語のことわざの（ ア ）、（ イ ）にあてはまる単語の組合せとして正しいものを、あとの1～4のうちから1つ選びなさい。

【ことわざ】 Do （ ア ） Rome （ イ ） the Romans do.

1 ア as　　イ in
2 ア in　　イ as
3 ア as　　イ as
4 ア in　　イ in

学習日 ／ ／ ／

解答解説

1

アの"What is done cannot be undone."の、"what is done"は、「なされたこと＝やってしまったこと」、"cannot be undone"は「なされていないことにはできない＝**とり返しがつかない**」なので、Cの「覆水盆に返らず」に近い。"It's no use crying over spilt milk.（こぼしたミルクに泣いてもしかたない）"も同じような意味。イの"Facts speak for themselves."は「事実は、それ自体で物語る＝おのずから明白だ」。"speak for oneself"は「それ自体で明白に物語っている（説明は不要だ）」という意味。Aの「論より証拠」に近い。ウの"Perseverance will win in the end."の"perseverance"は「忍耐」、全体として「**最後には忍耐が勝つ**」。Dの「石の上にも3年」が近い。エの"Many a little makes a mickle."は、英語らしい表現のため理解しづらいが、分解して考えると、"many"な"a little"つまり「ほんの少しがいっぱい」から、「ちりも積もれば」を想起できる。"a mickle"は「多量、たくさん」を意味するスコットランド地方の古語。"makes a mickle"が「**山となる**」にあたる。

正解 2

2

日本語の「郷に入っては郷に従え」にあたることわざ。「ローマではローマ人のするようにしろ」という意味の英文である。この文章ではまず、**場所が変われば環境もルールも変わる**のだということを強調するために、「ローマでは（に行ったら）」と、文頭に場所が置かれている。設問部（　ア　）には、そうした「場所を表す前置詞」が入って「ローマでは〜しろ」という意味になる。後半の"（　イ　）the Romans do."の、"Romans"はローマ人、"do"はする、で「ローマ人がする」という意味。（　イ　）には、前半と後半を結びつけて「ローマではローマ人のする『**ように**』しろ」という意味をつくる言葉が適当と考えられる。選択肢にあるのは、前置詞の"in"と接続詞などの役割をもつ"as"だけだから、（　ア　）には"in"、（　イ　）には「〜のように」を意味する"as"が入る。

正解 2

問題7 会話文①

[1] 次の会話文の（　　）にあてはまる最も適切なものを、下の1～4の中から1つ選びなさい。

A：Do you mind if I borrow this umbrella?
B：（　　　） Here you are.

1　You're welcome.　　2　Yes, I do.　　3　That's right.　　4　Not at all.

[2] 次の会話文の（　　）にあてはまる最も適切な語または語句を、下の1～4の中から1つ選びなさい。

A：The musical we saw yesterday was boring.
B：I didn't think much of it either.
A：We （　　　） have stayed at home.
B：I think so.

1　should　　2　must　　3　cannot　　4　need not

解答解説

1

"mind"は「気にする」。"Do you mind if ..."は、「もし〜したら（あなたは）気にしますか？」と相手の気持ちをたずねる文章のため、"Yes"と答えると、「気にする」という答えになる。文全体の意味は「傘をお借りしてもいいですか？（傘をお借りしたら気にしますか？）」。それに対する返事（Bの文章）は、"(　　　) Here you are."「(　　　)」のあとには"Here you are.(はいどうぞ。)"と、傘を差し出すシーンを思わせる言葉があるので、(　　　)には「(傘を貸すのを) 気にしない」を意味する文章が入ることになる。適当なのは、「全然（問題ない）」にあたる"Not at all."

正解 **4**

2

前夜に一緒に見たミュージカルが退屈だった、という会話。最初の文の"boring"は「退屈な、つまらない」、2つめの文の"not think much of ..."は「〜はたいしてよくない」「〜を評価しない」。ふたりとも「つまらなかった」と思っていることを確認したあとで「家にいたほうがよかった」とAが言い、Bが同意している。こうした「後悔」を表す表現として、ごく一般的なのが、"should have ..."という表現。過去完了だから、haveのあとには動詞の過去分詞を置く。意味は「〜したほうがよかった」。「〜しなければよかった」と言いたいときには、"should not have ..."と言えばよい。全体としては"should have stayed at home."で、「家にいたほうがよかった（家にいるべきだった）」となる。

正解 **1**

問題8 会話文②

1　次の会話文の（　　）に入る最も適切な文を、下の1～4の中から1つ選びなさい。

A：It has just stopped raining. Shall we play soccker?
B：（　　　）

1　Yes, it is.　　　2　I played soccer too.
3　Oh, did you?　　　4　Sounds nice.

2　次の会話文の（　　）に入る最も適切な語句を、下の1～4の中から1つ選びなさい。

A：May I help you?
B：Yes. I'm having trouble reading these Japanese signs.
A：Which train are you（　　　）？
B：The one that goes to Omiya.
A：That's track No. 2. Right over there.
B：Thank you.

1　looking for　　　2　looking ahead
3　looking after　　　4　looking up to

学習日　

解答解説

1

"Shall we …?"は「～しませんか？」。"we"を用いて「（私たちは）一緒にサッカーをしませんか？」と誘っている。**その誘いにどんな表現や、時制で答えるのが適当かを考えればよい**。なお、"It has just stopped raining."は「雨がやみました」。選択肢1の文意は、「はい、それはそうです」。誘いに対して意味をなさない。2の意味は「私も、サッカーをやります」。日本語にすると悪くないように思えるが、"shall we …?"と誘われながら、自分ひとりを主語にして、「私もサッカーをする」と答えるのは、誘いへの答えになっていない。3は、「え、あなたがそれをしたの？」の意味。これからのことをたずねている質問に、過去形の文章は不適切。4は、「いいね（いい提案に聞こえる）」という意味。誘いに対して、肯定的な気持ちのときの返事としてよく用いられる。主語の"It"が省略されている。"It"は、「サッカーをしませんか？」という文全体を受けた言葉。

正解 4

2

駅で困っている人との会話文。2つめの会話文、Bの"having trouble …ing"は「～で困っている」。signは「表示」（カードなどのサインではない）。文全体は「日本語の表示の読み方で困っている」。4つめの文章でBが、"The one that goes to Omiya（大宮を通る電車です）"と言っていることから、その前のAの発言は、「Bが乗りたがっている電車についてのもの」と想像がつく。"which train …?"は「どの電車？」の意味。ここで選択肢を見てみると、すべて"look"を用いた言葉である。選択肢1の"looking for"は「探している」、2の"looking ahead"は「前方を見ている、将来を考えている」、3の"looking after"は「世話をしている、手掛けている」、4の"looking up to"は「尊敬している、見上げている」なので、「どの電車を『探している』のですか？」の意味となる"looking for"が適切とわかる。

正解 1

会話文③

① 次の（　　）に入る最も適切な文を、下の1～4の中から1つ選びなさい。

A：Look. I made this cake.（　　　）
B：Yes, please.

1　Can you give me some?　　　2　Would you like some?
3　Will you tell me how to make it?　4　Is this your first time?

② 次の（　　）に入る最も適切な語句を、下の1～4の中から1つ選びなさい。

A：I'm going to Okinawa with my family this summer.
B：That's nice! Will you take your dog with you?
A：No. I've already asked my grandparents to（　　　）of our dog.
B：Nice. They like dogs too, right?
A：Yes.

1　be a kind　　2　come out　　3　get rid　　4　take care

学習日　／　／　／

66

解答解説

1

「見て、私、ケーキを作ったの。（　　）」とＡが言い、Ｂが"Yes, please."と答えている。"Yes, please."は、さまざまな場面で「肯定的／前向きな答え」として使われる。ここでは、直前の（　　）の内容を受け入れる言葉である。選択肢を見ると、"some"が何度か登場している。これは"some cake"のこと。選択肢1は、「少し（ケーキを）もらえますか？」。2は「（ケーキを）少しいかがですか？」。3は「つくり方を教えてくれませんか？」、4は「初めて作ったのですか？」である。Ａが「自分がケーキを作った」と言ったあとに続ける文章としては、選択肢1、3、4は不自然。Ｂが"Yes, please.（ええ、お願い）"と言う前のひと言は、「ＡがＢに何かをすすめた」文章であるはず。選択肢2の「（ケーキを）少しいかがですか？」を意味する、"Would you like some?"が正解。

正解　2

2

家族で沖縄旅行へ行く計画を話したところ、「犬も一緒に連れて行くの？」と聞き返され、"No, I've already asked my grandparents to（　　）of our dog."と答えている。文の前半"No, I've already asked my grandparents"の、"No"で、犬は連れていかないことを示し、そのあと、「すでに祖父母にお願いしてある」と言っている。お願いの内容が、その後の"（　　）of our dog."である。選択肢には「面倒をみる」を意味する"take care"があり、この言葉は"take care of ...（〜の面倒をみる）"として使う点でも、合致する。なお、選択肢3も、"get rid of ..."という形で用いられ、意味は「〜を除く」である。

正解　4

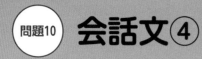

問題10 会話文④

① 次の（　　）に入る最も適切な語を、下の1～4の中から1つ選びなさい。

A : Mike is always late, (　　　　) he?

B : Yes. One time I waited for him for two hours.

A : Really? Why was he late?

B : I don't know.

1　didn't　　2　couldn't　　3　isn't　　4　hasn't

② 次の（　　）に入る最も適切な語句を、下の1～4の中から1つ選びなさい。

A : How was the weather during your trip to Paris?

B : It was excellent. It was a little cool on the first day, but (　　　) that, it was warm and sunny every day.

A : What did you do on the first day?

B : I went to an art museum with my friend.

1　based on　　2　close to　　3　thanks to　　4　aside from

学習日　／　／　／

68

解答解説

①

付加疑問文についての問題。付加疑問文は、まず一度、会話を述べ切って、そのあとで日本語の「〜だよね？」にあたる言葉＝述語動詞＋主語を付け加える話法。基本的には、最初の文章が肯定文なら、付け加える言葉は否定的な語句とし、最初の文章が否定文なら、肯定的な言葉を付け加える。付加する部分の時制と主語は、最初の文章と同じもの。ただし、最初の主語が固有名詞の場合には、その固有名詞と同等の代名詞を用いる。"Mike is always late, (　　) he?"の前半部は、「マイクはいつも遅れる」と肯定文になっている。主語は固有名詞の"Mike"なので、「付け加える」部分は、否定的な言葉＋"he（Mikeに相当する代名詞）"となる。付加部分の否定は、**時制は同じまま**、be動詞（あるいは助動詞）の否定形にすればよい。ここでは、"isn't"。全体の意味としては「マイクはいつも遅れるよね？」。

正解 **3**

②

「パリ旅行のあいだの天気はどうだった？」という質問に、「すばらしかったよ。初日だけはちょっと寒かった。でも（　　）、毎日暖かくて晴れていた」と答えている。前半は、「初日は寒かった」。後半は「毎日暖かくて晴れていた」という文章のつくりになっていて、「初日が例外」だとわかる。それぞれの選択肢の意味は、"based on ..."は「〜に基づいて」、"close to ..."は「〜の近くに」、"thanks to ..."は「〜のおかげで」、"aside from ..."は「〜は別として」「〜以外は」「〜のほかにも」だから、4の"aside from"が適切。

正解 **4**

問題11 会話文⑤

① 次の（　）に入る最も適切な語を、下の１～４の中から１つ選びなさい。

A：Let's eat out tonight.

B：Sounds good.

A：How about that Chinese restaurant in front of the station?

B：OK, I'll（　　　）a table at the restaurant.

1　book　　2　keep　　3　make　　4　get

② 次の（　）に入る最も適切な語を、下の１～４の中から１つ選びなさい。

A：Yoshiko, how did you feel about my speech?

B：It was wonderful! You spoke your idea well.

A：Thank you.（　　　）I was nervous at first, I was able to say what I wanted to.

B：There's much logic in what you say.

1　Since　　2　As　　3　Although　　4　Whether

学習日

解答解説

1

「今夜、外で食べようよ」「いいね」「駅前の中国料理の店は、どう？」というやりとりのあとの会話文。「わかった。じゃあ私はその店（のテーブル）を（　　）しておくよ」の（　　）に適当と思われる英単語を、選択肢から選ぶ。"book"には、"reserve"同様に**「予約する」**という意味があり、これが適当。レストランなどを「予約する」と言う場合は、"book/reserve a table"と**「テーブルを予約する」**という表現が一般的。"book a seat（席を予約する）"は、電車や飛行機の席の予約時に用いがちな表現。

正解　1

2

「私のスピーチ、どう感じた？」「すてきだった。自分の考えをよく話せていた」が最初の2つの会話文の意味。それに続いて、"Thank you.（　　）I was nervous at first, I was able to say what I wanted to."とある。前半では、「ありがとう。初めは緊張した」と言い、後半で、「言いたかったことを言えた」と話している。前半と後半では、自分への評価が違っていることから、「～だけれども」の意味をもつ、選択肢3の"Although"が適切。なお、"Since ..."は「～なので、～以来」、"As ..."は「～なので、～のとき、～として」。"Whether ..."は「～かどうか」などを意味する言葉。

正解　3

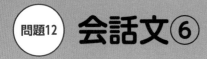
問題12　会話文⑥

次の会話文の（　　）に当てはまるものとして最も適切なものを、後の1〜5のうちから選びなさい。

A：Hello, IT department? I'm locked out of my company e-mail account... oh... my name is Alicia Campbell.

B：Oh, we're having some system problems right now. We're trying to fix them as fast as possible.

A：Do you know when you might finish? I'd really like to send some e-mails to my clients.

B：I'm sorry, but（　　　）. You should use your personal e-mail account for the time being.

A：I guess there's no other option.

B：Again, we're very sorry for the inconvenience. We're working as fast as we can. Check your account every 30 minutes or so.

1　we can't fix them today

2　I promise that we fix them within 20 minutes

3　I can't guarantee a definite time

4　you can't use another laptop

5　I can predict the time when they come

解答解説

仕事場にいるアリシアが、自分のeメールアカウントが使えなくなっていることについて、ITの担当部署に尋ねている場面。訳文は以下の通り。

A「ITの担当部署かしら？　社内のeメールアカウントが使えなくなっているの。あ、私は、アリシア・キャンベルです」

B「ああ、その件ですね。システムに問題が発生していて、できるだけ早く復旧させようとしているところです」

A「いつ頃終わりそうかしら？　本当にすぐにクライアントに送りたいメールがあるのだけれど」

B「申し訳ないですが、（　　　　）。当分は個人のアドレスから送ってください」

A「ほかに方法はなさそうね」

B「本当にご不便をおかけして申しわけありません。なるべく早くやります。30分おきくらいにアカウントをチェックしてみてください」

アリシアの「いつ頃終わりそうか？」に対して、「申しわけないが」と返事をしたのちに、（　　）の文章を述べていることがヒント。（　　）のあとには"for the time being（当分は）"とあり、さらに、「30分おきぐらいにアカウントをチェックしてほしい」とも言っていることから、いつかはわからないが、この日のうちには直りそうであることがわかる。選択肢は、1が「今日中には直せない」、2が「20分のうちには間違いなく直せる」、3が「いつ直るか、**きちんとした時間は保証できない**」、4が「ほかのラップトップPCを使えない」、5は「彼らが来る時間を予測できる」なので、会話文全体として意味が通るのは、選択肢3。

正解 3

 ワンポイントアドバイス

"guarantee"は「保証する」、"definite time"は「明確な時間」、"predict"は「予測する」の意味になります。

1　次の会話文の（　　）に当てはまるものとして最も適切なものを、後の1～5のうちから選びなさい。

A : Hey, I was wondering if you wanted to hang out this Saturday.
B : I'd love to. Actually, （　　　） in town. I'd like to try it.
A : Well, I have to be home for dinner, but I'm free around noon.
B : That's perfect. It has a cheap lunch menu.

1　I want to meet someone
2　I want to go shopping
3　there's a good movie
4　there's a new restaurant
5　I have free time

2　次の英文の（　　）に当てはまるものとして最も適切なものを、後の1～5のうちから選びなさい。

According to medical investigations, the more we feel stressed, （　　　） our immune system becomes.

1　weak and weak
2　we get weaker
3　it gets weak
4　the weaker
5　the weakest

学習日

74

解答解説

1

"I was wondering if …"は、相手の意思をたずねたり自分の希望をやんわりと伝えるのに適当な表現。「できたら〜してほしい」。"hang out"は、「一緒にぶらつく」なので、全体として「土曜日に、一緒にどこかに出かけませんか？」。現在形でもていねいな言い方だが、過去形にすることで「できたら」のニュアンスが強くなる。2行目の"I'd love to."は"hang out"が省略された形。そのあとの"Actually, (　　　) in town. I'd like to try it."は、「じつは町に（　　　）がある。それに挑戦してみたい」とあるので、（　　　）には「挑戦してみたいもの」が入るのだろうとわかる。3行目の「夕食までには家に帰らないといけないけど、昼は"free（予定はない）"」に対し、4行目で「完璧」と言ったあと、"It has a cheap lunch menu.（そこには安いランチメニューがある）"と会話を進めている。選択肢のうち、食事がらみの内容をもつ、"there's a new restaurant（新しいレストランがある）"が正解である。

正解 4

2

"the +（比較級A），the +（比較級B）"の構文になっている。正解は4。「Aであるだけ、もっとBである」という表現をしたいときに用いる。全文の意味は、「医学的な調査によれば、我々がストレスを感じるほど、免疫機能は弱くなるとのことだ」。"according to …"は「〜によると」、medical investigationsは「医学的な調査」、"immune system"は「免疫システム」。なお、「比較級」は、形容詞・副詞の前に"more"をつけるか、「形容詞・副詞の語尾に"-er"をつける」かして表す。設問文では、"the more"と"the weaker"が該当する。

正解 4

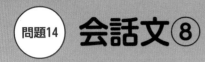

英語

問題14 会話文⑧

1 次の会話文の（　　）に当てはまるものとして最も適切なものを、後の1〜5のうちから選びなさい。

A：Good morning. How can I help you?

B：Hi. I had planned to leave this morning, but（　　）

A：Certainly. May I have your room number, please?

B：Yes. It's 1002.

A：Just a moment, please. OK, Mr. Smith. I've changed your reservation.

B：Do I need to change my room?

A：No, you don't. You can use the same room tonight.

B：Sound great. Thank you.

A：Enjoy your stay.

1　can I leave a message?

2　can I change my room?

3　I'd like to come back next summer again.

4　I'd like to stay for an extra day.

5　I need your help to carry my luggage.

解答解説

①

ホテルの宿泊をめぐる、フロントと客の会話。2行目の"I had planned to leave this morning, but"が最初のポイント。"had planned"と**過去完了**だから、「過去のある時点まではずっとそのつもりだった（けれど、今はそうではない）」を意味する。文前半は「今朝、ここを発つつもりだったのだけれど、」そしてそのあとに"but（　）"と設問部が設けられ、その後、部屋番号のやりとりがあったのち、5行目でフロントの人が"I've changed your reservation.（予約の変更ができました）"と告げる。客が「部屋を変わらないといけないですか？」と尋ねると、"No, you don't. You can use the same room tonight.（いいえ。今夜も同じ部屋をおつかいいただけます）"と答えていることから、最初は今朝発つつもりだった客が、ホテルの部屋を「今夜分も」延長したのだろうと推測できる。選択肢を見ると、"I'd like to stay for an extra day（もう一日泊まりたいのですが）"がある。なお"would like to ..."は「～したい」、"an extra day"は「もう一日」。ほかの選択肢の意味は、上から「メッセージを残せますか？」「部屋を変更できますか？」「来年の夏も戻ってきたいです」「ラゲッジ（荷物）を運ぶのを手伝ってほしいです」。

正解 4

 ワンポイントアドバイス

過去完了形は、完了・結果・経験・継続を表します。

英語

問題15 文章読解①

1 次のア～ウの英文で説明されていないものを、下の1～4の中から1つ選びなさい。

ア a game played on a field by two teams of ten players, in which each player has a long stick with a net on the end of it and uses this to throw, catch, and carry a small ball

イ an outdoor game played by two teams with an oval ball that you kick or carry

ウ a game in which two teams try to score points by throwing or hitting a ball with their hands

1 サッカー　　2 ラクロス　　3 ラグビー　　4 ハンドボール

2 次のア～ウの英文で説明されていないものを、下の1～4の中から1つ選びなさい。

ア a V-shaped instrument with one sharp point and a pen or pencil at the other end, used for drawing circles or measuring distances on maps

イ a piece of plastic in the shape of a half-circle, which is used for measuring and drawing angles

ウ a tool for cutting paper or cloth, that has two sharp blades with handles, joined together in the middle

1 ハサミ　　2 三角定規　　3 コンパス　　4 分度器

学習日

解答解説

①

ア 「ゲーム（試合）は、10人ずつ２チーム、フィールドで行う。選手はそれぞれ、先端にネットのついた長いスティックを持ち、このスティックをつかって、小さなボールを投げ、キャッチし、運ぶ」。ラクロスのこと。

イ 「楕円形のボールをキックし、運ぶ、２チームで行う屋外のゲーム」。ラグビーのこと。

ウ 「プレイヤー自らの手で、ボールを投げる、打つなどして得点することを競う２チームによるゲーム」。ハンドボールのこと。

３種類それぞれのスポーツが行われる場所、プレイヤーの人数、用いる道具などについての情報を正しく読み解くことが必要。アの英文では、"a long stick"と"with a net"がポイント、イの英文は"oval（楕円形の）"がわかるとイメージしやすい。ただしウの英文の"try"という言葉をラグビーの「トライ」と思い込むと、引っかかってしまうので、冷静さが大切。

正解 1

②

ア "V-shaped"は「V字型をした」、"instrument"は「道具、楽器」。withからendまでは"one … the other"の、「ひとつは〜で、もう一方は」という表現。ここでは「一方は先端が鋭くて、もう一方の端にはペンか鉛筆がついている」。最後のパートは「円を描くか、地図上の距離を測るためにつかわれる」。コンパスのこと。

イ "in the shape of a half-circle"は「半円の形をした」。whichから最後までのパートでは、"is used for …"が「〜のために使われる」、そのあとが「角度を測ったり、（角度にあった）線を引いたり」。"angle"は「角度」、"measure"は「計測する」、"draw"は「（線を）引く、（絵を）描く」。分度器のこと。

ウ "tool"は「道具」、"two sharp blades"は「２枚の鋭い刃」、"with handles"は「とってのついた」。"joined together in the middle"は「中央で一緒に留められている」。ハサミのこと。

正解 2

問題16 文章読解②

① 次のア～ウの英語で説明されていないものを、下の1～4の中から1つ選びなさい。

ア　a book in which you can write down the experiences you have each day or your private thoughts

イ　a book that gives a list of the words of a language in alphabetical order and explains what they mean, or gives a word for them in a foreign language

ウ　a book that teaches a particular subject and that is used especially in schools and colleges

1　小説　　2　辞典　　3　教科書　　4　日記

② 次のア～ウの英語で説明されていないものを、下の1～4の中から1つ選びなさい。

ア　a building in which objects of artistic, cultural, historical or scientific interest are kept and shown to the public

イ　a building where people who are ill or injured are given medical treatment and care

ウ　a building with a curved ceiling to represent the sky at night, with moving images of planets and stars, used to educate and entertain people

1　博物館　　2　警察署　　3　プラネタリウム　　4　病院

学習日　／　／　／

解答解説

1

ア "you can write down the experiences you have each day"がポイントとなる部分。"experiences"は「経験」。全体で「それぞれの日にあった経験を書き留める」。"or your private thoughts"は、「あるいは、あなたの個人的な考え」。日記のこと。

イ "the words of a language in alphabetical order（アルファベット順になったある言語の単語)"と、そのあとの"and explains what they mean（それらが何を意味しているのかを説明する)"で、「辞典」とわかる。

ウ 文頭の"a book that teaches a particular subject"の"particular"は「特定の」、"subject"は「ことがら、教科」なので、意味は「ある特定の教科を教えるための本」。"especially in schools and colleges（とくに学校やカレッジで)"。"especially"は「とくに」。教科書のこと。

正解 1

2

ア "a building"の説明となっているのが、in which以下。"objects of artistic, cultural, historical or scientific interest"の"objects of ..."は「〜のもの」。全体で「美術的、文化的、歴史的、あるいは科学的に興味を惹かれるもの」。それらが、"are kept and shown to the public（人々のために保管され、展示されている)"。博物館のこと。

イ "people who are ill or injured"の"ill"は「病気の」、"injured"は「けがをした」。「病気やけがをした人々」が、"are given medical treatment and care（医学的な処置やケアを与えられる＝受ける)"建物だから、病院のこと。

ウ 8語目の"represent"は「映し出す」、"to represent the sky at night"で「夜の空を映し出す」。その前の"a building with a curved ceiling"は「湾曲した天井の建物」。後半の"planets and stars"で星に関するものとわかる。プラネタリウムのこと。なお"educate"は「教育する」、"entertain"は「楽しませる」。

正解 2

問題17 文章読解③

1 次の英語で説明されていないものを、下の1～4の中から1つ選びなさい。

ア　a substance, found within all living things, that forms the structure of muscles and organs, etc.

イ　a substance such as sugar or starch that consists of carbon, hydrogen and oxygen

ウ　any of a group of natural substances which do not dissolve in water, including plant oils and steroids

1　炭水化物　　2　タンパク質　　3　脂質　　4　ビタミン

2 次のA、Bについて説明したそれぞれの英文のうち適切なものの組合せとして正しいものを、あとの1～4のうちから1つ選びなさい。

A　おみくじ
ア　They are random fortunes that give you advice about your future.
イ　They are Japanese charms. You can get them from Japanese shrines or temples.

B　おにぎり
ア　It is a Japanese food made of white rice and fillings. It is usually shaped like a triangle and wrapped in seaweed.
イ　It is food made from vinegared rice rolled in a sheet of laver with vegetables, dried gourd, or egg in the center. It is served cut into bite-size pieces.

1　A－ア　　B－ア　　2　A－ア　　B－イ
3　A－イ　　B－ア　　4　A－イ　　B－イ

解答解説

1

3項目すべてに出てくる"substance"は「**物質**」。

ア　"found within all living things"は「すべての生き物のなかに見つかる」。後半の"that forms the structure of muscles and organs, etc."の"organs"は「臓器、器官」。全体で「**筋肉や臓器などの組織をかたちづくる**」。タンパク質のこと。

イ　"starch"は「でんぷん」。"consist of ..."は「〜を含んだ」。"carbon, hydrogen and oxygen"は、「**炭素と水素と酸素**」。全体として「炭素、水素、酸素を含んだ糖質やでんぷんといった物質」。炭水化物のこと。

ウ　最後の"including plant oils and steroids"に「植物油やステロイド（特定の化学構造をもった脂質）も含む」と油についての記載があり、「**脂質**」とわかる。

正解 イ

2

Aア　"fortunes"は「運、運勢」、"random fortunes"で「ランダムに与えられる運勢（お告げ）」というような意味。"that give you advice about your future"は「**未来について忠告をしてくれる**」。

Aイ　"charms"は「**お守り**」。"You can get them from Japanese shrines or temples."は、「日本の神社やお寺で手に入る」。

Bア　"fillings"は「つめもの、具、中身」。"Japanese food made of white rice and fillings"は「**白米と具でできた日本の食べ物**」。"shaped like a triangle"は「三角のような形をして」、"seaweed"は「のり」。

Bイ　"vinegared rice"は「酢飯」、"a sheet of laver"は「1枚ののり」。"dried gourd"は「乾いたひょうたん＝かんぴょう」。「酢飯を、中央においた野菜やかんぴょう、たまごとともに1枚ののりで巻いた食べ物。一口サイズに切って提供される」。

正解 1

問題1 日本史①

① 次の著作物と関係する人物の組み合わせとしてすべて正しいものを、1～4の中から1つ選びなさい。

1 『古事記伝』賀茂真淵　　『ハルマ和解』稲村三伯
2 『柳子新論』山県大弐　　『西説内科撰要』工藤平助
3 『群書類従』塙保己一　　『解体新書』杉田玄白
4 『国意考』前野良沢　　『華夷通商考』荷田春満

② 次の江戸幕府の将軍とその在位期間中に起きたできごと等の組み合わせとしてすべて正しいものを、次の1～4の中から1つ選びなさい。

1 徳川秀忠　―　禁中並公家諸法度　―　紫衣事件　　―　島原の乱
2 徳川家光　―　上げ米の制　　　　―　海舶互市新例　―　宗門改
3 徳川吉宗　―　相対済し令　　　　―　公事方御定書　―　目安箱
4 徳川家斉　―　寛政異学の禁　　　―　人返し令　　―　蛮社の獄

学習日

解答解説

1

すべて江戸時代に刊行された本。1の『古事記伝』の著者は、江戸時代の国学者で医師の**本居宣長**。2の『西説内科撰要』は、**宇田川玄随**が著した全18巻の、日本初の西洋内科学の本。刊行の開始は1793年。4の『国意考』は、江戸時代の国学者、**賀茂真淵**による日本論。外来の仏教や儒教などの思想を批判し、日本古来の考え方への回帰を説いた。『華夷通商考』は、江戸中期に著された**西川如見**の地理書。設問部の**荷田春満**は復古神道を唱えた国学者、歌人で、万葉研究、記紀研究の基礎を作った人物。なお、『ハルマ和解』は日本最初の蘭和辞典。『柳子新論』は政治経済論。**工藤平助**は『赤蝦夷風説考』を著した。

正解 3

2

将軍の在位順に記すと、2代将軍秀忠（在位1605〜1623年）は、禁中並公家諸法度を制定し、朝廷と公家を統制する姿勢を示した。3代将軍家光（在位1623〜1651年）の時代には紫衣事件（1627年）と島原の乱（1637年）が起きている。隠れキリシタンなどによる島原の乱後の1640年、幕府に宗門改役を設置し、人々を管理する一助とした。8代将軍吉宗の在位は1716〜1745年。**相対済し令**は1719年（1685年と1702年にも相対済し令は出されている）。**目安箱**は1721年。上げ米の制の制定は1722年、**公事方御定書**も吉宗のもとで作成された。家斉が11代将軍（在位1787〜1837年）に就任すると、それまで権勢を誇っていた田沼意次を罷免し、松平定信を登用。定信は寛政の改革を行った。寛政異学の禁（1790年）も定信による学問の統制で、昌平坂学問所では朱子学以外の学問を教えることを禁じた。家斉が将軍職を辞したあとの1839年、水野忠邦が老中首座となった。蛮社の獄もこの年。水野が天保の改革に着手したのは、家斉の死後の1841年、「人返し令」は1843年である。なお、1715年の海舶互市新例は、オランダ船および中国船との貿易に関するルールの総称で、新井白石によるものである。

正解 3

日本史②

① 日本の第1回衆議院議員選挙に関する文について、その正誤の組み合わせとして正しいものを、下の1～4の中から1つ選びなさい。

① 選挙権は直接国税を15円以上納める満25歳以上の男子にあたえられた。
② 伊藤博文内閣のときに実施された。
③ 選挙の結果、民党は過半数を占められなかった。
④ 有権者数は全人口の約1％にすぎず、その大部分は農村の地主であった。

1　① 正　② 誤　③ 正　④ 誤
2　① 誤　② 正　③ 正　④ 誤
3　① 誤　② 正　③ 誤　④ 正
4　① 正　② 誤　③ 誤　④ 正

② 鎌倉幕府のしくみに関する記述として、その正誤の組み合わせが正しいものを、下の1～4の中から1つ選びなさい。

① 六波羅探題は鎌倉の警備をした。
② 守護は国内の軍事・警察の役割を果たした。
③ 地頭は荘園や公領の管理、年貢の取り立てをした。
④ 問注所は幕府の財政を司った。

1　① 正　② 誤　③ 正　④ 誤
2　① 誤　② 正　③ 誤　④ 正
3　① 正　② 誤　③ 誤　④ 正
4　① 誤　② 正　③ 正　④ 誤

学習日　／　／　／

解答解説

1

1890年7月1日に行われた第1回衆議院議員選挙は、日本初の民選選挙である。第1次山県有朋内閣のもとで実施された。当選者数は全国で300（1人区214、2人区43）。選挙権は、直接国税を15円以上納税している満25歳以上の日本国民男性がもち、被選挙権は、直接国税を15円以上納税している満30歳以上の日本国民男性のみだった。有権者数は45万人あまりで人口のおよそ1.13％。立候補者数は1,243人だった。自薦、他薦を問わなかったため、知らないうちに立候補者となっているものもいた。自由民権運動を推進してきた民党（自由党・立憲改進党などの民権派各党の総称）が圧勝。300議席中191人が平民で、そのうち125人が農民。地主や製糸業者などだった。直接国税15円以上を支払える人々の多くが農村部に住んでいて、農村部と都市部の有権者割合には、大きな開きがあった。

正解 4

2

「六波羅探題」は、京都における鎌倉幕府の出先機関。承久の乱ののち朝廷の監視などを目的として京都六波羅の北と南に設置された。守護は、鎌倉幕府が「国ごと」においた軍事指揮官で行政官。有力な武士などを将軍が任命した。一方、地頭は「荘園や公領ごと」に置かれた。仕事内容は、荘園などの管理（警察権も）と、年貢の徴収、そして、荘園の所有者である貴族などに代わって、その土地に課されている年貢を幕府に納めることだった。幕府と荘園領主のあいだに立つ存在ともいえる。問注所は、訴訟に関する機関。いさかいの訴えのある当事者双方から聞き取りをし、判断をくだす。鎌倉幕府の中央機関としてはほかに、侍所（御家人を組織し統制するための機関）と、政所（一般的な政務や財政をつかさどる機関）があった。

正解 4

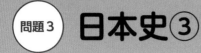

日本史

問題3 日本史③

[1] 平安時代の仏教の特色について説明した文として最も適切なものを、次の1～
4の中から1つ選びなさい。

1 極楽浄土への生まれ変わりを願う阿弥陀信仰がさかんとなり、平等院鳳凰堂
が建てられた。

2 国分寺が国ごとに建てられ、仏教の力によって国家を守ろうとする考えが示
された。

3 法隆寺が建てられ、渡来人が伝えた中国文化の影響を受けた仏像がつくられ
た。

4 日蓮宗が開かれ、題目をとなえれば人も国家も救われるという教えが広まっ
た。

[2] 次の出来事ア～オを年代の古い順に並べたものとして最も適切なものを、後の
1～4のうちから選びなさい。

ア ポーツマス条約が結ばれる。

イ 日韓基本条約が結ばれる。

ウ 日朝修好条規が結ばれる。

エ 日米安全保障条約が結ばれる。

オ 下関条約が結ばれる。

1 ウ → オ → ア → エ → イ

2 ウ → オ → ア → イ → エ

3 オ → ア → ウ → エ → イ

4 オ → ウ → ア → イ → エ

学習日 ／ ／ ／

解答解説

1

1　○　肢文の通り。平安時代の仏教の特徴である。

2　×　国分寺建立の詔が出されたのは、**奈良時代**の741年。聖武天皇が鎮護国家の思想によって、各国（日本国内の行政単位）に国分（僧）寺と国分尼寺を建立し、奈良の東大寺には大仏を造立した。

3　×　法隆寺の建立は**飛鳥時代**の607年。670年の火災による焼失後、7世紀中には、再建されたとみられている。大陸や半島との交易を通じて仏教が日本に入ってきて日が浅かったため、仏像の姿や形などは、中国文化等の影響が顕著である。

4　×　日蓮宗は、**鎌倉時代**に日蓮がおこした宗派。戦乱や災害などが多かった時代に、日蓮は「題目」を唱えれば誰でも救われると、各地で説法を繰り広げた。

正解 1

2

アのポーツマス条約は、**日露戦争**の終結とともに1905年に結ばれた講和条約。日露の全権大使、小村寿太郎とウィッテとの間で調印された。イの日韓基本条約は、1965年に戦後の**日本と韓国の国交**を樹立した条約。15年間の交渉ののち、日本は韓国を朝鮮半島唯一の合法政権として認めるなどした。ウの日朝修好条規は、1876年に明治政府が**李氏朝鮮**と結んだ条約。朝鮮の開国を求め、また、朝鮮の関税自主権を認めないなど、日本に有利な条約となっている。エの日米安全保障条約は、1951年、日本が、サンフランシスコ講和条約調印により**独立を回復**した同じ日に結ばれた。アメリカ軍の日本駐留などを記している。10年後の1960年に新たに項目を追加して、新条約となった。オの下関条約は、**日清戦争**の講和条約として1895年に調印された。清国からは賠償金と、遼東半島などの割譲を受けた。

正解 1

日本史

問題4 日本史④

① 江戸時代についての記述として適切ではないものを、次の1～4のうちから選びなさい。

1 徳川吉宗は、それまでの法を整理し、裁判や刑の基準を定めた公事方御定書を制定した。

2 水野忠邦は、湯島の聖堂に昌平坂学問所をつくり、朱子学を学ばせて人材の育成を図った。

3 松平定信は、農村の復興のため、江戸に出かせぎに来ていた者は農村に帰し、村ごとに米を蓄えさせた。

4 田沼意次は、長崎での貿易を進め、蝦夷地についても開発を計画した。

② 室町時代の文化の記述として最も適切なものを、次の1～4のうちから選びなさい。

1 武士の活躍と運命をえがいた軍記物の代表作である「平家物語」が生まれた。

2 神話や国の成り立ちを記した「古事記」「日本書紀」という歴史書がつくられた。

3 墨一色で自然をえがく「水墨画」が盛んになり、禅僧の雪舟は数々の名作を残した。

4 東大寺には、宋の様式を取り入れた南大門が建てられ、「金剛力士像」などの力強い彫刻がつくられた。

学習日 　／　　／　　／

解答解説

1

1　○　「公事方御定書」は、上下2巻からなる基本的な法令集。下巻には過去の判例も収録されている。吉宗はまた目安箱や小石川養生所を設置するなどした。

2　×　私塾であった昌平坂学問所を幕府の直轄機関として、朱子学以外の学問を教えることを禁じたのは、松平定信。水野忠邦は、11代将軍家斉の治世後の、緩んだ風潮を正そうと天保の改革を行った。江戸に逃散してきた農民を農村に戻す人返し令や、物価高騰の原因を作ったとする株仲間の解散などを命じた。

3　○　松平定信は寛政の改革で、幕藩体制の立て直しを目指した。江戸に出てきた農民には帰農を促し、囲米、七分積金令など非常時のための政策も導入した

4　○　田沼意次は、財政赤字の削減のため、長崎貿易の推進や株仲間の公認による専売制など商業を重視する政策をとる一方、蝦夷地の開発なども計画した。

正解　2

2

1　×　『平家物語』は、鎌倉時代に成立したと考えられている軍記物語。それ以前にも『保元物語』『平治物語』などが作られている。

2　×　『古事記』は712年、『日本書紀』は720年に完成。編纂が始められたのは、どちらも7世紀後半の天武天皇の時代で、完成したのは奈良時代である。

3　○　水墨画は唐の時代に生まれ、鎌倉時代に禅宗とともに日本に伝わった。室町時代に将軍家が禅宗を庇護したことなどから、結びつきの強い水墨画が広まった。なかでも雪舟は、日本独自の水墨画の手法を確立した人物とみなされている。

4　×　東大寺は8世紀前半（奈良時代）の創建だが、南大門は鎌倉時代の1203年に完成している。2層になった屋根と2体の金剛力士像で知られる。

正解　3

問題5 **日本史⑤**

1　明治時代の出来事の記述として適切ではないものを、次の1～4のうちから選びなさい。

1　板垣退助らは、政府に民撰議院設立の建白書を提出し、国会の開設を求めた。

2　西郷隆盛らが起こした西南戦争は、徴兵令によって組織された政府軍に鎮圧された。

3　大久保利通は、イギリスのような議会政治をめざし、立憲改進党をつくった。

4　伊藤博文は、ヨーロッパに留学し、君主権の強いドイツなどで憲法について学んだ。

2　日本の各時代の信仰についての記述として最も適切なものを、次の1～5のうちから選びなさい。

1　奈良時代には、仏教が大陸から初めて伝来し、仏教の力にたよって国家を守ろうと諸国に国分寺が建てられた。

2　平安時代には、天災や社会不安から、阿弥陀仏にすがり、死後に極楽浄土に生まれ変わることを願う浄土信仰がさかんになった。

3　鎌倉時代には、座禅によって自らの力でさとりを開こうとする日蓮宗が幕府の保護を受けて武士の間で広く信仰された。

4　安土桃山時代には、キリスト教の布教を危険視した織田信長が、バテレン追放令により宣教師を国外追放とした。

5　明治時代には、キリスト教の禁止も解かれたが、一方で、神仏分離令をきっかけに仏教が国教と定められた。

学習日　／　／　／

解答解説

1

1　○　民撰議院設立の建白書は1874年に、**板垣退助**や**後藤象二郎**らにより提出され、自由民権運動の端緒となった。

2　○　1873年、国民の兵役義務を定めた徴兵令が発布され、1877年の西南戦争にはこうした国民が鎮圧に赴いた。士族の軍隊にアマチュアが勝ったことで、徴兵による軍事力の意味が社会的に印象づけられたできごとでもあった。

3　×　立憲改進党は、**大隈重信**が作った政党。大久保利通ではない。1882年に立党され、自由民権運動の代表的政党として活動した。

4　○　伊藤博文は1882年に、憲法調査のため渡欧。君主権の強い**プロイセン**（ドイツ）憲法の講義、憲法学者への師事などを通して、歴史法学や行政について学び、**大日本帝国憲法**の起草に中心的役割を果たした。

正解 3

2

1　×　「国分寺建立の詔」は741年に聖武天皇が出したものだが、「仏教が公に伝来した年」は538年か552年とされる。奈良時代（710年～）ではない。

2　○　肢文の通り。末法思想の広まりも、**浄土信仰**が広がった一因といわれる。

3　×　「日蓮宗」は鎌倉仏教だが禅宗ではない。禅宗が初めて伝わったのは13世紀とされ、曹洞宗、臨済宗などが知られる。

4　×　織田信長は、むしろキリスト教を保護し、西洋の知識や武器をとり入れながら天下統一を目指した。「バテレン追放令」は、**豊臣秀吉**が1587年に発した。

5　×　神道が国教となると、**廃仏毀釈**運動が起き、各地で仏像が破壊された。

正解 2

問題6 日本史⑥

1 日本に関する次のア～エの出来事を年代の古い順から並べたものとして最も適切なものを、後の1～4のうちから選びなさい。

ア 関東大震災が起こる。
イ 第一次世界大戦に参戦する。
ウ 普通選挙法が公布される。
エ 国際連盟に加盟する。

1 ア → イ → ウ → エ
2 イ → エ → ア → ウ
3 ウ → イ → エ → ア
4 エ → ア → イ → ウ

2 古代から近世における、我が国と諸外国との関係についての記述として最も適切なものを、次の1～4のうちから選びなさい。

1 飛鳥時代には、中国の進んだ文化を取り入れるため、漢に小野妹子らが派遣された。
2 鎌倉時代には、元のチンギス＝ハンが日本を従えようとして、二度にわたり日本に襲来した。
3 室町時代には、足利尊氏によって、勘合を用いた明との貿易が行われた。
4 江戸時代には、徳川家康が朱印状を発行し、外国との貿易を勧めた。

学習日 ／ ／ ／

解答解説

1

アの「関東大震災」は、1923年。イの「日本の第一次世界大戦への参戦」は、世界大戦の勃発のひと月後の、1914年8月。終結は1918年である。ウの「普通選挙法の公布」は、1925年。納税要件が撤廃され、**満25歳以上の男子**に選挙権が与えられた。この年には「治安維持法」も制定されていて、選挙法の改正とともに、社会主義への取り締まりを厳しくしている。エの「国際連盟への加盟」は、1920年。第一次世界大戦後、アメリカ大統領の**ウィルソン**が国際連盟の結成を提唱し、世界平和と国際協力を目的として設立されたが、**アメリカは参加しなかった**。日本は、国際連盟の発足当時から**常任理事国**を務めた(当初の常任理事国は、ほかにイギリス、フランス、イタリアの四か国)。しかし、1930年代に入ると各国の思惑から、国際連盟への加入、脱退が繰り返され、実質的な機能を失った。1945年の国際連合の発足後、1946年に解散した。

正解 2

2

1 ×　小野妹子は飛鳥時代の官人。先進的な文化をとり入れるために**隋**に派遣された。遣隋使は推古天皇の時代の600年〜618年のあいだに数回行われている。

2 ×　元は、1274年と1281年の2度、日本に襲来したが(それぞれ「文永の役」と「弘安の役」)、皇帝は**フビライ＝ハン**(チンギス＝ハンの孫にあたる)である。

3 ×　明とのあいだで勘合貿易を行ったのは、三代将軍の**足利義満**。足利尊氏ではない。倭寇船や密貿易船と区別するために勘合(符)を使用した。

4 ○　肢文の通り。**朱印状**を用いた貿易は、豊臣秀吉に始まり徳川家康も受け継いだ。貿易相手国はおもに東南アジアの国々で、各地に日本町がつくられるほど交易はさかんだった。朱印船貿易の一方で、江戸時代の長崎や平戸では、ポルトガルやスペインから来日した人々とのあいだで、**南蛮貿易**が行われたが、どちらの貿易も、**鎖国体制**がとられるなか、1639年までに終了した。

正解 4

日本史

問題7 日本史⑦

1　日本の律令制についての記述ア～エの正誤の組合せとして最も適切なものを、後の1～5のうちから選びなさい。

ア　701年に、隋の律令にならった大宝律令がつくられた。

イ　中央の朝廷には、太政官、実務を分担する八省などの役所がおかれた。

ウ　地方は国・郡に分けられ、それぞれ国司・郡司と呼ばれる役人がおかれた。国司には都の貴族が、郡司にはその地方の豪族が任命された。

エ　律令国家のもとですべての農民は、等しく租・調・庸という税や、労役を負担することになった。

1　ア―正　　イ―誤　　ウ―正　　エ―誤
2　ア―誤　　イ―正　　ウ―正　　エ―誤
3　ア―正　　イ―誤　　ウ―誤　　エ―正
4　ア―誤　　イ―誤　　ウ―正　　エ―正
5　ア―誤　　イ―正　　ウ―誤　　エ―正

2　歴史上の人物の説明として適切でないものを、次の1～4のうちから1つ選びなさい。

	人物	説明
1	野口英世	幼い頃に大やけどを負ったが、手術を受けたことにより医師を志し、梅毒や黄熱病を研究した。
2	紫式部	平安時代中期の作家・歌人で、長編物語の「源氏物語」は、日本を代表する古典作品として世界にも知られている。
3	樋口一葉	明治時代の作家で、「みだれ髪」「にごりえ」「十三夜」を発表したが、20代で亡くなった。
4	福沢諭吉	幕末から渡米、渡欧して西洋の文化を紹介し、「学問のすゝめ」の中で「天は人の上に人を造らず、人の下に人を造らずと云へり」と書いた。

学習日　／　／　／

解答解説

1

ア　×　大宝律令は、唐の律令を参考にしたといわれる。隋ではない。刑法に近い「律」6巻、行政法に近い「令」11巻からなる。文武天皇の命により編纂された。

イ　○　平安時代の中央政府のシステムは二官八省。二官は祭祀をつかさどる神祇官と、その他の政務を司る太政官。太政官のもとに行政を分担する八省が置かれた（今でいう省庁のような存在）。太政官は、太政大臣・左大臣・右大臣・大納言・少納言などからなる。太政大臣は、適任者がいなければ置かれないのが原則である。

ウ　○　地方には、国→郡→里が置かれた。中央貴族が国司となり、任期内は国府に赴任。郡司には、かつて国造を務めたような、その地の豪族が任命された。こちらは世襲による終身官。里長は、村長。国司が任命した。官人ではない。

エ　×　租庸調は、すべての農民が負担したものではない。租は男女ともに負担したが、庸、調、雑徭（労役）は、正丁（21歳から60歳の男子）など男子の負担。女子・貴族・奴婢などには庸、調、雑徭の義務はなかった。

正解　2

2

1　○　肢文の通り。渡米後の1911年に梅毒スピロヘータの純粋培養を行う。その後、黄熱病の病原菌発見に努めたが1928年にガーナで感染し、死去した。

2　○　肢文の通り。

3　×　『みだれ髪』は与謝野晶子の歌集。雑誌『明星』に短歌を発表しロマン派の中心人物となった。歌人としての活動と同時に、思想家としての側面も強めた。夫は与謝野鉄幹。樋口一葉の作品としてはほかに『たけくらべ』などがある。

4　○　肢文の通り。身分に関係なく教育を受ける機会をと、慶應義塾を設立した。

正解　3

問題8　日本史⑧

次の表は日本における政党政治の発展に関連する出来事を示したものである。古い順に並べたものとして正しいものを、あとの1〜4のうちから1つ選びなさい。

	出　　　　来　　　　事
A	征韓論から転じた一派は愛国公党を結成し、活発な民撰議員論争を巻き起こした。
B	立憲民政党と立憲政友会は交代で政権を担当し、「憲政の常道」といわれた。
C	総選挙で社会党が躍進すると日本民主党と自由党が合流し、二大政党制が出現した。
D	平民宰相と呼ばれた首相のもと、本格的な政党内閣が組閣され、国民の支持を得た。

1　A　→　D　→　B　→　C
2　A　→　C　→　D　→　B
3　D　→　A　→　C　→　B
4　D　→　A　→　B　→　C

解答解説

A　明治六年の政変（1873年）により、征韓論者である西郷隆盛、板垣退助、江藤
　新平らが下野。「愛国公党」は、板垣、江藤らが中心となって1874年に結党した
　組織である。

B　「立憲民政党」と「立憲政友会」は、昭和初期に政権を担った政党。立憲民政
　党は1927年に憲政会と政友本党が合併して誕生。立憲政友会は明治末期の1900年
　の立党。1925年から1931年までのあいだ、この２党が二大政党として交代で政権
　を担当した。いずれも1940年に大政翼賛会への合流のため、解散している。

C　「日本民主党」は1954年からほぼ１年間だけ存在した政党。「自由党」は、1950
　年に結党された政党。ともに保守系のこれら２党が合同して「自由民主党」とな
　り（保守合同）現在に至っている。日本社会党は、これ以前に３分の１超の議席
　を確保、憲法改正に必要な３分の２超の確保を目指す保守勢力を押しとどめてい
　た。そうした背景のもと保守合同により自由民主党が誕生し、議席数に差はある
　ものの「憲法改正」をめぐるせめぎあい、という点で二大政党制となった。

D　立憲政友会（たんに「政友会」と称されることもある）の原敬が総理大臣とな
　ったのは、1918年。衆議院から総理大臣に就いたのは、原が初めてであったため
　「平民宰相」と呼ばれた。また、原内閣では外務大臣、陸軍大臣、海軍大臣をの
　ぞくすべての閣僚ポストが、政友会の議員で占められたことから、日本で初めて
　の「本格的政党内閣」と評されている。原は、明治維新以来続いていた薩長中心
　の藩閥政治を打破し、政党政治への変革に情熱を注いだ人物。幕末に幕府側につ
　いた南部藩の出身でもあった。人気は高かったが、1921年11月に東京駅で暗殺さ
　れた。

正解　1

👆 ワンポイントアドバイス

自由民権運動から現在に至るまでの政党の流れを理解しておきましょう。

問題1 世界史①

1　アメリカの歴史について述べた文として正しいものを、次の1〜4の中から1つ選びなさい。

1　独立戦争がはじまると、植民地側はジェファソンを総司令官に任命して戦闘態勢をととのえた。またワシントンが発表した『コモン・センス』は独立の気運をもりあげた。

2　奴隷制の拡大に反対する民主党のリンカンが大統領に選出されると、奴隷制を支持する北部諸州は連邦から脱退し、アメリカ連合国を結成した。

3　フランクリン＝ローズヴェルト大統領はニューディールとよばれる経済政策を推進したが失敗し、その結果株価が大暴落して世界規模の恐慌をおこした。

4　1898年、マッキンリー大統領はキューバ独立支援を理由にアメリカ＝スペイン戦争をおこし、スペインからフィリピンやグアムなどを獲得した。

2　次のア〜オの出来事を年代の古い順に並べたものとして最も適切なものを、後の1〜4のうちから選びなさい。

ア　田沼意次が老中となる。
イ　フランス革命が起こる。
ウ　水野忠邦による天保の改革が始まる。
エ　徳川吉宗が将軍となる。
オ　イギリスで名誉革命が起こる。

1　オ → イ → エ → ア → ウ
2　エ → オ → ウ → ア → イ
3　エ → ア → ウ → オ → イ
4　オ → エ → ア → イ → ウ

学習日　／　／　／

解答解説

①

1　×　独立戦争では全期間にわたりワシントンが総司令官を務めた。また、『コモン・センス』は、独立戦争が始まった翌年に、イギリスの思想家**トマス＝ペイン**によって発行された、アメリカ独立の権利を正当化した著書である。

2　×　奴隷制を支持していたのは、おもに**南部の州**。1861年に合衆国から「アメリカ連合国」として独立をしたのも、南部の州が中心である。

3　×　1929年、アメリカでの株の大暴落をきっかけに、**世界大恐慌**が起こり1930年代の後半まで続いた。1933年に大統領に就任したフランクリン＝ローズヴェルトが世界恐慌を克服するために行った一連の経済政策が、**ニューディール政策**である。

4　○　肢文の通り。**キューバ**とともに、スペインの植民地であった**フィリピン**も戦場となった。アメリカが勝利し、多大な賠償金と領土を獲得。アメリカの帝国主義の始まりと、スペインの植民地支配の終焉を意味する世界史の転換点となった。

正解 4

②

江戸時代の老中、田沼意次、松平定信、水野忠邦は、第11代将軍徳川家斉の時代と重ねて覚えると、わかりやすい。徳川家斉の将軍在位は、1787年〜1837年の50年。その直前の1786年までのおよそ20年間に権力をふるったのが**田沼意次**で、1772年に老中となっている。徳川家斉が将軍となった1787年に老中首座についたのが**松平定信**で、1793年まで寛政の改革を行った。その改革の効果が薄れた家斉治世の末期に登場したのが**水野忠邦**。1834年に老中となったが、天保の改革に着手したのは、家斉没後の1841年から。なお、徳川吉宗が第8代将軍となったのは、1716年。一方、世界史の革命は、**フランス革命**が1789年、**名誉革命**が1688〜1689年。

正解 4

問題2 **世界史②**

① 日本と世界の出来事について、同じ世紀に起こったものの組合せとして<u>適切ではないもの</u>を、次の1～5のうちから選びなさい。

	日本	―	世界
1	豊臣秀吉が全国を統一する	―	ルターが宗教改革を始める
2	徳川吉宗が享保の改革を行う	―	イギリスで名誉革命が起こる
3	ペリーが浦賀に来る	―	アヘン戦争が起こる
4	戊辰戦争が起こる	―	ナポレオンが皇帝になる
5	関東大震災が起こる	―	ロシア革命が起こる

② 17世紀の出来事として最も適切なものを、次の1～5のうちから選びなさい。

1 アメリカ南北戦争
2 享保の改革
3 島原・天草一揆
4 アヘン戦争
5 寛政の改革

学習日 ／ ／ ／

解答解説

1

選択肢2のできごとはそれぞれ18世紀と17世紀で、世紀が違う。徳川吉宗の**享保の改革**は1716年～1745年。一方、イギリスの**名誉革命**は、1688年～1689年。正解は選択肢2。そのほかの選択肢は、すべて同じ世紀に起こっているものの組み合わせ。選択肢1の、豊臣秀吉の天下統一は1590年、ルターが宗教改革を開始したのは、1517年。選択肢3の、ペリーの浦賀来航は1853年、アヘン戦争は1840年～1842年。選択肢4の、戊辰戦争は1868年～1869年、ナポレオンが皇帝になったのは、1804年。選択肢5の、関東大震災は1923年、ロシア革命は1917年である。

正解 2

世界史

世界史②

2

17世紀は1601年から1700年まで。日本の江戸時代は1603年～1868年である。選択肢のうち、江戸時代の比較的初期に起こったできごとは、1637年の島原・天草一揆。弾圧が厳しくなっていたキリシタンの多い地域であるうえに、領民への過酷な年貢の取り立ても重なり、内乱となった。一揆鎮圧の1年半後、江戸幕府は鎖国を始めた。そのほかの選択はすべて18世紀と19世紀のできごと。選択肢1のアメリカの**南北戦争**は、1861年～1865年。江戸時代末期である。選択肢2の享保の改革は、徳川吉宗が1716年から行った改革。江戸幕府の将軍が15代まで、吉宗は8代将軍ということも、16世紀かどうかを推測するヒントになる。選択肢4の**アヘン戦争**は、1840年に勃発。イギリスが東アジアに進出し、中国侵略を目論んだ戦争。欧米各国がアジアに進出したことで、日本も幕末へと向かっていく。選択肢5の寛政の改革は、1787年から1793年にかけて老中松平定信が行った改革。徳川家斉が11代将軍についた年に始まっている。同じ家斉の治世（1787年～1837年）の終わりには、水野忠邦が老中についている。

正解 3

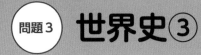

問題3 **世界史③**

次の文章を読み、問1、問2に答えなさい。

　1914年、オーストリアの皇太子夫妻がサラエボでセルビアの青年に暗殺される事件が起きた。そのためオーストリアはドイツの支援を受けてセルビアに宣戦布告をした。これをきっかけに、オーストリア、ドイツなどの同盟国と、セルビア側についた連合国との間で、世界規模の戦争が起こった。日本は 1 を結んでいたことを理由に連合国側として参戦した。劣勢になった同盟国側は次々と降伏し、1918年秋にドイツで革命が起こり、帝政が倒れた。ドイツの臨時政府は直ちに連合国と休戦条約を結び、連合国側の勝利で終わった。

　この戦争の講和会議はパリで開かれ、ベルサイユ条約が結ばれた。この講和会議におけるアメリカ大統領ウィルソンの提案を基に、国際紛争の平和的解決と国際協力のための機関として、1920年に 2 が設立された。

問1　空欄1、空欄2に当てはまる適切な語句の組合せを選びなさい。
　ア　1 — 三国同盟　　2 — 国際連合
　イ　1 — 三国協商　　2 — 国際連盟
　ウ　1 — 三国協商　　2 — 国際連合
　エ　1 — 日英同盟　　2 — 国際連盟
　オ　1 — 日英同盟　　2 — 国際連合

問2　下線部の期間に起きたできごととして、適切なものの組合せを選びなさい。
　①　ロシアで社会主義革命がおこると、日本はシベリアに出兵した。
　②　ヨーロッパでは、国力を使い果たす総力戦になった。
　③　日本の農村では、農地改革が行われ、多くの自作農が生まれた。
　④　戦場にならなかった日本では、船舶や鉄鋼などの重工業が成長した。
　⑤　日本では女性差別の解消を求める運動により、女性の選挙権が認められた。
　　　ア　①②③　　イ　①②④　　ウ　①③⑤　　エ　②④⑤　　オ　③④⑤

学習日　／　／　／

解答解説

問1

第一次世界大戦は、19世紀以降にヨーロッパで産業が発達し、過剰生産が起こったこと、その過剰分を売り切るために各国が植民地政策を掲げて領土を拡大するうちに、ヨーロッパで一触即発のムードができ上っていたことが、背景にある。そんななか1914年に**サラエボ事件**が発生。同盟国（ドイツ、オーストリアなど）と連合国とのあいだで戦争が起き、ヨーロッパでの戦争から世界大戦へと拡大していった。日本は、1902年に結んでいた「**日英同盟（設問部 1）**」を根拠に、連合国側として参戦、ドイツが権益を持っていた中国本土に出兵するなどした。1918年にドイツ国内でも革命が発生したことで、大戦は終結。終戦後はアメリカが主導権を握り、大統領ウィルソンの提唱で1920年に「**国際連盟（設問部 2）**」が設立された。

正解 エ

問2

① ○ 肢文の通り。連合国のイギリスとフランスは、**ロシア革命への干渉**を望んだが、自らの戦争で手いっぱいだったため、日本に**シベリア出兵**を促した。

② ○ **短期間で終わる戦争との予測に反し長期化**したため、各国とも動員態勢の強化を迫られ、国内経済や産業も巻き込んで、国家を挙げた総力戦となった。

③ × 第二次世界大戦後の政策である。日本を占領していたアメリカの指令により、大地主のもっている**小作地**を国が安価で買い上げ、小作農民に売りわたした政策。この改革で多くの小作農民が自分の農地を持つこととなった。

④ ○ 肢文の通り。主戦場から遠い日本には「**大戦景気**」が訪れ、前半には造船業、海運業、鉱業などが、後半には化学・金属工業などが発展し、好景気にわいた。

⑤ × 1945年10月、幣原内閣が、女性にも男性同様の選挙権を認める閣議決定を行った。

正解 イ

問題4 世界史④

① 事項とそれに関連する人物の組合せとして適切でないものを、次の1～4のうちから1つ選びなさい。

	事 項	人 物
1	地動説	ニコラウス＝コペルニクス
2	東方見聞録	カール＝マルクス
3	宗教改革	マルティン＝ルター
4	万有引力	アイザック＝ニュートン

② 歴史上の人物とその説明との組合せとして誤っているものを、次の1～4のうちから1つ選びなさい。

	人 物	説 明
1	マルティン＝ルター	免罪符の悪弊を唱え、聖書のドイツ語訳をおこない、キリストの福音を信ずることを推奨した。
2	アダム＝スミス	「社会契約論」を著し、万人の平等に基づく人民主権論を唱え、市民革命に影響を与えた。
3	ナポレオン＝ボナパルト	革命後のフランスにおいて、オーストリア軍を破り軍と国民の支持を集め、エジプト遠征を実施した。
4	エイブラハム＝リンカーン	19世紀アメリカ合衆国の南北戦争に際し、南部反乱地域の奴隷解放宣言を出し、内外世論の支持を集めた。

学習日 ／ ／ ／

解答解説

1

1　○　肢文の通り。**コペルニクス**は、15世紀〜16世紀の天文学者。1543年に**地動説**（太陽中心説）を唱えたが、ごく一部の人に公表したに過ぎなかった。

2　×　「東方見聞録」は**マルコ＝ポーロ**の紀行文。13世紀末に父とおじとともに25年にわたりアジアを旅した記録を口述した。**マルクス**は19世紀に、科学的社会主義（マルクス主義）を唱え、資本主義の発展後に共産主義社会が到来するとした。

3　○　肢文の通り。**ルター**は、ドイツでの**宗教改革**を始めた人物。教皇の教えを批判、破門されながらも、聖書中心主義を唱えて**プロテスタント**を成立させた。

4　○　肢文の通り。**ニュートン**は17〜18世紀の物理学者、数学者、天文学者。ほかに微積分法の発見、光学理論の確立など、科学に多大な功績を残した。

正解　2

2

1　○　肢文の通り。中世末期から近世初期にかけ、ローマ・カトリック教会は、「現世での罪が許され天国に行けるとする**免罪符**」を販売し収入としていた。

2　×　説明文はルソーについてのもの。『**社会契約論**』は、フランス革命などに大きな影響を与えた。アダム＝スミスは『**国富論**』を著し近代経済学の父と呼ばれた哲学者。国民の利益を得たいとする活動によって世界経済は発展する、と説いた。

3　○　肢文の通り。エジプト遠征は1798年。

4　○　肢文の通り。奴隷解放で有名だが、**南北戦争**をうまく終わらせて連邦主義を維持、アメリカ分裂の危機を回避した人物でもある。

正解　2

世界史　世界史④

問題 1 地理①

　次の記述ア〜エは、日本のいくつかの県の農業について述べたものである。県名との組合せとして最も適切なものを、後の1〜4のうちから選びなさい。

ア　盆地周辺の扇状地は、かつて養蚕が盛んだった頃、蚕のえさの桑畑として利用されていた。現在では、水はけや日あたりの良さを生かしたぶどうや桃の栽培が盛んである。

イ　温暖な気候で霜が降りることが少なく、日あたりと水はけの良い台地では、明治時代から茶の栽培が盛んになった。収穫された茶葉は、近年ではペットボトル飲料用など用途に合わせて加工されている。

ウ　標高1000mを超える野辺山原では、冷涼な気候を利用して、夏になると夜明け前からレタスの収穫が行われる。収穫されたレタスの中には、「朝どれレタス」として、高速道路を利用して東京などの市場に届けられるものもある。

エ　雪が多く降り、春になると大量の水を得ることができるため古くから水田地帯が広がっていた。これまでに、干拓などの土地改良や排水路づくりにより、日本を代表する米の単作地帯となっている。

1	ア	山梨県	イ	静岡県	ウ	長野県	エ	新潟県
2	ア	山梨県	イ	茨城県	ウ	長野県	エ	静岡県
3	ア	茨城県	イ	静岡県	ウ	山梨県	エ	新潟県
4	ア	静岡県	イ	茨城県	ウ	山梨県	エ	長野県

学習日　／　／　／

解答解説

ア　山梨県についての記述。甲府盆地ではかつて**製糸産業**が盛んだった。水が乏しく水田には向いていない**扇状地**でも桑の木は育ったため、桑の葉を餌にカイコを飼育し、生糸のもとであるマユを生産していた。しかし昭和30年代以降は海外の安い生糸に押され、養蚕業が衰退。**果樹栽培**への転換がはかられた。現在ではフルーツ王国と呼ばれるほどになり、ブドウ、モモ、プラムは、全国有数の生産量となっている。

イ　静岡県についての記述。茶の木は、もともと温暖な気候を好む。日照時間が長く水はけがよい**台地**は、お茶の栽培に適していた。深蒸し茶の発祥の地とされる**牧之原市**では、明治維新で職を失った旧幕臣たちが、何も育たないと言われていた台地を開墾し、茶栽培が始まった。

ウ　長野県についての記述。野辺山原は、八ヶ岳の東側に位置する長野県の高原。小海線の野辺山駅はJRの駅のなかでもっとも標高が高い。標高800m以上の斜面でとれるレタス、白菜、キャベツなどの**高原野菜**が有名である。また、長野県全体の平均標高は1132m。耕地がある場所も、およそ80パーセントは標高500m以上にあり、1500メートル近くの標高まで広がっている。

エ　新潟県についての記述。**越後平野**は、東京都とほぼ同じ面積を持つ水田地帯。かつては潟が多く存在したが、今ではほとんどが**干拓**されている。もともと水はけの悪い土地のため、かつては河川が氾濫するとしばしば大きな被害につながっていた。しかし、分水嶺や水路の整備、さらには水田を**乾田化**することなどで、安定した環境をつくり上げ、米の収穫量を飛躍的にアップさせた。なお、明治維新以降19世紀の末まで、新潟県は、都道府県別の人口で何度も１位となっている。

正解　1

地理
地理①

 ワンポイントアドバイス

受験自治体の地理は頻出なので、過去問を調べておきましょう。

問題2 **地理②**

　次の記述ア～エは、世界の地理的事象について述べたものである。正誤の組合せとして最も適切なものを、後の1～4のうちから選びなさい。

ア　世界の大陸は六つ、大洋は三つある。大陸はユーラシア大陸、アジア大陸、アフリカ大陸、北アメリカ大陸、南アメリカ大陸、オーストラリア大陸であり、大洋は太平洋、大西洋、インド洋である。

イ　日本のように周りを海で囲まれ、海の上に国境がある国を島国という。一方、スイスのように海に面していない国は内陸国と呼ばれている。

ウ　温帯は四季がはっきりしていて、日本の大部分は冬と夏の気温の差が大きく、梅雨や台風、冬の雪等の影響で年間の降水量が多い温暖湿潤気候に属している。

エ　キリスト教は世界で最も信者の多い宗教で、ヨーロッパから南北アメリカやオセアニアなどに分布している。仏教はおもに東南アジアや東アジアに分布している。イスラム教は聖地メッカのあるヨーロッパからアフリカ南部、中央アジアにまで広がっている。

1　ア　正　　イ　正　　ウ　誤　　エ　誤
2　ア　正　　イ　誤　　ウ　誤　　エ　正
3　ア　誤　　イ　正　　ウ　正　　エ　誤
4　ア　誤　　イ　誤　　ウ　正　　エ　正

学習日　／　／　／

解答解説

ア ✕ 世界6大陸は、ユーラシア、北アメリカ、南アメリカ、アフリカ、オース
トラリア、**南極**の6つ。文中に登場する「アジア大陸」は、ユーラシア大陸の東
側、つまりアジア側の地域のみを指すときに使用されることがある言葉。これに
対して西側を「ヨーロッパ大陸」とも呼ぶが、それぞれ独立した大陸ではない。
"Europe"と"Asia"を一体化させた「**ユーラシア大陸**」という名称が今では一般
的。3大洋は、肢文の通り太平洋、大西洋、インド洋である。

イ ○ 肢文の通り。

ウ ○ 肢文の通り。

エ ✕ 後半部分の「聖地メッカのあるヨーロッパ」と、イスラム教の普及地域に
ついての記述が誤り。メッカは、**サウジアラビア**にある。また、イスラム教が広
まっている地域はおもに、北アフリカ、西アジア、中央アジア、東南アジアであ
る。キリスト教の聖地は**エルサレム**だが、ここは、ユダヤ教の聖地でもあり、ま
たイスラム教の聖地でもある（イスラム教には聖地が3つある）。「世界三大宗
教」のように「世界宗教」とされるものは、国境を越えて広く信者をもつ宗教の
こと。いずれも推定だが、信者数が最多なのは、キリスト教の24億人、次いでイ
スラム教の20億人、仏教の5億人である。世界宗教に対して、民族的に限定され
た地域で根づいている宗教は**民族宗教**と呼ばれる（日本の神道やインドのヒンド
ゥー教など）が、ヒンドゥー教の信者数は、12億人とされる。

正解 3

地理

地理②

 ワンポイントアドバイス

キリスト教、ユダヤ教、イスラム教は一神教です。一方、神道、ヒンドゥー教
は多神教です。

地理

問題3 地理③

① 日本の地形についての記述として最も適切なものを、次の1〜4のうちから選びなさい。

1 河口には細かい土砂が積もってできた扇状地が見られ、果樹園として利用されていることが多い。

2 湾と岬が連続する海岸をリアス海岸といい、漁港として利用されていることが多い。

3 川が山間部から平野や盆地に出たところには台地が見られ、畑として利用されていることが多い。

4 海や川に沿った土地よりも一段高くなっている土地を三角州といい、水田として利用されていることが多い。

② 世界の気候に関する記述として最も適切なものを、次の1〜4のうちから選びなさい。

1 氷雪気候は、一年を通して平均気温が低く、凍った地面が短い夏の期間だけとけて、こけ類や草などが生える。

2 地中海性気候は、夏に乾燥し、冬に雨が多く降る温帯の気候であり、オリーブやぶどうなどが栽培されている。

3 温暖湿潤気候は、一年中気温が高くて四季がなく、雨も一年中多い気候であり、赤道付近に広がっている。

4 ツンドラ気候は、少しだけ雨が降る乾燥帯の気候であり、短い草の生える草原が広がり、遊牧などの牧畜が行われている。

学習日 ／ ／ ／

112

解答解説

[1]

1　×　**扇状地**とは、河口ではなく川が山地から平野や盆地に差し掛かったところに見られる、扇のような形の地形。山から出たばかりの、川の流れがゆるやかになったところに大きな土砂を落としてできるため、水はけがよい土地となり、**果樹園**などに適している。

2　○　肢文の通り。

3　×　「川が、山地から平野や盆地に差し掛かったところに見られる」のは**扇状地**。台地とは、周囲の低地に比べ、盛り上がっている平らな土地のこと。水はけの良さや地盤の状態から、**畑作地や果樹園**あるいは宅地として利用されがちである。

4　×　三角州は川が運んだ細かな土砂が河口付近に堆積して形成された地形。水はけはよくなく、**水田**に利用されることが多い。

正解　2

[2]

1　×　「氷雪気候」は、一年中、月の平均気温が0℃以上にならない寒帯の気候。雪や氷に覆われた地面は、永久に凍結していて、通常、居住はできない。**グリーンランド**の大部分、シベリアの極北部と北アメリカ大陸の北岸、**南極大陸**など。

2　○　肢文の通り。地中海地方のほか、アメリカ合衆国のカリフォルニア、チリの中部、オーストラリア南部、南アフリカなどに見られる。

3　×　「温暖湿潤気候」は一年中雨の多い温帯性の気候。夏は高温で、**季節風**の影響でとくに雨が多い。冬は低温。中国東部や北アメリカ南東部など、大陸の東岸に分布。「四季がなく、一年中、高温多雨。赤道付近に広がる」のは「熱帯雨林気候」。

4　×　ツンドラ気候は、最も暖かい月の平均気温が0〜10℃の寒帯の気候。短い夏には地表の雪がとけ、こけ類や高山植物が出現する。降水量が少ない。

ケッペンの気候区分では、世界の気候を5つの気候帯と13の気候区に分けている。その内容と、それぞれの気候区のアルファベット記号を覚えておきたい。

正解　2

地理

地理

地理③

　日本の国土についての記述ア〜エの正誤の組合せとして最も適切なものを、後の1〜5のうちから選びなさい。

ア　日本の国土は、北海道、本州、四国、九州と、広範囲に点在する島々で構成されている。その中で、最南端にある島は、南鳥島である。

イ　環太平洋造山帯に位置する日本列島は、標高の高い山々や火山が連なっており、特に、本州の中央部には3000m級の山々からなる日本アルプスがそびえている。

ウ　日本の近海は、暖流の黒潮（日本海流）とリマン海流、寒流の親潮（千島海流）と対馬海流などが流れている。

エ　日本の河川は、大陸の河川と比較すると短く急流で、流域面積がせまくなっている。このため、雨水を有効活用するためにダムをつくるなどの工夫が行われている。

1　ア　正　　イ　誤　　ウ　正　　エ　誤
2　ア　正　　イ　誤　　ウ　誤　　エ　正
3　ア　誤　　イ　正　　ウ　誤　　エ　正
4　ア　誤　　イ　正　　ウ　正　　エ　誤
5　ア　正　　イ　正　　ウ　誤　　エ　誤

学習日　／　／　／

解答解説

ア　×　「日本最南端の島」は、「南鳥島」ではなく、「沖ノ鳥島」である。北緯20度25分、東経136度04分に位置する。一方、「南鳥島」は、「日本最東端」、つまり日本列島からもっとも東側に離れた太平洋上にある、日本の国境の島。北緯24度17分、東経153度59分にあり、航空機でも東京から片道4時間ほどかかる。どちらも、東京都小笠原村に属している。

イ　○　肢文の通り。プレートの関係で、山や山脈をつくる運動が活発な場所を造山帯という（地震や火山活動も活発である）。ひとつは「アルプス・ヒマラヤ造山帯」。そして、日本からアメリカの西海岸など太平洋をとり囲むようにあるのが「環太平洋造山帯」である。その一部の日本アルプスには3,000m級の山々が多い。造山活動が活発な場所には高くて険しい山脈ができやすい。

ウ　×　暖流は、緯度の比較的低い海域から高い海域へ（南から北へ）流れるものが多く、寒流は、緯度の高い海域から低い海域へ（北から南へ）流れることが多い。日本列島周辺の暖流は、太平洋側を流れる黒潮（日本海流）と、日本海側を流れる対馬海流。寒流は、太平洋側を流れる親潮（千島海流）と、日本海側を流れるリマン海流である。対馬は長崎の島の名、千島は北海道近くの島々の名称である。

エ　○　肢文の通り。日本は国土面積がせまいうえに、国土のおよそ4分の3が山地となっているため、多くの河川が、短く、上流から下流への流れが急であるという特徴がある。いったん雨が降ると増水しやすいため、ダムが数多くつくられるなどの工夫がなされている。

正解　3

地理
地理④

 ワンポイントアドバイス

暖流と寒流がぶつかるところは好漁場になります。

問題5 地理⑤

次の記述は、ヨーロッパ州について述べたものである。空欄 ア ～ ウ に当てはまるものの組合せとして最も適切なものを、後の1～4のうちから選びなさい。

ヨーロッパ州は、ユーラシア大陸の西に位置し、大西洋や ア に面している。西部では、暖流の北大西洋海流と、年間を通して上空を吹いている イ があたたかい空気を内陸にもたらしている。そのため日本よりも緯度が高いにもかかわらず、冬の寒さはそれほど厳しくない。また、北部には、氷河によってけずられた ウ とよばれる奥行きのある湾が多く見られる。

1　ア　地中海　　　　イ　偏西風　　ウ　フィヨルド
2　ア　アラビア海　　イ　偏西風　　ウ　リアス海岸
3　ア　地中海　　　　イ　季節風　　ウ　リアス海岸
4　ア　アラビア海　　イ　季節風　　ウ　フィヨルド

学習日　／　／　／

解答解説

ヨーロッパは、ユーラシア大陸の西側の地域にあり、西は大西洋、北は北極海、南は**地中海**に面している。東側は、ロシアから中央アジアのカザフスタンまで2,500km近くにわたって南北にのびるウラル山脈が、アジア地域との隔てのようになっている。ヨーロッパの国々は、多くは、北海道よりも北にあり、中緯度から高緯度に位置しているものの、**緯度のわりに気候は温暖**で、北海道ほど寒くはならない。ユーラシア大陸西岸は、沿岸を流れる暖流・北大西洋海流のおかげで、気候はとくに温暖である。暖流の上を、一年を通して**偏西風**が内陸の地域にも流れ込んで、暖かさをもたらしている。地中海沿岸部は地中海性気候を示し、年間を通して安定した温帯気候である。雨は夏に少なく、冬に多い。夏場は湿度が低いため、30℃を超えても比較的過ごしやすい日が多い。一方、かなり内陸に位置するヨーロッパ東部の地域は、大陸性気候を示し気候は寒冷である。ノルウェーをはじめとするヨーロッパ北部の海岸には、湾や入り江が複雑な地形を示す**フィヨルド**と呼ばれる地形がある。フィヨルドは、「かつて氷河によって削られてできた谷が、海水面が上がって、海岸になったもの」。一方、一見似ている「リアス海岸」の成り立ちは、「もともと起伏にとんだ陸地だったところが、海水面の上昇によって海岸となったもの」である。

正解 1

地理

地理⑤

 ワンポイントアドバイス

偏西風は風速の強いジェット気流を形成します。

問題6 地理⑥

1 次の表は成田からイスタンブールに向かう直行便のフライトスケジュールを示したものである。表から分かる日本とイスタンブールとの時差として最も適切なものを、後の1～4のうちから選びなさい。なお、サマータイム制度は考慮しないものとする。

	現地時刻	所要時間
成田　発	21:25	12時間45分
イスタンブール　着	4:10	

1　6時間
2　8時間
3　14時間
4　18時間

2 日本の国土についての記述として適切ではないものを、次の1～4のうちから選びなさい。

1　北海道・本州・四国・九州の四つの大きな島と、その周辺の数千の島々から成り立っている。
2　国土面積は、約38万㎢である。
3　国境線は全て海上に引かれている。
4　国土の東端は、沖ノ鳥島である。

学習日

解答解説

⚊

「日付変更線」は**太平洋上**にある。日本は「**極東**」ともいわれるほど、陸地として
は東にあるから、多くの国より一日を早く迎える。日本より西に行くほど一日が始
まるのが遅い。ロンドンは日本より９時間遅く、ニューヨークは14時間遅い。設問
は、成田とイスタンブールの**時差**を求めるもの。成田を21:25に離陸し、12時間45分
かけてイスタンブールに着く、のだから、日本時間で考えれば、翌日の10:10の到
着である。しかしイスタンブールの時刻は4:10。日本にいるときと比べると、時間
がたつのが６時間遅いことがわかる。正解は１。なお、「**サマータイム**」とは、緯
度の高いヨーロッパなどで採用されている「夏時間」。たとえば夏至のころのロン
ドンは、日の出から日没までの時間が16時間半くらいになるため、「昼の時間」を
十分に活用できるよう１日の始まりを１時間ほど前倒す（日本との時差は１時間短
縮される）。また、アメリカのような広い国では、国内にも時差があり、東海岸の
ニューヨークのほうが、西海岸のサンフランシスコより、一日の始まりが３時間早
い。

正解 1

⚋

1 ○ 肢文の通り。周囲が100m以上ある**離島**だけでも約6,800島ある。本州の広
さは、およそ22万8000平方キロメートルで、世界の島のなかで７位である。

2 ○ 肢文の通り。38万平方キロメートルの国土の４分の３が**山地**である（丘陵
地などを除くと３分の２）。平地が少なく起伏にとんだ地形が**特徴**となっている。

3 ○ 肢文の通り。島国では多くの場合、海上に**国境**がある。国境の基準となる
離島が日本には500以上ある。

4 × もっとも東にある日本の国土は、**南鳥島**。東京の南東、約1,860kmにあ
り、飛行機で片道４時間ほどかかる。**沖ノ鳥島**はもっとも南にある国土である。

正解 4

問題7 地理⑦

　関東地方についての記述ア～エの正誤の組合せとして最も適切なものを、後の1
～5のうちから選びなさい。

ア　関東平野には、関東山地に源流をもつ多摩川、相模川、信濃川などが流れてい
　　る。
イ　東京・横浜間の東京湾岸には京葉工業地域が広がり、機械工業が主産業となっ
　　ている。
ウ　関東平野は、富士山などからの火山灰が積もった関東ローム層でおおわれてお
　　り、台地が多くみられる。
エ　首都である東京には、国会議事堂や最高裁判所、総理大臣官邸や中央官庁な
　　ど、国の重要な機関が集中している。

1　ア ― 正　　イ ― 誤　　ウ ― 正　　エ ― 誤
2　ア ― 誤　　イ ― 正　　ウ ― 誤　　エ ― 正
3　ア ― 正　　イ ― 正　　ウ ― 誤　　エ ― 誤
4　ア ― 誤　　イ ― 誤　　ウ ― 正　　エ ― 正
5　ア ― 誤　　イ ― 正　　ウ ― 正　　エ ― 正

学習日

解答解説

ア　×　信濃川は、関東平野の川ではない。**秩父山地**（関東山地の北部）を源流と
　　して、長野県、新潟県を流れたのち**日本海**にそそぐ日本一長い川。上流はとくに
　　千曲川と呼ばれる。多摩川、相模川は関東平野の川で、ともに関東山地を源流と
　　する。荒川も同様である。ほかに、新潟と群馬にまたがる大水上山を源流とし、
　　千葉県銚子市で太平洋に流れこむ**利根川**などがある。

イ　×　東京・横浜間の工業地帯は「**京浜工業地帯**」と呼ばれる。「**京葉工業地域**」
　　は、東京と千葉県の湾岸に広がり、とくに臨海部の埋め立て地は、鉄鋼業および
　　石油化学工業を主産業とし、大規模工場の集積地となっている。港湾施設なども
　　多い。東京の「京」と千葉の「葉」から「京葉工業地域」と呼ばれる。

ウ　○　肢文の通り。関東平野には、大宮、武蔵野、相模原などの台地が広くあ
　　り、関東ローム層におおわれていることが多い。関東ローム層は、富士山のほ
　　か、関東平野の縁にある火山からの**火山灰**が降り積もり、その後堆積を続けてい
　　る地層群である。赤土が多いのが特徴。台地のほか、丘陵地帯（多摩丘陵、狭山
　　丘陵や比企丘陵など）も関東ローム層である。

エ　○　肢文の通り。東京への一極集中を解消しようと、しばしば**首都機能の移転**
　　が話題にのぼってはきたが、実現はしていない。

正解　4

地理

地理⑦

 **ワンポイントアドバイス**

関東ローム層は安定して良好な強度がある反面、いったん乱されると強度が低
下してしまうという特徴があります。

問題8 地理⑧

次の記述は、南アメリカ大陸の地形について述べたものである。空欄 ア 〜 ウ に当てはまるものの組合せとして最も適切なものを、後の1〜4のうちから選びなさい。

南アメリカ大陸は、日本から見ると地球の反対側にある大陸です。南北に長いこの大陸の太平洋側には ア 山脈がのびていて、標高6000mをこえる山もあります。その東には、アマゾン川や イ 川などの大きな川が流れており、アルゼンチンには ウ と呼ばれる草原が広がります。また、南アメリカ大陸の北部にはギアナ高地が、東部にはブラジル高原があります。

1 ア　ロッキー　　イ　ラプラタ　　ウ　セルバ
2 ア　アンデス　　イ　ナイル　　　ウ　パンパ
3 ア　アンデス　　イ　ラプラタ　　ウ　パンパ
4 ア　ロッキー　　イ　ナイル　　　ウ　セルバ

学習日　／　／　／

解答解説

南アメリカ大陸のほとんどは**南半球**にあり（一部は北半球）、南へと緯度を下げる
ほど気温は下がる。雨も少なくなり草原が増えていく。大陸の北部には**赤道**が通っ
ている。このあたりは熱帯で高温多雨、熱帯雨林が多い（世界の熱帯林のおよそ3
分の1が南アメリカ州＝南アメリカ大陸にある国と、その周辺の島々のこと＝にあ
る）。南アメリカ大陸の西側（太平洋側沿岸近く）には**アンデス山脈**がおよそ
7,500kmにわたりのびている。大陸の南北全域をほぼ貫く、世界一の長さをもつ山
脈である。その東側の、大陸の北部を流れている川が、世界一の流域面積をもつ**ア
マゾン川**。支流も含めたアマゾン川の流域面積は、南アメリカ大陸の面積のおよそ
40パーセントに及ぶ。また、大陸の中央部から南寄りには**ラプラタ川**が流れてい
る。下流域には、**パンパ**と呼ばれるアルゼンチンの草原地帯が広がり、小麦の栽培
と肉牛の飼育が盛んである。河口部には、アルゼンチンの首都ブエノス・アイレス
だけでなく、ウルグアイの首都モンテビデオもある。

なお、問題文にある**ギアナ高地**は、南アメリカ大陸の北部にあり、6つの国と地域
（ベネズエラ、コロンビア、ガイアナ、スリナム、仏領ギアナ、ブラジル）に広が
る、日本の3倍以上の面積をもつ高地。選択肢中のロッキー山脈は、北アメリカ大
陸の北西部に連なる山脈。ナイル川はアフリカ北部を流れ古代エジプト文明を育ん
だ大河。**セルバ**は「密林」を意味する言葉で、とくにアマゾン盆地の熱帯雨林地域
を指す言葉にもなっている。ところで現在は、南北アメリカ大陸は地続きになって
いて、パナマ地峡より南側が南アメリカ大陸、と決められているが、このふたつの
大陸は、もとは、別々の歴史をたどっていた。地続きになったのは、地球的な時間
としてはごく最近のことで、北アメリカ大陸の生物分布は、むしろユーラシア大陸
のものに近いといわれている。

正解 3

地理
地理⑧

👆 **ワンポイントアドバイス**

パンパはアルゼンチンの農業の中心地であり、大半の小麦が生産されていま
す。パンパとセルバを混同しないようにしましょう。

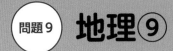

問題9 地理⑨

次の文を読んで、問1、問2に答えなさい。

　世界には様々な宗教がある。このうちキリスト教、イスラム教、仏教は、その発祥の地や民族を越えて広く信仰され、世界宗教とよばれている。キリスト教は、ヨーロッパから南北アメリカやオセアニアなどに広まり世界で信者が最も多い宗教である。イスラム教は、西アジアを中心として、アフリカの　1　から中央アジア、東南アジアまで広がっている。仏教は、主に東南アジアから東アジアにかけて分布している。一方、　2　を中心に信仰されているヒンドゥー教のように、特定の地域や民族を中心に信仰されている宗教もある。宗教は人々の生活と様々な形で結び付いている。

問1　空欄1、空欄2に当てはまる適切な語句の組合せを選びなさい。
　ア　1 ― 南部　　　2 ― ベトナム
　イ　1 ― 南部　　　2 ― インド
　ウ　1 ― 北部　　　2 ― 日本
　エ　1 ― 北部　　　2 ― ベトナム
　オ　1 ― 北部　　　2 ― インド

問2　下線部に関する記述として、適切なものの組合せを選びなさい。
　①　タイでは、仏教徒の男性は一生に一度は僧侶になって修行する慣習がある。
　②　ヒンドゥー教徒は牛肉を食べることを避けている。
　③　ユダヤ教では、金曜日の日没から土曜日の日没が安息日とされている。
　④　キリスト教の信者は、普段から聖書を読んだり、金曜日にモスクでの礼拝に参加したりする。
　⑤　イスラム教徒は、1年のうち約1か月の間、昼夜を問わず飲食をしない断食を実行する。
　　ア　①②③　　　イ　①②④　　　ウ　①③⑤　　　エ　②④⑤　　　オ　③④⑤

学習日

解答解説

問1

信者数が最大とされる**キリスト教**の信者はおよそ24億人といわれる。次に信者が多いのは**イスラム教**で20億人程度。**仏教**の信者数はおよそ5億人である。イスラム教は、その発祥地の西アジアを中心に、中央アジア、東南アジア、そしてアフリカの**北部**へと広がりを見せている。仏教は東南アジアから東アジアにかけて信者が多い。**世界宗教**に対し、特定の地域や民族に多くの信者をもつ宗教は、**民族宗教**と呼ばれる。たとえば**インド**を中心に信仰をあつめる**ヒンドゥー教**が代表例。信者数は12億人と仏教よりも多いが、「民族を超えての広がり」があまりないことから、世界宗教とはみなされない。

正解 **オ**

問2

① ○ 肢文の通り。「出家休暇」といわれる休暇制度を利用し2週間から3か月ほどの短期出家を行うものが多い。

② ○ 肢文の通り。ほかの動物や生もの、強い刺激の野菜も食べない傾向がある。

③ ○ 肢文の通り。旧約聖書の**安息日**は、「週の第7日」とされ「土曜日」と考えられているが、厳密には「第7日」は、金曜日の日没から土曜日の日没までである。

④ × モスクは**イスラム教**の礼拝所。イスラム教徒は、朝、昼、夕方、夜、夜の1日5回、**サラート**（礼拝）をする。とくに金曜日昼の礼拝は特別とされ、男性は（自宅ではなく）モスクで礼拝を行うことが推奨されている。

⑤ × イスラム暦の9の月のことを**ラマダン**という。そのひと月のあいだ、健康な人は、日の出から日没まで飲食を断つことを求められる（水も不可とされる）。日没後の飲食は可。設問文のように何も口にせずにひと月を過ごすことはない。

正解 **ア**

問題1 **倫理**

1　次の表のa～cの著書の著者 1 ～ 3 として最も適切なものを、語群①～⑥の中からそれぞれ一つ選びなさい。

	著書	著者
a	『純粋理性批判』	1
b	『夢判断』	2
c	『法の精神』	3

《語群》

①モンテスキュー　　②ヘーゲル　　③カント　　④デカルト　　⑤フロイト
⑥ニーチェ

2　ドイツの哲学者で、みずからが立てた道徳法則にみずから従うことこそ自由であり、人間の尊厳はこの自律としての自由にあると説いた人物の名前を［Ⅰ］のa～dから、その人物と最も関係の深いことばを［Ⅱ］のア～エからそれぞれ一つ選び、記号で記せ。

［Ⅰ］　a．ベンサム　　　b．カント　　　c．デカルト　　　d．スピノザ
［Ⅱ］　ア．大陸合理論　　イ．快楽計算　　ウ．批判哲学　　エ．汎神論

学習日　／　／　／

解答解説

1

aの『純粋理性批判』は、プロイセン（ドイツ）の哲学者**カント**（1724～1804）による著書。『実践理性批判』『判断力批判』の主著もあり、カントの哲学は「批判哲学」とも呼ばれる。カントは、人間形成上大切なのは、素質よりも生活環境であると考え、「人間は教育によってのみ人間となる」とした。bの『夢判断』は、精神分析学の創始者として知られる心理学者**フロイト**（1856～1939）による著書。フロイトは「無意識」を発見し、無意識下にある欲求や感情、あるいは過去の記憶などにより、神経症などの症状が現れることがある。夢もまた、無意識に記憶から引き出されるものであるとした。cの『法の精神』は、フランスの思想家**モンテスキュー**（1689～1755）の著書。立憲主義や権力分立を唱えた。「三権分立」が有名だが、本書では、三権分立にとどまらず、それ以上の権力の分立を説いている。

正解 1 ③、2 ⑤、3 ①

2

「みずからが立てた道徳法則にみずから従うことこそ自由であり、人間の尊厳はこの自律としての自由にある」と説いたのは、**カント**。当時、ヨーロッパ哲学には大きな2つの流れがあった。ひとつは、「イングランド経験論」で、「自分が経験して知っていること」から真理への探究を始めるもの（**帰納法**）、もうひとつの「ヨーロッパ大陸合理論」は、「自分が推論できること」から真理への探究を始めるもの（**演繹法**）。カントは、この2つを融合し、「自分は知らなくても、誰かと共通して理解できれば（共感できれば）、それを認識することは可能」とする考え方（客観的認識）を提唱した。カントの哲学は、「**批判哲学**」とも呼ばれ、『**純粋理性批判**』などの著書を通して、人間の認識能力に疑問を投げかける一方で、「人は、誰もが守るべき道徳のなかで生きなくてはいけないが、自ら決断する自由があるからこそ、自分の責任についても考え、道徳のなかで生きることができるのだ」とした。

正解 Ⅰ b、Ⅱ ウ

音楽

問題1 **音楽①**

1 次の曲名と作曲者の組み合わせとして誤っているものを、次の1〜4の中から1つ選びなさい。

	曲名	作曲者
1	故郷	岡野　貞一
2	この道	山田　耕筰
3	月の沙漠	古関　裕而
4	花	滝　廉太郎

2 弦楽器、打楽器、木管楽器、金管楽器の組み合わせとして正しいものを、次の1〜4の中から1つ選びなさい。

	弦楽器	打楽器	木管楽器	金管楽器
1	ヴァイオリン	シンバル	ファゴット	フルート
2	ヴィオラ	シンバル	サキソフォーン	トランペット
3	ヴァイオリン	ユーフォニューム	ファゴット	トランペット
4	鉄琴	ティンパニー	サキソフォーン	フルート

学習日

解答解説

①

間違っているのは、選択肢3の作曲者。「月の沙漠」は、**佐々木すぐる**の作曲。**古関裕而**（せきゆうじ）は「栄冠は君に輝く（夏の全国高等学校野球選手権大会の大会歌）」や、昭和の流行歌、および大学野球やプロ野球の応援歌などの作曲でも知られる。選択肢1の**岡野貞一**は、「故郷」のほか「春が来た」「朧月夜」などの学校唱歌や、校歌を多く作曲。選択肢2の**山田耕筰**は、「この道」や、童謡「赤とんぼ」などのほか、オペラや交響楽など幅広く作曲している。滝廉太郎は「花」のほか「荒城の月」「お正月」「鳩ぽっぽ」などを作曲した。ピアニストでもあった。

正解 3

②

木管楽器と金管楽器は、「**音を出すしくみ**」によって分けられている。木製楽器か金属製楽器かによるのではない。金管楽器は、唇の振動で音を出す楽器のこと。トランペット、トロンボーン、ホルン、チューバなどがある。木管楽器は、息を吹き込んで音を出すフルートやリコーダーや尺八のような楽器や、リードと呼ばれる薄い板を振動させることで音を出すクラリネット、サキソフォーン、オーボエ、ファゴットなどの楽器をさす。なお、ユーフォニュームはチューバの仲間で金管楽器、鉄琴は**打楽器**である。打楽器は、「叩いて音を出す楽器」全般を指す。タンブリン（タンバリン）、カスタネット、トライアングル、マリンバなども打楽器。**弦楽器**は、張られた糸を鳴らす楽器。オーケストラで馴染みのあるものに加え、三味線や琴、ギターなども含まれる。

正解 2

音楽

問題2 **音楽②**

1　歌曲と作曲者の組み合わせとして適切でないものを、次の1～4の中から1つ選びなさい。

	歌曲	作曲者
1	フィガロの結婚	ヴォルフガング＝アマデウス＝モーツァルト
2	蝶々夫人	ジャコモ＝プッチーニ
3	カルメン	ジョルジュ＝ビゼー
4	魔弾の射手	ジョアキーノ＝ロッシーニ

2　次は、日本の民謡についてまとめたものです。曲名と歌い継がれている地域の組み合わせとして適切でないものを、次の1～4の中から1つ選びなさい。

	曲名	歌い継がれている地域
1	ソーラン節	北海道
2	八木節	長野県
3	デカンショ節	兵庫県
4	黒田節	福岡県

学習日

解答解説

1

『魔弾の射手』の作曲は、**カール＝マリア＝フォン＝ウェーバー**。ドイツの民間伝説の、思い通りに命中する弾をもつ射撃手の物語。全3幕。初演は1821年、ベルリンの王立劇場。なお、**ジョアキーノ＝ロッシーニ**は、イタリアの作曲家。オペラ『セビリアの理髪師』などでも知られる。『フィガロの結婚』は、フランスの劇作家ボーマルシェの風刺的な戯曲をもとに、1786年に**モーツァルト**が作曲したオペラ。初演はウィーンのブルク劇場。『蝶々夫人』は、日本の長崎を舞台にしたオペラ。ロンドンでベラスコの戯曲『蝶々夫人』を観劇したプッチーニがオペラ化した。初演は1904年、ミラノのスカラ座。『カルメン』は、メリメの小説『カルメン』を元にビゼーが作曲したフランス語のオペラ。歌のあいだを台詞でつなぐオペラ・コミック様式で、全4幕。初演は1875年。パリのオペラ・コミック座。

正解 4

2

『八木節』は、**両毛地域**（群馬県と栃木県の二県にまたがる）を中心に愛されている俗謡。樽をたたきつつ、明確なリズムで歌うある種の口説。『国定忠治』『鈴木主水（もんど）』などの曲目がある。『**ソーラン節**』は、北海道の日本海沿岸の民謡。ニシン漁師が「ソーラン、ソーラン」と声をかけ合いながら、網に入ったニシンをすくい上げたといわれる。『**デカンショ節**』は丹波篠山市を中心に歌われる盆踊り歌。「デカンショ」の由来は「どっこいしょ」、「出稼ぎしょ」、「で ござんしょ」などが訛ったとする説もあれば、デカルト、カント、ショーペンハウエルの名前の略とする説もある。『**黒田節**』は、黒田家（福岡藩）の家臣が、槍の名人である福島正則との酒飲み勝負に勝ち、名槍日本号をもらい受けたときの歌といわれる。福岡藩内で歌われていたものが全国に知られるようになった。雅楽の越天楽（えてんらく）の旋律で歌う。

正解 2

問題3 音楽③

1 文楽における「三人遣い」に含まれないものを、次の1〜4の中から1つ選びなさい。

1 主遣い　　2 手妻遣い　　3 左遣い　　4 足遣い

2 すべての楽器が金管楽器であるものを、次の1〜4の中から1つ選びなさい。

1	トランペット、トロンボーン、ホルン、チューバ
2	トランペット、トロンボーン、イングリッシュホルン、オーボエ
3	トランペット、トロンボーン、イングリッシュホルン、チューバ
4	トランペット、トロンボーン、ホルン、サキソフォーン

学習日　／　／　／

解答解説

1

文楽はかつては、人形浄瑠璃（にんぎょうじょうるり）とも呼ばれた人形を用いた演劇。太夫が語り三味線が音を奏で、3人の人形遣いが所作や表情を演出していく三位一体の芝居である。主役級の人形は3人で一体の人形を操る。受けもつパートごとに「**主遣い**（おも）」、「**左遣い**」、「**足遣い**」といわれる。「**主遣い**」は、かしらと右手の動きを担当しつつ、人形の動きの中心となって、ほかの担当者へ指示を出す。「左遣い」は、人形の左手の担当。上演中の人形の小道具や衣裳も受けもつ。「足遣い」は足の動きを担当しつつ、芝居に合わせ自らの足で拍子を踏む。なお、選択肢2の「手妻遣い（てづま）」は、日本独自の手品師のような人々のこと。「手品」を「手妻」といった。

正解 **2**

2

金管楽器は、「**演奏者の唇の振動で音を出すもの**」の総称。一方、木管楽器は、「**リードを用いるなど、それ以外の息の入れ方で音を出す楽器**」であり、日本の「笛」の概念に近い。オカリナは木管楽器、ほら貝は金管楽器に分類される。一般的な楽器では、トランペット、トロンボーン、チューバ、ホルンは金管楽器。木管楽器には、オーボエ、サキソフォーン、クラリネット、フルート、ファゴットなどがある。なお「イングリッシュホルン」は、「アルト・オーボエ」とも呼ばれる木管楽器である。

正解 **1**

音楽

音楽③

問題4 音楽④

① 弦楽器を低い音域から並べたときの順番として最も適切なものを、次の1～4の中から1つ選びなさい。

1	コントラバス → ヴィオラ → チェロ → ヴァイオリン
2	コントラバス → チェロ → ヴィオラ → ヴァイオリン
3	コントラバス → チェロ → ヴァイオリン → ヴィオラ
4	コントラバス → ヴァイオリン → チェロ → ヴィオラ

② 曲と作曲者の組み合わせが適切でないものを、次の1～4の中から1つ選びなさい。

	曲	作曲者
1	荒城の月	滝　廉太郎
2	もみじ	岡野　貞一
3	春の海	宮城　道雄
4	夕焼け小焼け	八橋　検校

学習日

解答解説

1

楽器は一般的に、楽器の形が**大きいものほど低音**を出し、**小さいものほど高音**を出す。弦楽器の大きさを思い浮かべられれば、判断が可能。間違いやすいのは、ヴィオラとヴァイオリン。ヴィオラのほうが大きく、ヴァイオリンより低い音域を受けもつ。ヴィオラとコントラバスのあいだの大きさのものが、チェロ。チェロは座った状態で弾く（座奏）ことが多く、コントラバスは立った状態で弾く（立奏）ことがほとんどだが、特定の決まりはない。なお、コントラバスは、ほかの呼び名で呼ばれることも多く、日本では「ウッド・ベース（和製英語）」としても知られている。

正解 2

2

1　○　肢文の通り。滝廉太郎はほかに『花』『雪やこんこん』『お正月』なども作曲している。ピアニストでもある。

2　○　肢文の通り。岡野貞一は『春の小川』『春が来た』『故郷』『朧月夜』でも知られる。音楽教育の指導者の育成にも力を入れた。

3　○　肢文の通り。宮城道雄は、箏曲家であり作曲家。『春の海』は、お正月などによく耳にするゆったりと気品のある箏曲。

4　×　『夕焼け小焼け』の作曲は、草川信（くさかわしん）。作詞は中村雨紅による。なお、4に作曲者として記されている八橋検校（やつはしけんぎょう）は、**江戸時代初期の箏曲家**で、作曲家。「検校」は中世以降、盲人に与えられた最高位の官名。

正解 4

問題5 **音楽⑤**

1 曲名と作曲者名の組み合わせが適切でないものを、次の1～4の中から1つ選びなさい。

	曲名	作曲者名
1	歌劇『ウィリアム・テル』	G.ロッシーニ
2	組曲『動物の謝肉祭』から白鳥	A.ドボルザーク
3	バレエ音楽『くるみ割り人形』	P.I.チャイコフスキー
4	歌劇『カルメン』	G.ビゼー

2 次の楽曲の作曲者として最も適切なものを、後の1～5のうちから選びなさい。

1 ドビュッシー
2 ドボルザーク
3 ヴェルディ
4 ブラームス
5 ワーグナー

学習日

136

解答解説

1

1　○　肢文の通り。『ウィリアム・テル』は、フリードリヒ＝フォン＝シラーによる戯曲『ヴィルヘルム・テル』を原作とした、オペラ（歌曲）。

2　×　『動物の謝肉祭』の作曲は、フランスの作曲家**カミーユ・サン＝サーンス**。ピアニスト、オルガニストでもある。アントニン＝ドボルザークは『**新世界より**』などで知られるチェコの作曲家。

3　○　肢文の通り。チャイコフスキーはロシアの作曲家。バレエ音楽としてはほかに『白鳥の湖』も有名。『スラヴ行進曲』も作曲している。

4　○　肢文の通り。ビゼーは舞台音楽の作曲を中心に活動し、名手と言われた。ほかに『アルルの女』などがある。

正解 2

2

ヴェルディのオペラ『アイーダ』のなかの『**凱旋行進曲**』の一節。サッカー日本代表の応援歌としても親しまれている。トランペットの演奏が印象的で、ドレミファを楽譜に近い感じで口ずさめれば、どんな曲か、インスピレーションを得られる程度に有名なフレーズである。第1小節と、それに続く3音ずつのつながりが特徴。なお、ヴェルディは、「オペラ王」とも言われた**19世紀イタリア**の作曲家。ほかに『椿姫』『リゴレット』などがある。

正解 3

問題6 **音楽⑥**

① 次の楽譜は、高野辰之作詞、岡野貞一作曲「ふるさと」の一部である。この楽譜の2番の歌詞として最も適切なものを、後の1～5のうちから選びなさい。

1　こぶなつりし　かのかわ
2　こころざしを　はたして
3　いかにいます　ちちはは
4　つつがなしや　ともがき
5　うさぎおいし　かのやま

② 次は、能について述べたものである。（ a ）～（ c ）内に当てはまるものを語群から選ぶとき、正しい組合せとなるものを解答群から一つ選びなさい。

　能は、室町時代に観阿弥・（ a ）の親子によって大成された歌舞劇である。最小限の舞台装置しか置かず、声楽部分である謡と、笛、小鼓、大鼓、太鼓を用いた（ b ）の伴奏のもと、演者が演技や舞で表現する。主役であるシテは、多くの場合、（ c ）演じる。

【語　群】　ア　増阿弥　　イ　世阿弥　　　　ウ　囃子
　　　　　　エ　管弦　　　オ　隈取を施して　カ　面をかけて

【解答群】　1　a―ア　b―ウ　c―オ　　　2　a―ア　b―ウ　c―カ
　　　　　　3　a―ア　b―エ　c―オ　　　4　a―ア　b―エ　c―カ
　　　　　　5　a―イ　b―ウ　c―オ　　　6　a―イ　b―ウ　c―カ
　　　　　　7　a―イ　b―エ　c―オ　　　8　a―イ　b―エ　c―カ

解答解説

1

歌詞の全文は以下の通り。なお、２番の歌詞の「如何にいます」は「どうしている
だろう」と**両親の健康や暮らしを心配している**フレーズ。「恙なしや友垣」は、友
人たちは変わりないだろうか、の意味。３番の「志を果たして」は、今の言葉で
は「夢をかなえて」だが、やや真剣みが強い言葉である。なお、「ふるさと」は小
学６年生の音楽の共通教材である（各学年に４曲ずつある）。共通教材にまつわる
作詞・作曲者などは、覚えておくとよい。

兎追ひしかの山　小鮒釣りしかの川　夢は今もめぐりて　忘れがたき故郷

如何にいます父母　恙なしや友垣　雨に風につけても　思ひいづる故郷

志を果たして　いつの日にか帰らん　山は青き故郷　水は清き故郷

正解 **3**

2

能は、平安時代発祥とされる猿楽をもとに、室町幕府の３代将軍、足利義満の庇護
のもとで、**観阿弥、世阿弥**親子により確立された。以来650年以上、途切れずに演
じられている伝統芸能である。能は、抽象化された舞（演技）と、囃子と謡の音楽
部分により構成され、囃子には笛、小鼓、大鼓、太鼓の４種類が用いられる。舞台
には最低限の装置しか置かず、役者は、**能面**（面＝おもて）をかけて（つけて）舞
うことが大きな特徴である。面をかけるのは、**シテ方**（主役）に限られる。なお、
「能楽」は、能と狂言をまとめて指す言葉である。

正解 **6**

音楽　音楽⑥

問題1 美術①

1　次の絵画の作者として正しいものを、下の1〜4の中から1つ選びなさい。

　1　黒田清輝　　　2　岸田劉生　　　3　小田野直武　　　4　東山魁夷

2　光と色彩に関する説明として適切でないものを、次の1〜4の中から1つ選び
なさい。

　1　ものの色は、反射した光が目に入り知覚することで認識される。
　2　色相には循環する性質があり、色合いの似ている色を順に配列すると円にな
　　る。
　3　無彩色とは、色みを持たず明るさの違いだけを持つ色である。
　4　赤い光は、可視光のなかでは波長が短く、その端は赤外線に接している。

学習日　／　／　／

解答解説

1

教科書や切手などで馴染みのある設問の絵画は、明治時代の洋画家、黒田清輝が1897年に作成した『湖畔』。1900年のフランス万博にも出展された。現在は重要文化財となっている。選択肢2の岸田劉生は『麗子像』シリーズなどで知られる昭和初期の洋画家。選択肢3の小田野直武は、江戸時代中期の洋画家で秋田藩士。蘭画は平賀源内から学んだ。『解体新書』の図版を『ターヘル・アナトミア』から写し描いた人物として知られている。選択肢4の東山魁夷は、昭和から平成にかけて活躍した日本画家。代表作に『道』（東京国立近代美術館収蔵）や、およそ10年をかけて制作した奈良の唐招提寺御影堂の障壁画『黄山暁雲』がある。

正解 1

2

1　○　肢文の通り。色には3つの要素、つまり「色相」「明度」「彩度」がある。色相は色合い、明度は明るさ、彩度は鮮やかさ、である。

2　○　肢文の通り。色は光の波長の違いにより、少しずつ連続して変化し、循環して完結する。その色の変化を円のかたち（環状）に配列したものを「色相環」といい、色の関係性を理解するうえで便利である。

3　○　肢文の通り。具体的には（白と）黒のこと。黒は色味をもたず、明るさの濃淡だけで白、灰色、黒などと呼び方がかわる。

4　×　赤い光は、可視光のなかではもっとも**波長が長い**。可視光より波長が長いのが赤外線である。空が青いのは、最も波長の短い青が空気中の物質にぶつかって散乱しやすいからである。

正解 4

問題2 **美術②**

次の図は12色相環です。A～Cにあてはまる色の組み合わせとして正しいもの
を、下の1～4の中から1つ選びなさい。

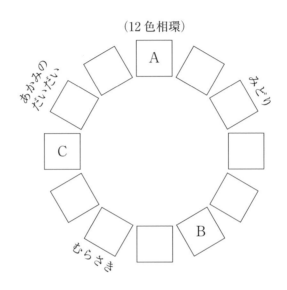

（12色相環）

1　A　あお　　　　　B　き　　　　　　C　あか
2　A　あか　　　　　B　あお　　　　　C　き
3　A　きみどり　　　B　あかむらさき　C　みどりみのあお
4　A　き　　　　　　B　あお　　　　　C　あか

学習日 ／ ／ ／

142

解答解説

色は、連続して変化していくように見える。その色の変化を、円（環）の形に体系的に配置したものが、**色相環**である。設問は12色の色相環、ほかにも24色のオストワルト表色系などさまざまなものがある。オストワルト表色系では、対面の色同士は「補色＝混ぜ合わすと無彩色になる色」の関係である。設問は12色。「みどり」「むらさき」「あかみのだいだい」の位置が与えられている。選択肢の色は、「あかむらさき」「あか」「あお」「みどりみのあお」「きみどり」「き」。まず「むらさき」に注目してみる。「むらさき」というと、「あかむらさき」「あおむらさき」の2種類が思い浮かぶ。図の「むらさき」から左回りに、「C」「あかみのだいだい」と並んでいて、さらにその2つ先には「A」がある。次に「むらさき」から、右回りを見てみると、ふたつ先に「B」がある。「むらさき」から左上へしだいに「あかく」なっているようだ。「あかみのだいだい」は「あか」に「きいろ」が入ったものだから、その手前の「C」は、ただの「あか」の可能性が高い。「あか」の先が「あかみのだいだい」と変化しているのなら、「きいろ」が少しずつ強くなっていると考えられる。「あかみのだいだい」のふたつ先が「A」、そのふたつ先が「みどり」である。「あか」を出発点に、少しずつ「きいろ」が強くなって、やがて「みどり」になると考えると、「A」は「きいろ」、「A」と「みどり」のあいだは「きみどり」ではないかと推測できる。最後に「むらさき」に戻って、今度は右回りを見てみる。左回りには、「あかむらさき」がありそうだった。であるなら、右回りには、「あおむらさき」そして「あお」がありそうだ。「B」の3つ先には、「みどり」があることを考えると、「あお」が「B」の可能性が高まる。このように推測したうえで、選択肢を見てみると、「4」の並びが最適である。

正解 4

問題3 **美術③**

① 次の図版は、国宝『風神雷神図屏風』である。この作者として最も適切なものを、後の1〜5のうちから選びなさい。

1 雪舟等楊
2 俵屋宗達
3 長谷川等伯
4 狩野永徳
5 円山応挙

② 加工に用いる用具の使い方に関する説明として適切でないものを、次の1〜4の中から1つ選びなさい。

1 たがねは、正確に寸法を測ることができる。
2 金切りばさみは、アルミニウム缶を切ることができる。
3 ペンチは、針金を切ることができる。
4 金のこは、ガラス板を押す力で切ることができる。

学習日 ／ ／ ／

解答解説

□1

図版の絵は、江戸時代のごく初期に活躍した**俵屋宗達**の作品。尾形光琳が私淑した
ため、現在では光琳とともに「琳派の祖」と言われる。自由闊達な画風で知られ、
水墨画の『蓮池水禽図』も評価が高い。選択肢1の雪舟等楊は、室町時代の水墨画
家、僧侶。日本独自の水墨画を確立した。涙で描いたねずみの絵の逸話が有名。3
の長谷川等伯は、安土桃山時代から江戸時代初期の画家。当時の画壇の主流派、狩
野派と肩を並べる長谷川派を確立。『松林図』『楓図』はどちらも国宝となってい
る。4の狩野永徳は、安土桃山時代の画家。狩野派の棟梁として、安土城、大坂城
などの障壁画を制作した。『洛中洛外図屏風』のうち2点が国宝に指定されている。
5の円山応挙は、江戸中期から後期の画家。写生を重視した。動植物や昆虫をさま
ざまな角度から描いた写生帖が残っている。『雪松図』は国宝。また、足のない幽
霊を初めて描いたのは、応挙であるといわれている。

正解 2

□2

1 × たがねは、金属、岩石、コンクリートなどの**加工に用いる工具**。切る、削
るなどの作業に使う。寸法を測る道具ではない。

2 ○ 肢文の通り。金切りばさみは、鉄板、アルミニウム板、ステンレス板、銅
板などの薄い金属板を切断するためのはさみ。

3 ○ ペンチは先端部分がかみ合う構造で、針金やワイヤーなどの線材をつかん
で曲げる、切るなどする工具。かみ合う部分のうしろに切断用の刃物がついてい
る。

4 ○ 金のこは、金属を切るためののこぎり。ガラスを切れるものもある。「か
なのこ」「かねのこ」のどちらの読みでもよい。

正解 1

問題4 **美術④**

① 次の文章は、葛飾北斎について説明したものである。文章中の（ a ）～（ d ）にあてはまる語句の組合せとして正しいものを、あとの1～4のうちから1つ選びなさい。

> 葛飾北斎は、（ a ）時代に活躍した（ b ）である。主な作品は（ c ）である。北斎亡き後、その名はヨーロッパに広まり、（ d ）などに影響を与えた。

1　a　江戸　　b　水墨画家　　c　東海道五十三次　　d　ダヴィンチ
2　a　室町　　b　浮世絵師　　c　東海道五十三次　　d　ゴッホ
3　a　室町　　b　水墨画家　　c　冨嶽三十六景　　d　ダヴィンチ
4　a　江戸　　b　浮世絵師　　c　冨嶽三十六景　　d　ゴッホ

② 絵画の作品名とその作者の組合せとして適切でないものを、次の1～4のうちから1つ選びなさい。

	作　品　名	作　者
1	落穂拾い	ミレー
2	散歩・日傘をさす女性	モネ
3	睡蓮	マネ
4	真珠の耳飾りの少女	フェルメール

学習日 ／ ／ ／

解答解説

1

葛飾北斎（1760～1849）は「江戸」時代後期に活躍した**浮世絵師**である。勝川春章に師事。46図からなる浮世絵版画のシリーズ『冨嶽三十六景』には、『神奈川沖浪裏』などが含まれている。一方、肉筆の浮世絵作品も数多く残している。人々の生活や、動物のしぐさ、身近なものの形態を描いた絵手本『北斎漫画』をはじめ、黄表紙や読本など数多くの戯作の挿絵も手掛けた。あらゆるものを描き尽くしたいという思いを終生もち、革新的な作品も数多く生み出している。ゴッホなど、ヨーロッパの印象派の画家たちなどへの影響も大きい。改名と引っ越しの多さでも有名である。

正解 4

2

1　○　ジャン＝フランソワ＝ミレーはフランスの画家。『落穂拾い』のほか『種まく人』『晩鐘』など、農民の姿を気高くあるいは生き生きと描いた作品が多い。

2　○　クロード＝モネは、印象派を代表するフランスの画家。『散歩・日傘をさす女性』で、ひとつのタイトルである。肢文3の『睡蓮』もモネの作品。生涯におよそ250枚の『睡蓮』を残している。晩年、視力が低下してからも描き続けた。

3　×　『睡蓮』はモネの作品。フランスの画家、**エドゥアール＝マネは印象派の先駆け的な存在**。従来の絵画の約束ごとにとらわれず新風を吹き込んだ。『笛を吹く少年』『オランピア』『草上の昼食』などの作品がある。

4　○　ヨハネス＝フェルメールは17世紀のオランダの画家。光を巧みに用いて粒子の美しい映像的な質感の絵画を描き、「光の魔術師」と呼ばれた。

正解 3

問題1 保健体育①

次の文を読んで、問1、問2に答えなさい。

　スポーツ基本法（平成二十三年法律第七十八号）の前文には「スポーツは、心身の健康の保持増進にも重要な役割を果たすものであり、健康で活力に満ちた　1　の実現に不可欠である」と示されている。

　スポーツを行うことは、精神的な<u>ストレス</u>を解消したり、リラックスさせたりする効果もある。また、スポーツは、ルールやマナーを尊重する態度や、人と人とのよい関わりがなければ成立しない。仲間と連携してプレイするには、コミュニケーションをとったり、助け合ったりすることが必要である。そのため、スポーツへの参加は、　2　を高めるよい機会になる。

問1　空欄1、空欄2に当てはまる適切な語句の組合せを選びなさい。
　ア　1 ― 長寿社会　　　　　2 ― 社会性
　イ　1 ― 長寿社会　　　　　2 ― 自主性
　ウ　1 ― 長寿社会　　　　　2 ― 個性
　エ　1 ― 知識基盤社会　　　2 ― 社会性
　オ　1 ― 知識基盤社会　　　2 ― 自主性

問2　下線部に関して、対処の仕方として適切なものの組合せを選びなさい。
　①　人間関係が原因であれば互いに理解を深めるなど、ストレスの原因に対処する。
　②　失敗したときに落ち込むのではなく、受け止め方を見直すとよい。
　③　信頼できる人や専門家に決して相談せず、自分一人で解決策を見付ける。
　④　自分に過度なストレスをかけ続け、ストレスに慣れるように対処するとよい。
　⑤　普段から適切な睡眠や休養をとるなど、規則正しい生活を送るとよい。
　　ア　①②③　　イ　①②⑤　　ウ　①③④　　エ　②④⑤　　オ　③④⑤

学習日　／　／　／

解答解説

問1

空欄1の選択肢は「長寿社会」と「知識基盤社会」の2つ。心身の健康と「知識基礎社会」はあまり結びつかない。**心と体を健康に保つことと関連があるのは、「長寿社会」**である。第2段落では、スポーツをするには、「ルールやマナー」を尊重する姿勢や、チームプレイを円滑に行う「コミュニケーション」などが必要としている。つまり、「**社会性**」を高めることにスポーツは役立つと述べている。

正解 ア

問2

厚生労働省が『こころもメンテしよう 若者のためのメンタルヘルスブック』という冊子を出している（ウェブでも閲覧可能）。そのなかで、いくつかのストレスへの対処法を示しつつ、自分に適した気分転換をすすめている。以下は、その冊子および精神科医が勧める気分転換の一例である。「日光浴をする」、「歩いたり運動をする」、「文章を書いたり、ものをつくる」、「不安定な日が続いたら、ひとりで頑張らずに家族や友人などに相談する」、「自分の感情を見つめて、ストレスの原因を把握する（解消できるように行動する）」、「音楽や映画で泣く、笑う、いい気持ち・静かな気持ちになる」、「自分を否定するのではなく、いい面に目を向けて自分を肯定してみる」など。もっとも手軽なストレス解消方法は軽い運動をすること。少し速足の散歩などを行うだけで、脳内にはしあわせホルモンの一種エンドルフィンが分泌され、リラックス効果が得られる。選択肢3のように、「**自分で抱え込む**」のは、不適切な対処法。また、心の成長のためには適度なストレスが必要という研究も確かにあるが、選択肢4のような「**過度なストレスをかけ続ける**」ことは、避けるべきである。

正解 イ

問題2 保健体育②

次の文を読んで、問1、問2に答えなさい。

　生活習慣が発症や進行に関係する病気を<u>A生活習慣病</u>といい、適切な対策を講ずることにより予防できるものである。<u>Bがん</u>、心臓病、脳卒中などは、生活習慣と関係が深いことが分かっている。

問1　下線部Aに当てはまるものとして、適切で̇な̇い̇も̇の̇を選びなさい。
　ア ─ 結核　　イ ─ 歯周病　　ウ ─ 肥満症　　エ ─ 高血圧症
　オ ─ 糖尿病

問2　下線部Bに関する説明として、適切なものの組合せを選びなさい。
　①　日本人の約二人に一人が一生のうち一度はなる可能性がある。
　②　日本における死亡数において、死因順位の第一位である。
　③　免疫が過剰に働いて、様々な症状を引き起こす病気である。
　④　遺伝子が傷つくことによって起こる病気である。
　⑤　1年間にがん検診を受診した人の割合は、北海道の方が全国よりも高い。
　　ア　①②④　　イ　①②⑤　　ウ　①③⑤　　エ　②③④　　オ　③④⑤

学習日　／　／　／

150

解答解説

問1

生活習慣病は、食べ物や日々の生活の「くせ」のようなものが原因でかかる病気のこと。「食習慣、飲酒、喫煙、運動習慣、疲労やストレス（休養不足）などが発症や進行に関与する疾患」である。具体的には、高血圧症、脂質異常症、肥満症、（2型）糖尿病、心筋梗塞、狭心症、高尿酸血症、アルコール性肝疾患、がん、歯周病などがある。かつては「成人病」と呼ばれ、年齢を重ねると発症すると考えられていたが、実は幼い頃からの生活習慣がもとになって発症することが明らかになったため、「生活習慣病」と変更された。多くは自覚症状がほぼないため、気づかないうちに進行し、脳や心臓、血管などにダメージを与えていく。現在、日本人の死因の3分の2は「がん、心疾患（おもに心筋梗塞）、脳血管疾患（おもに脳卒中）」のいずれかである。なお、「結核」は、結核菌による感染症で、生活習慣病ではない。また、糖尿病のうち「1型糖尿病」は生活習慣病ではなく、自己免疫疾患によるものである。

正解 ア

問2

① ○ 肢文の通り。がん罹患率は、男性は65.5%、女性は51.2%である。

② ○ 肢文の通り。2022年のがんによる死者は38万人あまり。全死因の24.6%で、4人に1人はがんで死亡したことになる（厚生労働省「人口動態統計」）。

③ × 免疫系が、自分の組織を攻撃してしまう自己免疫疾患についての説明。関節リウマチ、全身性エリテマトーデスなど、部位によりさまざまな病気がある。

④ ○ 肢文の通り。

⑤ × 全国のがん検診受診率は、どの部位についても20〜50%程度である。

正解 ア

問題3 保健体育③

1. アドレナリン自己注射薬（エピペン®）の使用・管理についての説明として誤りを含むものを、次の1～4のうちから1つ選びなさい。

1. アドレナリン自己注射薬は本人自らもしくは保護者が注射する目的で作られたもので、注射方法や投与のタイミングは医師から処方される際に十分な指導を受けている。
2. アドレナリン自己注射薬の注射は法的には医行為にあたるため、児童生徒に投与する場合は教員は講習を受け、資格を取らなければならない。
3. 投与するタイミングは、アナフィラキシーショック症状が進行する前の初期症状（呼吸困難などの呼吸器の症状が出現したとき）のうちに注射するのが効果的であるとされている。
4. 学校がアドレナリン自己注射薬の管理を行う場合には、主治医・学校医・学校薬剤師等の指導の下、保護者と十分に協議して、その方法を決定する。

2. 次は、薬物乱用の悪影響について述べた文である。文中の ① 、 ② にあてはまる語句の組み合わせとして最も適切なものを、下の1～4の中から1つ選びなさい。

> 薬物乱用とは、違法な薬物を使用したり、医薬品を治療などの本来の目的からはずれて使用したりすることです。乱用される薬物としては、大麻、覚せい剤、 ① や麻薬、シンナーなどさまざまです。薬物はいずれも ② に作用し、 ② を異常に興奮させたり抑制したりします。その結果、乱用者の心身に大きな害をもたらし、一度の乱用で死ぬこともあります。

1. ① MDMA　　② 筋組織
2. ① PTSD　　② 脳
3. ① MDMA　　② 脳
4. ① PTSD　　② 筋組織

学習日　／　／　／

解答解説

1

1　○　肢文の通り。当初、エピペンはハチ毒に対するアナフィラキシーに対しての
みの適応だったが、現在は食物アレルギーや薬物アレルギーにも拡大されてい
る。

2　×　自らアドレナリン自己注射薬を注射できない児童生徒に、**アナフィラキシ
ー**の現場に居合わせた教職員がエピペンを投与しても、**医師法違反にはならな
い**。平成20年の『学校のアレルギー疾患に対する取り組みガイドライン』（文部
科学省監修）に「医師法違反にならないと『考えられる』」と記述されたことで
不安が広がったため、平成25年に関係責任者間で照会と回答が行われ、医師法違
反にはならないと明確にされた。文部科学省のウェブサイトに公表されている。

3　○　肢文の通り。注射部位は大腿外側広筋がよい。

4　○　肢文の通り。

正解　2

2

空欄を埋める候補の選択肢は、2つずつ。「MDMAとPTSD」、「筋組織と脳」であ
る。MDMAは、**合成麻薬**で、エクスタシーという名称でも知られる。気分や知覚が
変化し、時間の概念を失い、ものの動きへの感覚や音感が冴える。多量摂取をする
と高体温となって、死に至ることもある。MDMAは**大脳皮質**に影響を与え、大麻
などの成分もまた脳に影響を与える。怠惰になり活力を失うなどの症状が出る。
PTSD（心的外傷後ストレス障害）は精神疾患のひとつ。強い衝撃、つまり生死に
かかわるような体験、戦争体験、暴力体験、性的犯罪被害、交通事故などを経験し
た人や、その目撃者などが発症し、半数以上が、うつ病や不安障害などに悩まされ
る。

正解　3

保健体育　保健体育③

問題4 保健体育④

熱中症予防運動指針（日本スポーツ協会　2019）における、暑さ指数（WBGT）が厳重警戒（28～31℃）を示した場合の対応として適切なものを、次の1～4のうちから1つ選びなさい。

1　熱中症の危険性が高いので、屋外での運動は中止する。屋内での運動は、30分おきに休憩をとり、水分・塩分を補給する。

2　熱中症の危険性が高いので、激しい運動や持久走など体温が上昇しやすい運動は避ける。10～20分おきに休憩をとり水分・塩分の補給を行う。暑さに弱い人は運動を軽減または中止する。

3　熱中症の危険性が高いので、特別の場合以外は運動を中止する。特に子供の場合には中止すべきである。

4　熱中症の危険性が高いので、屋外・屋内での運動とも、30分おきに休憩をとり、水分・塩分を補給する。

学習日　／　／　／

解答解説

暑さ指数（WBGT：Wet Bulb Globe Temperature）とは、熱中症予防のための指数（暑い環境で行動する際のリスクの強さを測る指数）。気温と同様に摂氏（℃）で表されるが、その値の内容は、気温だけではなく、人間のからだの熱の出し入れに影響が大きい「湿度」「日射・輻射などの熱環境」「気温」の3つをとり入れて算出されたもの。設問文のように、暑さ指数（WBGT）が28（厳重警戒）を超えると、熱中症リスクが高まる。暑さ指数が21未満の場合には、熱中症リスクはほぼないとされる。

暑さ指数21未満（参考気温24℃未満）＝ほぼ安全。適宜水分補給：市民マラソンなどではこの条件でも熱中症発生リスクがある。

暑さ指数21〜25（参考気温24〜28℃）＝注意。積極的に水分補給：熱中症の兆しに注意し、運動の合間に積極的に水分・塩分の補給を行う。死亡事故も起こる。

暑さ指数25〜28（参考気温28〜31℃）＝警戒。積極的に休憩：積極的な休憩と、水分と塩分の適宜補給が必要。激しい運動では、30分おきに休憩をとる。

暑さ指数28〜31（参考気温31〜35℃）＝厳重警戒。激しい運動は中止：激しい運動や、体温が上昇しやすい持久走などの運動は避ける。10〜20分おきに休憩をとり、**水分と塩分の補給を行う**。暑さに弱い人（＝体力の低い人、肥満の人、暑さに慣れていない人など）は軽い運動に変更するか、中止も考える。炎天下での外出は避け、室内でも室温の上昇に注意する。

暑さ指数31以上（参考気温35℃以上）＝運動は原則中止：運動は、特別の場合を除き、原則中止。子どもはとくに中止すべき。

正解 2

保健体育　保健体育④

ワンポイントアドバイス

熱中症は屋外におけるスポーツだけでなく、教室内でも発生することがあります。温熱環境は温度・相対湿度・気流等によって影響を受けるため、温度だけではなく、その他の環境条件や児童生徒等の健康状態も考慮した上で総合的な対応が求められます。特に工業高校における溶接実習等では教室内の温度管理や水分補給に留意する必要があります。

保健体育

問題5 保健体育⑤

① 応急手当の方法として適切でないものを、次の1～4のうちから1つ選びなさい。

1 大量の出血がある場合は、清潔なガーゼやハンカチなどで、出血している傷口を直接強く押さえて出血を止め、しばらく圧迫する。

2 衣服の上からやけどをした場合は、衣服を脱がせてから皮膚に直接水道水を流し掛け、患部を冷やす。

3 突き指をした場合は、患部をすぐに冷やして動かさない。

4 傷病者の反応を確認し、心肺停止が疑われる状態の場合は、119番の通報とともにその場に居合わせた人がすぐに心肺蘇生やAED（自動体外式除細動器）による電気ショックを行う。

② 熱中症予防の措置として適切でないものを、次の1～4のうちから1つ選びなさい。

1 室内にいる際は、部屋の温度と湿度をこまめにチェックし、エアコンや扇風機を上手に使う。

2 服装は軽装とし、吸湿性や通気性のよい素材にする。直射日光は帽子で防ぐようにする。

3 たくさん汗をかき、のどが渇いたら水分補給をする。

4 日頃から栄養バランスのよい食事と体力づくりを行う。

学習日 ／ ／ ／

解答解説

1

1　○　肢文の通り。

2　×　着衣の上からやけどをした場合には、衣服を脱がさずに15 〜 30分ほど流水をかけ、しっかり**冷却**する。広範囲の場合には**シャワー**がよい。ただし体が小さい場合等に冷やしすぎると低体温化することもあるため、注意が必要。また、衣類を無理に脱がすと、張りついていた衣類で皮膚が破れ感染症等の原因ともなる。

3　○　肢文の通り。骨折や脱臼、腱の切断等の場合を考え、患部は引っ張るべきではない。

4　○　肢文の通り。

正解　2

2

1　○　肢文の通り。自分のいる室内の気温や湿度に気を配り、扇風機やエアコンで室温を適度に下げる。過度の節電や「この程度なら大丈夫」という考えは禁物。

2　○　肢文の通り。衣服は通気性のよいもの、吸湿性や速乾性にすぐれた素材のものを選ぶ。日傘などの対策だけでなく、歩行時や活動時は日陰が望ましい。

3　×　熱中症のおそれがある日には、**知らず知らずのうちに汗をかき、水分やミネラル分のバランスが失われる。のどの渇きを感じなくてもこまめな水分補給が**必要。塩分と糖分を同時に摂取できる**スポーツドリンク**などが好ましい。

4　○　肢文の通り。食事への気配りと体力づくりのほか、良好な睡眠も大切。体調管理全般が、予防につながる。

正解　3

保健体育　保健体育⑤

問題6 保健体育⑥

次の(1)～(3)は、スポーツの技術や技能等について述べたものである。（　a　）～（　c　）内に当てはまるものを語群から選ぶとき、正しい組合せとなるものを解答群から一つ選びなさい。

(1) 陸上競技、水泳、器械運動などでは、競争する相手から直接影響を受けることが少なく、解決すべき課題やそれに対応する技術は大きく変化しない。このように安定した環境の中で用いられる技術を（　a　）という。

(2) 練習やトレーニングによって技能や体力を向上させるためには、それまでに行っていた運動より難度や強度が高い運動を行う必要がある。これを（　b　）の原理という。

(3) 筋肉、腱、靭帯が柔らかく、関節の運動範囲が大きいことを柔軟性が高いという。柔軟性を高める代表的なトレーニング方法として、いろいろな方向に関節をゆっくり大きく曲げたり伸ばしたりする（　c　）がある。

【語　群】　ア　オープンスキル　　　イ　クローズドスキル　　　ウ　クールダウン
　　　　　　エ　オーバーロード　　　オ　ストレッチング　　　　カ　フィードバック

【解答群】　1　a－ア　b－ウ　c－オ　　　2　a－ア　b－ウ　c－カ
　　　　　　3　a－ア　b－エ　c－オ　　　4　a－ア　b－エ　c－カ
　　　　　　5　a－イ　b－ウ　c－オ　　　6　a－イ　b－ウ　c－カ
　　　　　　7　a－イ　b－エ　c－オ　　　8　a－イ　b－エ　c－カ

学習日

解答解説

(1) スポーツには「自分の力をいかに発揮するか」を競うものと、「相手のもつ技術にどう立ち向かっていくか」で結果が変わってくるものがある。たとえば水泳や陸上、体操やゴルフなどのように、自分のペースで実力を発揮しやすい技術のことを**クローズドスキル**と呼ぶ。一方、サッカーやバスケットボール、柔道などでは、相手の技術にどう対処していくかが求められる。こうしたものは「オープンスキル」と呼ばれる。テニスやバレーボールのサーブはクローズドスキルだが、その後の展開ではオープンスキルが重要になってくる。

(2) たとえば腹筋を50回できる人が、毎日50回していたのではパフォーマンスは上がらない。少しつらいな、と思う程度のトレーニングを行うことで、からだの機能が向上していくことを**オーバーロード**の原理という。日本語では「過負荷」と訳せる。ただし、疲労の蓄積の原因となったり、部分的な筋肉のダメージの原因となったりするので、回復期間やケアにも気を配らなくてはいけない。なお、「クールダウン」は、運動のあとで興奮している筋肉や神経を徐々に鎮めていくこと。疲労を減らし、けがを予防することなどに効果がある。

(3) 筋肉は骨の手前で細くなって、骨につながる。この「細くなっている結合組織（繊維の束）」が腱。一方、靭帯は、骨と骨をつなぐ組織。骨のあいだにあるこうした組織を伸ばすことで、筋肉の柔軟性を高めたり、関節の可動域を広げたりするトレーニングが**ストレッチング**である。身体の緊張をほぐすと同時に、体調を整える、疲れをとる、精神的にリラックスするなどの効果もあるといわれている。

正解 7

保健体育

保健体育⑥

 ワンポイントアドバイス

選択肢力の「フィードバック」は、ある行動に対して評価したり、改善点を伝えたりすることです。

保健体育⑦

次の(1)~(3)は、スポーツにおけるけがの応急手当について述べたものである。(a)~(c)内に当てはまるものを語群から選ぶとき、正しい組合せとなるものを解答群から一つ選びなさい。

(1) 出血の有無を確認し、出血している場合には止血を試みる。通常は、ガーゼなどを傷口に当てて圧迫する（ a ）圧迫法により、出血はおさまる。

(2) 骨折が疑われる場合は、その部位を（ b ）して動かさないようにする。これにより、痛みを和らげるだけでなく、内出血や腫れをおさえ、けがをした部位や周囲の腱・血管・神経なども保護することができる。

(3) 捻挫や打撲の手当については、安静にするとともに、当該部位の（ c ）、圧迫、挙上を基本に進める。

【語　群】　ア　間接　　イ　直接　　ウ　癒合
　　　　　　エ　固定　　オ　冷却　　カ　保温

【解答群】　1　a－ア　b－ウ　c－オ　　2　a－ア　b－ウ　c－カ
　　　　　　3　a－ア　b－エ　c－オ　　4　a－ア　b－エ　c－カ
　　　　　　5　a－イ　b－ウ　c－オ　　6　a－イ　b－ウ　c－カ
　　　　　　7　a－イ　b－エ　c－オ　　8　a－イ　b－エ　c－カ

学習日　／　／　／

解答解説

けがの応急処置を行うときには、「出血を止める」、「細菌の侵入を防ぐ」、「痛みをやわらげる」ことを考えながら行うとよい。出血がある場合には、まず出血している場所を調べる。どこから出血しているかが明らかになったら、傷口にガーゼなどを当てて、まず手のひらで強く押さえて圧迫する。可能なら、救助者はビニール手袋などを使用する。このように傷口に直接、力を加えて止血する方法を**直接圧迫法**という。骨折の疑いがあるときは、安静にすることをまず考える。外傷がある場合には、けがの処置をしたあとに、**患部を固定する**。添え木などで固定して骨折の疑いのある場所を安静に保つ。骨折周辺の組織（腱、血管、神経など）を保護することもできると同時に、痛みをやわらげ、腫れや内出血を抑える効果もある。肉離れや捻挫、打撲などの外傷に対しては、早期に「RICE処置」を行うことで、傷周辺の腫れや痛みなどの症状をやわらげ、回復を助けることができる。RICEとは、Rest（安静）、Icing（冷却）、Compression（圧迫）、Elevation（挙上）の略。けがをしたところを安静に保ち（Rest）、部位を冷やして（Icing）、皮膚の感覚を呼び戻す。患部を動かさないようにテープ等で固定すること（Compression）で、腫れや内出血、あるいはしびれ等を抑え、患部の位置を心臓より高いところに保つこと（Elevation）で、内出血による腫れを防ぐことができる。

正解 **7**

保健体育

保健体育⑦

ワンポイントアドバイス

突き指をした場合には、引っ張ってはいけません。曲げ伸ばしなども含めむやみに動かすと、損傷がさらに悪化する可能性があるため、流水や、ビニール袋に入れた冷たい氷水などで、まず20〜30分ほど患部を冷やすのがよいとされます。

保健体育

問題8 保健体育⑧

　次のア～オは、ストレスについて述べたものである。正しいものを二つ選ぶとき、その組合せを解答群から一つ選びなさい。

ア　趣味に没頭してストレスから逃れようとすることは、苦しくつらい現実から一時的に逃れようとするだけで、ストレスへの対処法としてはいかなる場合もふさわしくない。

イ　人には、ストレスに耐えられる力（ストレス耐性）が備わっており、ストレス耐性の度合いはすべての人に共通している。

ウ　ストレスへの対処法としては、まず原因となっていることが何かを知り、それを克服したり回避したりするといった、原因への対処を考えることが重要である。

エ　ストレスは、身体の健全な成長に悪い影響を与え、精神的な発達にとっても必ず大きな阻害要因となるため、ストレスとなる場面は絶対に避けなければならない。

オ　職場や学校での対人関係、仕事上のトラブルなど心理・社会的なものや、冬の寒さ、夏の蒸し暑さなど物理的なものが原因となって、心や体に負担がかかった状態をストレスという。

【解答群】　1　ア、イ　　2　ア、ウ　　3　ア、エ　　4　ア、オ　　5　イ、ウ
　　　　　　6　イ、エ　　7　イ、オ　　8　ウ、エ　　9　ウ、オ　　0　エ、オ

学習日　／　／　／

解答解説

ア　×　「趣味などに没頭すること」は、「休息をとる」、「外に出て気分転換をする」などとともに、**ストレスへの対処法のひとつ**である。自身の周辺でできる対処法としては、ほかに、「深呼吸をして自律神経を調整する」「メンタルトレーニングをする」「友人や家族に症状を相談してみる」などが考えられる。

イ　×　ストレスへの耐性（耐えられる力）には、**個人差**がある。

ウ　○　肢文の通り。「ストレスをもたらしているものは何か」がわかれば、克服したり、逃げたりすることもできる。ストレスの中心が、立場や環境ならば、例えば職場や職種を変更するというような方法も含めて、自分の周辺の状況を変える選択肢もある。

エ　×　適度なストレスは、やる気を出し、結果的に自己成長を促す源にもなる。ストレスのない環境下での生活を続けると、調節機能が低下するという研究もあり、必ず避けなければならないという考え方は適切とはいえない。

オ　○　肢文の通り。

正解 9

☞ ワンポイントアドバイス

自分が背負ってしまった悲しみや怒りがストレスの中心にある場合には、環境を変えることでは解決がつかないため、ストレスの原因となっている経験への感じ方や考え方の角度を変える方法なども考えられます。ただし、環境や心の感じ方を変えようとするあまり、かえって疲れてしまわないようにすることが大切です。気晴らしの散歩をする、好きなものに没頭する、好物を食べるなどで、ストレスそのものを体から追い出してしまうのも効果的な方法といえます。

問題9 **保健体育⑨**

次のア～オは、保健体育に関わる用語について述べたものである。正しいものを三つ選ぶとき、その組合せを解答群から一つ選びなさい。

ア	セカンド・オピニオン	― 医師は患者に分かりやすく選択肢を挙げて説明し、患者が自主的に判断して受けたいと思う医療を安心して受けられるようにするという考え方。
イ	レペティショントレーニング	― 強度の高い運動の合間に十分な休息時間をとって、何本かを繰り返すトレーニング。
ウ	ノーマライゼーション	― 障害の有無や年齢・性別・国籍にかかわらず、初めから誰もが使いやすいように施設や製品、環境などをデザインするという考え方。
エ	クオリティ・オブ・ライフ	― 人生における多くの社会的役割を実行できる能力に加え、自分の生活への満足感や幸福感をも含む生活の質。
オ	ヘルスプロモーション	― 人々が自らの健康をコントロールし、改善できるようにするプロセス。

【解答群】　1　ア、イ、ウ　　2　ア、イ、エ　　3　ア、イ、オ
　　　　　　4　ア、ウ、エ　　5　ア、ウ、オ　　6　ア、エ、オ
　　　　　　7　イ、ウ、エ　　8　イ、ウ、オ　　9　イ、エ、オ
　　　　　　0　ウ、エ、オ

学習日　／　／　／

解答解説

ア　×　この説明文は、**インフォームド・コンセント**（informed consent）についての説明。治療を開始する前に、医師などから症状や、治療方法、および治療上の選択肢などの十分な説明を受け、疑問点があれば解消して、納得したうえで医療行為に向かうこと、である。

イ　○　肢文の通り。主に「**走る競技**」のトレーニングに用いられる方法。一定の距離を全力で走ったのち、十分な休養をとる。回復後に、ふたたび全力で走り、十分な休養をとる、を繰り返す。乳酸耐性を高くする効果があるといわれている。なお、レペティション（repetition）はリピート（repeat＝繰り返す）の名詞形で「繰り返し、反復」という意味。

ウ　×　この説明文は**ユニバーサル・デザイン**（universal design）のもの。ノーマライゼーション（normalization）とは、障害をもつ人ともたない人が、ともに平等に生きられる社会を目指そうという考え方。

エ　○　肢文の通り。クオリティ（quality）は「質」。全体で「**生活の質**」の意味。quality of lifeの頭文字をとって、「QOL（キュー　オー　エル）」と言われることもある。

オ　○　肢文の通り。「ヘルス（health）」は「健康」、「プロモーション（promotion）」は「意識を高めて、促進すること」。「健康づくり」「**健康増進**」などと呼ぶこともある。

正解 9

 ワンポイントアドバイス

セカンド・オピニオン（second opinion）とは、治療中の病気について、そのときの担当の医師とは別の（病院の）医師に、診断や治療法についての意見を求めることです。

問題10 保健体育⑩

次は、運動やスポーツを安全に行うための練習計画について述べたものである。（　a　）～（　c　）内に当てはまるものを語群から選ぶとき、正しい組合せとなるものを解答群から一つ選びなさい。

練習計画を立てる際には、発達の段階に応じた強度、時間、頻度に配慮することが重要となる。身体機能の発達を考えると、小学校期に獲得したさまざまな動きの（　a　）を、中学校期には繰り返し続けられるように、計画を組むことがよいとされている。持久力を高めるためには、強度を（　b　）して、持続時間を（　c　）するとよい。

【語　群】　ア　巧みさ　　　イ　力強さ　　　ウ　低く
　　　　　　エ　高く　　　　オ　短く　　　　カ　長く

【解答群】　1　a－ア　b－ウ　c－オ　　　2　a－ア　b－ウ　c－カ
　　　　　　3　a－ア　b－エ　c－オ　　　4　a－ア　b－エ　c－カ
　　　　　　5　a－イ　b－ウ　c－オ　　　6　a－イ　b－ウ　c－カ
　　　　　　7　a－イ　b－エ　c－オ　　　8　a－イ　b－エ　c－カ

学習日　／　／　／

解答解説

体育理論についての設問。発達段階ごとの練習計画について書かれている。いずれの段階でも、運動の強度、運動にかける時間や頻度は、各人のレベルを考えてプランを組むことが大切であるが、それぞれの教育段階での目安となるのは、次の点である。小学校では、「いろいろな動きを学び、それらをうまく（**巧みに**）できるようにする」。中学校では、「繰り返し続けられるように持続力を高めていく」。高校では「筋力やスピードなど、体力を全面的に高めていく」。中学校での目標「繰り返し続けられる**持続力**」とは、ひいては「一定の運動を**長く続ける**能力」、つまり、スタミナや粘り強さにつながる。この能力は、心肺機能とかかわりが深く、体内に取り込んだ酸素からエネルギーを多く作ることができるほど、全身の持続力（「全身持久力」という）は、高くなっていく。また、筋肉には「瞬発的なパワーを出せるが、疲労しやすい速筋」と、「パワーは弱いけれど疲れにくい遅筋」がある。「遅筋」は、「**強度が低く身体に負荷をあまりかけない有酸素運動を長く続けること**」で発達し、**持続力のもと**となる。たとえばジョギングやサイクリングなどがこれに該当する。「速筋」は、いわゆる「筋トレ」などの「高負荷の運動」によって、鍛えられる。

正解 2

ワンポイントアドバイス

体育理論は、学校生活でだけ必要なものではなく、生涯にわたって、健康を保ち向上させながら、豊かなスポーツライフを実現することを目指すための理論です。運動に関する知識や技能を習得すると同時に、それらを活用する思考力や判断力を育てていくことを目的としています。

問題1 家庭①

① 子供や家族を支える施設や機関とその説明の組み合わせとして適切でないものを、次の1～4の中から1つ選びなさい。

	子供や家族を支える施設や機関	説明
1	ファミリー・サポート・センター	18歳までの児童を対象にした施設。小学生の放課後の遊びを支える役割が大きかったが、最近では子育て中の親の集まりを企画するなど、子育て支援の機能も整えている。
2	保育所	保護者が就労などのため、家庭で保育できない0歳から就学前までの乳幼児が対象。保育時間は朝早くから夜遅くまである。様々な子育て支援を行っている。
3	認定こども園	保育所と幼稚園の機能をあわせもつ施設。0歳から就学前までの乳幼児が対象。地域の子育て支援も担う。
4	子育て支援センター	各市町村などに設置されている。子育て中の親が集う場を提供したり、様々な相談活動などを実施したりしている。

② 介護保険制度に関して述べた文として正しいものを、次の1～4の中から1つ選びなさい。

1 地域住民の心身の健康の保持及び生活の安定のために必要な援助を行う地域包括支援センターは、都道府県が設置主体である。
2 介護保険の加入者のうち、65歳以上の者を第1号被保険者という。
3 要介護度の認定は、要介護認定等基準時間をもとに10段階に分かれている。
4 介護福祉士とは、ケアマネージャーのことで都道府県知事が認定する資格である。

学習日 ／ ／ ／

解答解説

1

1　×　「ファミリー・サポート・センター」は、**育児のサポートをしてほしい人**（ファミリー会員）と、**育児のサポートをできる人**（サポート会員）を引き合わせて（マッチングして）「一時的な育児支援」を後押しする事業所。それぞれの会員として登録する必要がある。具体的な内容としては、「保育園などへの送迎」「保育施設の開始前・終了後や、学校の放課後に、保護者の帰宅時間まで子どもを預かる」「保護者の病気や急用などの際に子どもを預かる」「保護者の通院や買い物のときなどに子どもを預かる」など。自治体によっては、「病気の子や病後の子の預かり」などを行うところもある。

2　○　肢文の通り。

3　○　肢文の通り。

4　○　肢文の通り。

正解 1

2

1　×　地域包括支援センターは、それぞれの**区市町村**が設置する。

2　○　肢文の通り。なお、「第2号被保険者」とは、40歳から64歳までの医療保険加入者のこと。

3　×　認定の段階は、**8段階**。要介護に限っていえば5段階。

4　×　介護福祉士は、介護に関する一定の知識や技能を習得していることを国に認定された人。一方ケアマネージャーは**ケアプランの作成**などを行う介護のスペシャリスト。指定業務を5年ほど経験したのち都道府県の試験に合格する必要がある。

正解 2

問題2 **家庭②**

次の文を読んで、問1、問2に答えなさい。

家族は様々な年齢の人で構成されているため、家族みんなにとっての<u>安全な住まい方</u>や快適な住まい方について考えることはとても大切である。

空気中の水蒸気が外部に面した窓や壁などの 1 の場所で水滴となることを結露という。室内に水蒸気がこもりがちになり、湿度が 2 なると、カビなどが発生しやすくなる。こうしたことを防止し、日常的に室内空気をきれいに保つためには、窓を開けて行う 3 換気や換気扇などの機械を使う換気が効果的である。

問1　空欄1、空欄2、空欄3に当てはまる適切な語句の組合せを選びなさい。
ア　1 ― 高温　　2 ― 低く　　3 ― 人工
イ　1 ― 低温　　2 ― 低く　　3 ― 自然
ウ　1 ― 低温　　2 ― 高く　　3 ― 人工
エ　1 ― 高温　　2 ― 高く　　3 ― 自然
オ　1 ― 低温　　2 ― 高く　　3 ― 自然

問2　下線部に関連する記述として、適切なものの組合せを選びなさい。
① 火災の早期発見のため、消防法によってすべての部屋に住宅用火災警報器の設置が義務付けられている。
② 酸性と塩素系の洗剤を混合すると、人体に有毒なガスが発生する。
③ 年齢や障がいの有無などにかかわらず、誰もが安全に暮らせるように考えたデザインを、ユニバーサルデザインという。
④ 家庭内における事故と交通事故の死者数の総数を比較すると、家庭内における事故の死者数の方が少ない。
⑤ 廊下や階段に手すりを付けたりするなど、高齢者等の生活上の支障をなくした住宅をバリアフリー住宅という。
　　　ア　①②③　　イ　①③④　　ウ　①④⑤　　エ　②③⑤　　オ　②④⑤

学習日　／　／　／

解答解説

問1

湿度は、調理などにより上がる。暖かい空気は、水蒸気を取り込みやすいので、換気をせずに放っておくと、夜のうちに窓ガラスなどが結露していることがある。結露は、冷えた飲み物を注ぐとグラスに水滴がつくように、温度差により「**低温**」の場所で起こる。また湿度を「**高く**」したままにしておくと、カビなども発生しやすくなるため、日常的にこまめに換気することが大切である。換気扇などの機械を用いて換気するだけでなく、窓を開けて空気を入れ替える「**自然換気**」も習慣化するとよい。なおカビの活動は、湿度が60％を超えると始まり、活発になるのは、気温が20〜35℃程度、湿度80％のあたりといわれている。

正解 **オ**

問2

① × 「寝室」および「寝室がある階の階段上部」に、設置が求められている。

② ○ 肢文の通り。強い刺激臭が出て、吸うと肺水腫等、生命の危険も生じる。

③ ○ 肢文の通り。「ユニバーサル」は、「すべての人にとっての」という意味。年齢や障がいの有無に関係なく、多くの人が利用可能なデザインのこと。エレベータの高さの違う位置にボタンを設置する、ピクトグラムを表示するなどが一例。

④ × 「人口動態統計」（2022年 厚生労働省）によると、**家庭内での不慮の事故**による死者は15,673人、交通事故死者は3,541人。家庭内死亡事故の9割は65歳以上の**高齢者**で、ヒートショックなど入浴時の事故が4割を占める。

⑤ ○ 肢文の通り。バリアフリーは、高齢者や障害者が生活するうえでの「障壁（＝バリア）」を生活圏内からとり除こうとする考え方。段差などの解消だけでなく、「家の外は動きづらいから出たくない」という精神的な障壁も解消の対象である。

正解 **エ**

家庭
家庭②

問題3 家庭③

消費者教育に関する説明として適切でないものを、次の1～4のうちから1つ選びなさい。

1　SNS（ソーシャルネットワーキングサービス）の利用においては、アカウントの不正利用や、知り合い同士の空間であるという安心感を利用した詐欺、ウイルス配布の被害に遭うなどの事例が発生しているため、注意が必要である。

2　フェアトレードとは、開発途上国の小規模生産者や労働者へのよりよい取引条件の提供や権利の保護によって持続的な発展に貢献するものである。代表的な商品に、半導体や産業用ロボットなどがある。

3　リボルビング払いは利用金額を分割して支払うため、月々の返済負担が小さく済むというメリットがあるが、一方で元本がなかなか減らないというデメリットもある。また、毎月返済額を低めに抑えた場合には、借金をしている意識が薄れ、知らず知らずのうちに借入れを増やしがちにもなる。

4　オンライン上で複数の人が同時に参加できるオンラインゲームは、プレイ内容に応じて課金されることが多い。こうしたゲームでは、多額の課金により支払い能力を超えた請求につながる可能性がある。

学習日　／　／　／

解答解説

1　○　肢文の通り。利用者の発信の際にも、著作権や肖像権の問題、嘘、不確かな情報や誹謗中傷を含んだ書き込み、プライバシーの暴露などに注意が必要である。

2　×　フェアトレード（fair trade＝公平な貿易）は、先進国など力をもつ社会が、発展途上国の生産者との取り引き時に、足もとを見て、生活を脅かしたり、発展途上国の成長を阻害したりしないようにという理念のもとに行われている貿易方法。適正な代価を支払い、労働環境を整備するなどして、生産者の生活向上に寄与し、貧困のない公正な社会をつくることを最大の目的としている。基準を満たしていると認められた商品には「国際フェアトレード認証ラベル」が与えられ、商品に表示することができる。認証を受けられるのは、とくに対象とされている地域の産品。コーヒーやカカオ、ナッツなどのほか、スパイスやお菓、生鮮果物などの食品、繊維や花なども対象となっている。また、「フェアトレード団体マーク」もあり、こちらは、生産者の労働条件や労働環境などに関して基準を満たしていると認められた団体に与えられるマークである。

3　○　肢文の通り。リボルビング払いはクレジット決済の一種。一定期間の利用代金の合計額を一度に支払うのではなく、消費者が月の支払いを一定額に固定して返済するもの。

4　○　肢文の通り。月額料金やプレイ内容に応じて課金されることが多いのが特徴。ゲーム参加への気軽さや、スキルに合わせたプレイが可能という魅力がある。

正解　2

家庭

家庭③

ワンポイントアドバイス

消費者教育は、消費生活に関する知識を修得し、適切な行動に結び付けることができる実践的な能力を育むために、また、消費者市民社会の形成に参画し、その発展に寄与することができる消費者の育成を目指し、行われるものです。

家庭

問題4 家庭④

次の(1)~(3)は、住環境について述べたものである。（ a ）~（ c ）内に当てはまるものを語群から選ぶとき、正しい組合せとなるものを解答群から一つ選びなさい。

(1) 日照には、生活に欠かすことができないさまざまな作用がある。例えば、適度な紫外線は、人体の新陳代謝や（ a ）の生成を促進し、その強い殺菌作用は、細菌などの病原体を死滅させる保健衛生上の効果がある。

(2) （ b ）症候群は、オフィスや学校などで、頭痛、めまい、目・鼻・のどの痛み、呼吸器系の不調などが複合的に現れる症状である。これは省エネルギー対策として建物の断熱性の強化、気密性の向上、換気量の軽減化が図られた結果、室内の空気が悪化したことが要因で発生するようになったものである。

(3) 住まいの（ c ）とは、高齢者や障害のある人などが安心して暮らせるように、段差をできるだけなくしたり、トイレや浴室、階段などに手すりを付けたりすることである。

【語　群】　ア　ビタミンD　　イ　カリウム　　　　ウ　エコノミークラス
　　　　　　エ　シックビル　　オ　バリアフリー化　　カ　低コスト化

【解答群】　1　a―ア　b―ウ　c―オ　　　2　a―ア　b―ウ　c―カ
　　　　　　3　a―ア　b―エ　c―オ　　　4　a―ア　b―エ　c―カ
　　　　　　5　a―イ　b―ウ　c―オ　　　6　a―イ　b―ウ　c―カ
　　　　　　7　a―イ　b―エ　c―オ　　　8　a―イ　b―エ　c―カ

学習日　／　／　／

解答解説

アの**ビタミンD**は、魚やキノコ類に多く含まれるほか、身体に紫外線を浴びることでも生成される。カルシウムと結びついて、骨を丈夫にし、筋力を高めるなどの効果をもたらす。イのカリウムは、ナトリウムとともに水分のバランスを調節する役目をもつ。小松菜、納豆などに多く含まれる。ウのエコノミークラス症候群は、飛行機のエコノミークラスでの長距離移動など、あまり身体を動かせない環境に長くいることで起こる身体の状態。血液の流れが滞って血のかたまりができ、痛みや腫れなどを生じる。血栓が肺に詰まると、呼吸が苦しい、胸が痛むなど、重篤な症状を引き起こすこともある（肺血栓症）。エの**シックビル**症候群は、ビルの気密性が高くなり始めた1970年代に目立つようになった。わが国では1990年代に、シックビル症候群と同じ症状が一般の住宅に住む人々にも見られるようになり、シックビルも含めて「シックハウス症候群」と呼ばれるようになった。オの**バリアフリー化**は、街中や住宅の内部で、不要な段差をなくそうとする動き。車いすが必要な生活者や障害者、お年寄りなどの生活しやすい社会を目指す。バスルーム（トイレや浴室）や階段・通路などへの手すりの設置などもバリアフリー化の一環である。カの低コスト化は、主に産業において、「経費を削る」「リスクを減らす」「目標達成までの必要な時間を短縮する」など、コスト削減全般に用いられる言葉。

正解 3

家庭

家庭④

ワンポイントアドバイス

住環境については、年齢、性別、文化、身体の状況など、人々が持つさまざまな個性や違いにかかわらず、最初から誰もが利用しやすく、暮らしやすい社会となるよう、まちや建物、もの、しくみ、サービスなどを提供していく「ユニバーサルデザイン」も重要な概念です。

問題5 家庭⑤

次の文は、「消費者契約法」（平成12年法律第61号）の条文の一部を抜粋したものである。文中の（　ア　）〜（　エ　）に当てはまる語句の正しい組合せを選びなさい。

（目的）

第一条　この法律は、消費者と事業者との間の情報の質及び量並びに交渉力の格差に鑑み、事業者の一定の行為により消費者が誤認し、又は困惑した場合等について契約の申込み又はその承諾の（　ア　）を取り消すことができることとするとともに、事業者の損害賠償の責任を免除する条項その他の消費者の利益を不当に害することとなる条項の全部又は一部を無効とするほか、消費者の被害の発生又は拡大を防止するため適格消費者団体が事業者等に対し差止請求をすることができることとすることにより、消費者の利益の擁護を図り、もって国民生活の安定向上と（　イ　）の健全な発展に寄与することを目的とする。

（事業者及び消費者の努力）

第三条　事業者は、次に掲げる措置を講ずるよう努めなければならない。

一　消費者契約の条項を定めるに当たっては、消費者の権利義務その他の消費者契約の内容が、その解釈について疑義が生じない（　ウ　）なもので、かつ、消費者にとって平易なものになるよう配慮すること。

	ア	イ	ウ
1	意思表示	日本経済	的確
2	意思表示	国民経済	明確
3	意思決定	国民経済	的確
4	意思決定	日本経済	明確

学習日　／　／　／

解答解説

消費者保護を目的とした「消費者契約法」は、平成13年に施行された法律。ものの売買や契約を行う際、消費者と事業者のあいだには、情報の質や量、さらには交渉力に圧倒的な差があることを考慮し、消費者の利益を守るために定められた。「消費者の自由意思による契約を妨げた場合」、つまり、一定の行為によって、消費者に誤認させたり、困惑させたりした場合には、取り交わした契約や「契約するとした意思表示」を取り消すことができ、また、契約書に、「消費者にとって明らかに不利益をもたらす条項」がある場合や、「事業者の損害賠償を免除する条項」がある場合には、条項そのものが無効となると定めている。事業者は契約時に、消費者がもっている知識や体験を考えて、（契約上の）権利義務や契約内容についての必要な情報を、あやふやさを排除して明確に提示すべきだともしている。平成28年、30年、令和４年には、取り消せる不当な勧誘行為が追加され、（契約条項にあっても）無効となる不当な契約条項が追加されている。以上のことを認識したうえで設問文を読むと、第一条に関するアは「消費者が誤認し、又は困惑した場合等について契約の申込み又はその承諾の意思表示を取り消すことができることとする」。イは、「消費者の利益の擁護を図り、もって国民生活の安定向上と国民経済の健全な発展に寄与することを目的とする」となる。「国民の正当な意思表示を尊重することが、ひいては国民経済の発展をもたらす」としていることがわかる。一方、第三条は消費者契約における努力義務を定めている。ウでは、「消費者の権利義務その他の消費者契約の内容が、その解釈について疑義が生じない明確なもので、かつ、消費者にとって平易なものになるよう配慮すること」を事業者に求めている。

正解 2

家庭
家庭⑤

ワンポイントアドバイス

消費者契約法は、近年では霊感商法を取り締まるための改正が行われています。

問題1 政治思想史

次のア～オが制定あるいは宣言された年代を古い順から並べたものとして最も適切なものを、後の1～5のうちから選びなさい。

ア　権利の章典
イ　アメリカ独立宣言
ウ　ワイマール憲法
エ　マグナカルタ
オ　フランス人権宣言

1　ア　→　エ　→　オ　→　イ　→　ウ
2　ア　→　エ　→　イ　→　オ　→　ウ
3　ア　→　エ　→　オ　→　ウ　→　イ
4　エ　→　ア　→　イ　→　オ　→　ウ
5　エ　→　ア　→　オ　→　イ　→　ウ

学習日　／　／　／

解答解説

すべて民主主義の理念を含んだ重要な文書と宣言。マグナカルタ以来、国家の民主性がどのように育まれ、どのように影響し合ってきたかを時系列で確認しておく。

マグナカルタ＝　1215年にイギリスで制定された、国王の権限を法律で限定した憲章。王権の制限をジョン王自身が認め、さらに国民の自由や、議会招集を約束した点が特徴。現代民主主義の基礎と考えられ、イギリス憲法の土台のひとつとなっている。アメリカが独立戦争を起こした際の根拠でもある。

権利の章典＝　1689年のイギリス**名誉革命**で制定された。マグナカルタ等と並びイギリスの基本法典のひとつ。全13か条からなる重要文書で、王権の制限、議会の権限を定めている。17世紀後半に**ジョン・ロック**が提唱した「国家は、市民の権利を守るために設けられたものである」という考えに基づいている。

アメリカ独立宣言＝　1776年、前年からの独立戦争にアメリカが勝利し、イギリスからの独立に際して発した宣言。1783年パリ条約で独立が承認された。

フランス人権宣言（人および市民の権利宣言）＝　1789年の**フランス革命**時に出された宣言。（思想、言論、信教などに対する）自由、権利の平等、国民主権など、革命の理念を明らかにしている。

ワイマール憲法＝　**第一次世界大戦**敗戦後の1919年に、国民議会で成立したドイツ共和国の憲法のこと。主権者を国民とし、20歳以上の男女が投票できる普通選挙の実施、国民の社会権の承認などを定めている。近代民主主義憲法の典型とされる。大統領の権限が強過ぎること、少数政党乱立を防止する条項を欠いていたという問題点もあった。

正解　**4**

ワンポイントアドバイス

アメリカ独立宣言にもジョン・ロックの、「すべての人間は平等である。生存、自由そして幸福の追求を含む不可侵の権利を与えられている」とする思想が反映されています。

問題2 日本国憲法①

1 次の記述は、「日本国憲法」からの抜粋である。空欄 ア ～ エ に当てはまるものの組合せとして最も適切なものを、後の1～4のうちから選びなさい。

第九十六条

　この憲法の改正は、各議院の総議員の ア の賛成で、国会が、これを イ し、国民に提案してその ウ を経なければならない。この ウ には、特別の国民投票又は国会の定める選挙の際行はれる投票において、その エ の賛成を必要とする。

1	ア 過半数	イ 諮問	ウ 承認	エ 三分の二以上
2	ア 三分の二以上	イ 諮問	ウ 議決	エ 三分の二以上
3	ア 過半数	イ 発議	ウ 議決	エ 過半数
4	ア 三分の二以上	イ 発議	ウ 承認	エ 過半数

2 日本国憲法で保障されている社会権についての記述として適切ではないものを、次の1～4のうちから選びなさい。

1 能力に応じて、ひとしく教育を受けることができる。
2 労働者がストライキを行うことができる。
3 自らの意思で職業を選ぶことができる。
4 健康で文化的な最低限度の生活を営むことができる。

学習日 ／ ／ ／

解答解説

1

設問は日本国憲法第96条第1項の全文。第1項では、憲法改正の手続きについて記し、第2項で改正後の公布について記している。国政選挙の投票時にしばしば「定数の3分の2」が話題になることを頭に留めておくと、理解しやすい。憲法改正の手続きは、まず衆議院、参議院の、それぞれの総議員数の「**3分の2以上**」の賛成が必要である。衆議院と参議院の両院で、憲法改正をすることを決めたのちには、国会は改正案を「**発議**」し、国民に提案して、国民が「**承認**」するかどうかを、国民投票などを通じて問わなければならない。国民投票などの結果、投票者の「**過半数**」が賛成すれば、憲法の改正が行われることになる。

正解 **4**

2

選択肢には、「社会権」と「自由権」が混在している。「社会権」は、選択肢1の「**教育を受ける権利**」（第26条）、選択肢2の「**労働基本権**」（第28条）、選択肢4の「**生存権**」（第25条）を指す。ほかに第27条で定められている「勤労の権利」も社会権のひとつ。一方、選択肢3は「**自由権**」（第22条）の規定で、「第22条　何人も、公共の福祉に反しない限り、居住、移転及び職業選択の自由を有する」という条文になっている。

正解 **3**

問題3 日本国憲法②

① 日本国憲法第7条に規定されている天皇の国事行為についての記述として適切ではないものを、次の1～4のうちから選びなさい。

1 憲法改正、法律、政令及び条約を公布すること。
2 国会を開会すること。
3 栄典を授与すること。
4 国会議員の総選挙の施行を公示すること。

② 日本国憲法で保障されている社会権に含まれる権利として最も適切なものを、次の1～4のうちから選びなさい。

1 裁判を受ける権利
2 財産権
3 選挙権
4 教育を受ける権利

学習日 ／ ／ ／

解答解説

[1]

天皇の国事行為とは、象徴としての天皇が行う憲法第6・7条に規定のある行為のこと。具体的には「国会の指名に基づく内閣総理大臣の任命」「内閣の指名に基づく最高裁判所の長たる裁判官の任命」「憲法改正、法律、政令及び条約の公布」「国会の召集」「衆議院の解散」「国会議員の総選挙の施行の公示」「国務大臣等の任免の認証」「全権委任状及び大使・公使の信任状の認証」など。一方、「国会の召集」は天皇の国事行為だが、「**国会の開会**」はそうではない。国会の開会式における天皇の「おことば」は、国事行為ではなく**公的行為**に当たる。

正解 **2**

[2]

憲法が認めた権利は、**社会権**、自由権、参政権、請求権などに分類される。「人間が社会で、人間らしく文化的に生きるためには、国が積極的にかかわる必要がある」という考えから生まれたのが社会権で、日本国憲法第25条から第28条に、生存権（第25条）、**教育を受ける権利**（第26条）、勤労の権利（第27条）、労働基本権（第28条）が定められている。自由権は「国家からの自由」と言われ、体も心も国の意思によって束縛されないことを保障したもの。また、参政権は「国家への自由」と言われる。主権者である我々は、選挙をする権利（選挙権）も、立候補者として投票をされる権利（被選挙権）もあり、参政権を行使することで、国の行く末を最終的に決められるため、「国家への自由（＝国家の将来を決める自由）」と言われる。なお、選択肢の**裁判を受ける権利**は請求権（人権が侵された場合に、その排除を求める権利）、**財産権**は自由権、**選挙権**は参政権に分類される。

正解 **4**

問題4 日本国憲法③

次の(1)~(4)の各文は、「日本国憲法」の条文の一部を抜粋したものである。文中の（　ア　）～（　オ　）に当てはまる語句の正しい組合せを選びなさい。

---

(1) 公務員を選定し、及びこれを（　ア　）することは、国民固有の権利である。

(2) （　イ　）の自由は、これを保障する。

(3) すべて国民は、（　ウ　）の定めるところにより、その能力に応じて、ひとしく教育を受ける権利を有する。

(4) 公金その他の公の（　エ　）は、宗教上の組織若しくは団体の使用、便益若しくは維持のため、又は公の（　オ　）に属しない慈善、教育若しくは博愛の事業に対し、これを支出し、又はその利用に供してはならない。

	ア	イ	ウ	エ	オ
1	罷免	学習	法律	財産	管理
2	弾劾	学習	憲法	資産	支配
3	罷免	学問	法律	財産	支配
4	弾劾	学問	憲法	資産	管理
5	罷免	学問	憲法	財産	管理

学習日　／　／　／

184

解答解説

(1)は、憲法第15条の条文。国民による公務員の選定と「罷免」を規定している。日本国民は、基本的に公務員を選ぶ権利、やめさせる権利を持っている、としている。国会議員も公務員だから、国民は議員を選び、またやめさせることもできる。(2)は、憲法第23条。「学問の自由は、これを保障する」が全文である。日本国民は、個人としてどのような学問を究めようとしても妨害されることはない、というのが基本的な意義。(3)は、憲法第26条第1項の「ひとしく教育を受ける権利」についての規定。「すべて国民は、法律の定めるところにより、その能力に応じて、ひとしく教育を受ける権利を有する。」としている。また、続く第2項では「すべて国民は、法律の定めるところにより、その保護する子女に普通教育を受けさせる義務を負ふ。義務教育は、これを無償とする」と、「保護する子女に普通教育を受けさせる義務」を定めている。(4)は、政教分離の原則について述べた憲法第89条の条文。「公金その他の公の財産は、宗教上の組織若しくは団体の使用、便益若しくは維持のため、又は公の支配に属しない慈善、教育若しくは博愛の事業に対し、これを支出し、又はその利用に供してはならない」としている。公の資金や財産は、宗教上の組織や団体のために使ってはいけないし、「公の支配に属さない」慈善事業や、教育や博愛に関する事業についても同様だ、としている。

正解 3

ワンポイントアドバイス

「公の支配に属さない」とは、「政府などの公的機関から指導や干渉等がなされないこと」と解されています。

問題5 **日本国憲法④**

次の(1)～(3)は、「日本国憲法」（昭和21年11月公布）の条文の一部を基にしたものである。（　a　）～（　c　）内に当てはまるものを語群から選ぶとき、正しい組合せとなるものを解答群から一つ選びなさい。

(1)　この憲法が国民に保障する自由及び権利は、国民の不断の努力によつて、これを保持しなければならない。又、国民は、これを濫用してはならないのであつて、常に（　a　）のためにこれを利用する責任を負ふ。　　　　　　（第12条）

(2)　すべて国民は、健康で（　b　）な最低限度の生活を営む権利を有する。

（第25条）

(3)　すべて国民は、法律の定めるところにより、その（　c　）する子女に普通教育を受けさせる義務を負ふ。義務教育は、これを無償とする。　（第26条第2項）

【語　群】　ア　公共の福祉　　イ　個人の幸福　　ウ　文化的
　　　　　　エ　社会的　　　　オ　保護　　　　　カ　養育

【解答群】　1　a－ア　b－ウ　c－オ　　　2　a－ア　b－ウ　c－カ
　　　　　　3　a－ア　b－エ　c－オ　　　4　a－ア　b－エ　c－カ
　　　　　　5　a－イ　b－ウ　c－オ　　　6　a－イ　b－ウ　c－カ
　　　　　　7　a－イ　b－エ　c－オ　　　8　a－イ　b－エ　c－カ

学習日　／　／　／　

解答解説

(1)の「この憲法が国民に保障する自由及び権利は、国民の不断の努力によつて、これを保持しなければならない。又、国民は、これを濫用してはならないのであつて、常に**公共の福祉**のためにこれを利用する責任を負ふ」は、憲法第12条の人権保障の基本原則についての規定。自由と権利を保障する一方で、人権を保持するための「不断の努力」を国民に求めている。また、ここでいう「公共の福祉」とは、「他人に迷惑をかけないように暮らすこと」などの意味であり、この文言が（自由にも制限があるなど）人権の制約を示す根拠となっている。(2)の「すべて国民は、健康で**文化的**な最低限度の生活を営む権利を有する。」は、憲法第25条に定められた、生存権の規定。(3)の「すべて国民は、法律の定めるところにより、その**保護**する子女に普通教育を受けさせる義務を負ふ。義務教育は、これを無償とする。」は、普通教育を受けさせる義務と、義務教育の無償化を定めた憲法第26条第2項の条文。

正解 1

ワンポイントアドバイス

憲法26条2項では「その保護する子女に普通教育を受けさせる義務」を定めていますが、同26条1項では「能力に応じて、ひとしく教育を受ける権利」を定めています。

政治

問題6 日本国憲法⑤

次の(1)～(3)は、「日本国憲法」（昭和21年11月公布）の条文の一部を基にしたものである。（　a　）～（　c　）内に当てはまるものを語群から選ぶとき、正しい組合せとなるものを解答群から一つ選びなさい。

(1) 天皇は、国会の指名に基いて、（　a　）を任命する。　　　　　　　　（第6条）

(2) すべて国民は、法の下に（　b　）であつて、人種、信条、性別、社会的身分又は門地により、政治的、経済的又は社会的関係において、差別されない。

（第14条）

(3) 集会、結社及び言論、出版その他一切の（　c　）は、これを保障する。

（第21条）

【語　群】　ア　内閣総理大臣　　　イ　最高裁判所の長たる裁判官
　　　　　　ウ　自由　　　　　　　エ　平等
　　　　　　オ　思想の自由　　　　カ　表現の自由

【解答群】　1　a－ア　b－ウ　c－オ　　　2　a－ア　b－ウ　c－カ
　　　　　　3　a－ア　b－エ　c－オ　　　4　a－ア　b－エ　c－カ
　　　　　　5　a－イ　b－ウ　c－オ　　　6　a－イ　b－ウ　c－カ
　　　　　　7　a－イ　b－エ　c－オ　　　8　a－イ　b－エ　c－カ

学習日

解答解説

(1)は「天皇は、国会の指名に基いて、**内閣総理大臣を任命する**」とする憲法第6条の条文である。第2項として、「天皇は、内閣の指名に基いて、最高裁判所の長たる裁判官を任命する」ともしている。天皇が形式的な任命を行うが、その前に、「国会」が内閣総理大臣を指名し、「内閣」が最高裁判所の長たる裁判官を指名する。(2)は「すべて国民は、法の下に**平等**であつて……」とする憲法第14条の条文である。このなかに出てくる「門地」とは、生まれや家柄などのこと。続く条項では、特権階級の排除と、勲章などの栄典とともに特権が与えられることはいっさいないと規定している。(3)は「集会、結社及び言論、出版その他一切の**表現の自由**は、これを保障する」とする憲法第21条の条文である。このあとに第2項が「検閲は、これをしてはならない。通信の秘密は、これを侵してはならない。」と続く。

正解 **4**

 ワンポイントアドバイス

憲法14条の「法の下の平等」はすべてを一律に扱う絶対的平等ではなく、相対的平等を意味するとされています。

問題7 民主政治①

① 次の文章を読み、文章中の ① ～ ③ に入る語句の組み合わせとして正しいものを、下の1～4の中から1つ選びなさい。

> 衆議院で可決した法律案を参議院が否決した場合、衆議院が出席議員の3分の2以上の多数で再可決すれば法律となる。また、衆議院の可決した法律案を受け取った参議院が ① 以内に議決しないときは、参議院が否決したものとして、衆議院が出席議員の3分の2以上で再可決すれば法律となる。
>
> 衆議院は予算の先議権をもつが、参議院が衆議院と異なった議決をした場合、 ② で意見が一致しないときや ③ 以内に参議院が議決しないときは、衆議院の議決が国会の議決となる。

1 ① 60日 ② 公聴会 ③ 45日
2 ① 30日 ② 両院協議会 ③ 45日
3 ① 60日 ② 両院協議会 ③ 30日
4 ① 30日 ② 公聴会 ③ 30日

② 現在の日本の国会についての記述として適切ではないものを、次の1～4のうちから選びなさい。

1 臨時会（臨時国会）は、内閣が必要と認めたとき、または、いずれかの議院の総議員の過半数の要求があった場合に召集される。
2 常会（通常国会）は、毎年1回、1月に召集され、会期は150日間である。
3 特別会（特別国会）は、衆議院の解散による総選挙の日から30日以内に召集される。
4 参議院の緊急集会は、衆議院の解散中、国に緊急の必要があるときに、内閣の求めに応じて開かれる。

学習日 ／ ／ ／

解答解説

1

日本国憲法第59条（第2項と第4項）と第60条の、法律案と議会の議決についての設問。第59条では、法律案は、基本的に衆議院と参議院の両議院で可決したとき法律になると書かれ、判断が分かれた場合の「衆議院の優越」が第2項に記されている。さらに第4項では、「参議院が、衆議院の可決した法律案を受け取つた後、国会休会中の期間を除いて60日以内に、議決しないときは、衆議院は、参議院がその法律案を否決したものとみなすことができる。」としている。一方、設問の後半部は、「憲法第60条」で定める予算案の扱いについてである。予算案は、特別な法律案と考えられているため、衆議院と参議院で議決が異なった場合、両院協議会を開いて合意の道を探る。両院協議会でも意見の一致に至らない場合、あるいは30日以内に参議院が議決しない場合には、衆議院の議決が優先されることが書かれている。

正解 3

2

1　×　臨時会（臨時国会）の召集は、いずれかの議院の議員数の4分の1以上から要求があった場合に行われる。「過半数」ではない。また、内閣が招集を決めた場合や、衆議院の解散総選挙を除く国政選挙後にも開かれる。会期の延長は2回まで。

2　○　肢文の通り。会期の延長は1度。延長日数についての明確な規定はない。

3　○　肢文の通り。特別会のおもな目的は内閣総理大臣の指名を行うこと。会期の延長は2回まで。常会と重なった場合、特別会に置き換えることができる。

4　○　肢文の通り。参議院は、衆議院が解散すると自動的に閉会されるが、災害の発生など、閉会中にいち早く国会の議決が必要となった場合に招集される。

正解 1

問題8 **民主政治②**

　日本における選挙権の移り変わりについての記述として最も適切なものを、次の1〜4のうちから選びなさい。

1　1890年に行われた衆議院議員総選挙では、直接国税を10円以上納める満25歳以上の男子に選挙権があたえられた。
2　1925年には、普通選挙法が成立し、納税額による制限を廃止し、満25歳以上のすべての男女に選挙権があたえられた。
3　1946年に行われた衆議院議員総選挙では、満20歳以上のすべての男女に選挙権があたえられた。
4　2016年には、公職選挙法等の一部を改正する法律が施行され、選挙権年齢が満16歳以上に引き下げられた。

学習日　／　　／　　／

解答解説

1 × 「直接国税10円以上」が間違い。「1890年に行われた（第一回）衆議院議員総選挙」は、第二次山県有朋内閣のもとで行われた。選挙権者は、「25歳以上の男子」で「直接国税を15円以上納めた者」に限られていた。有権者は全国でおよそ45万人（人口の1.1％）。人口は多いものの都市部には納税額の低い者が多く、選挙権をもつ人の比率は地方に偏っていた。被選挙権は30歳以上の男子で、自薦他薦を問わなかったため、本人の知らないうちに立候補しているケースも目立ち、なかには2つの選挙区で立候補者となってどちらでも当選した人物もいたという。一部の2人区を含む小選挙区制で行われ、当選者数は300人。投票率は93.7％。当選者を職業別にみると、最多は「農業（地主）」の125人、士族が109人、次いで弁護士の20人だった。

2 × 「満25歳以上のすべての男女」が間違い。1925年に成立した普通選挙法では、納税額に関係なく、満25歳以上の男子に選挙権が与えられ、3年後の1928年に普通選挙法での最初の選挙が行われた際の選挙権者の人数は、それまでの4倍のおよそ1240万人となった。1925年に法律を成立させたのは、加藤高明内閣。

3 ○ 肢文の通り。

4 × 「満16歳以上」が間違い。「2016年公職選挙法の一部改正」によって、それまで満20歳以上だった選挙権年齢は、満18歳に引き下げられた。

正解 3

ワンポイントアドバイス

1946年に行われた衆議院議員総選挙は、男女普通選挙制度での最初の選挙です。満20歳以上の日本国民が選挙権をもち、大日本帝国憲法下（帝国議会）における最後の総選挙でした。幣原喜重郎内閣のもと、大選挙区制で行われ、有権者数は3,680万人あまりで、投票率は72％強でした。

政治

問題9 **民主政治③**

日本の選挙制度について述べた次の文章を読み、文章中の　①　～　③　に入る
語の組み合わせとして正しいものを、下の1～4の中から1つ選びなさい。

衆議院議員の選挙制度は、長い間、中選挙区制がとられていたが、1994年に
公職選挙法が改正され、　①　に改められた。参議院議員の選挙制度は、2000
年の公職選挙法の改正で、　②　が、導入された。

また、議会制民主政治の下における政党その他の政治団体の機能の重要性及
び公職の候補者の責務の重要性にかんがみ、政治団体及び公職の候補者により
行われる政治活動が国民の不断の監視と批判の下に行われることを目的とした
　③　が1999年に改正された。この改正によって政治家個人に対する企業・団
体献金が禁止された。

1　①　非拘束名簿式比例代表制　　②　小選挙区比例代表並立制
　　③　政治資金規正法
2　①　小選挙区比例代表並立制　　②　非拘束名簿式比例代表制
　　③　政党助成法
3　①　非拘束名簿式比例代表制　　②　小選挙区比例代表並立制
　　③　政党助成法
4　①　小選挙区比例代表並立制　　②　非拘束名簿式比例代表制
　　③　政治資金規正法

学習日　／　／　／

解答解説

衆議院議員選挙は、1994年の公職選挙法の改正により、それまでの中選挙区制（1選挙区で複数の当選者を決める）から、**小選挙区比例代表並立制**に改められた。選挙は、全国を細かく分けた小選挙区（各小選挙区の当選議員は1人）と、全国をブロック分けした比例区で行われる。候補者は、この2つの選挙に重複して立候補することができる。有権者は、小選挙区では候補者個人に投票する。一方、比例区では政党名に投票し、その政党の得票数に応じて、前もって政党が提出している候補者の名簿リスト上位から順に当選者が決まってゆく（拘束名簿式比例代表制）。参議院議員選挙にも、小選挙区の選挙と、比例区の選挙があるが、候補者はどちらかにしか立候補できない。比例区は**非拘束名簿式比例代表制**がとられており、衆議院議員選挙のように当選者の順位を決めることはできない。1999年の**政治資金規正法**の改正では、2000年1月1日から、政治家「個人」への企業・団体献金が禁止された。改正の目的は、「政治活動が国民の不断の監視と批判のもとに行われること」であったが、この改正により、献金は個人に対してではなく政党へと道筋を変え、献金の金額は数倍に増えたと言われている。

正解 4

ワンポイントアドバイス

衆議院議員選挙と参議院議員選挙では、とくに比例代表選挙の扱いに違いがあります。

問題10 日本の統治機構①

次の図は、日本の三権分立についてまとめたものである。空欄 ア ～ ウ に当てはまるものの組合せとして最も適切なものを、後の1～6のうちから選びなさい。

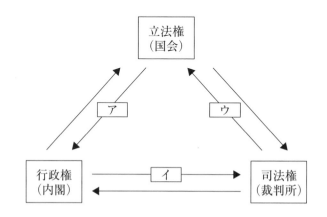

1 ア　最高裁判所長官の指名　　イ　内閣不信任決議
　ウ　違憲立法審査
2 ア　最高裁判所長官の指名　　イ　違憲立法審査
　ウ　内閣不信任決議
3 ア　内閣不信任決議　　　　　イ　違憲立法審査
　ウ　最高裁判所長官の指名
4 ア　内閣不信任決議　　　　　イ　最高裁判所長官の指名
　ウ　違憲立法審査
5 ア　違憲立法審査　　　　　　イ　最高裁判所長官の指名
　ウ　内閣不信任決議
6 ア　違憲立法審査　　　　　　イ　内閣不信任決議
　ウ　最高裁判所長官の指名

学習日 ／ ／ ／

解答解説

三権分立とは、国家がもつ３つの権力（**立法権・行政権・司法権**）を、法律を作る機関（立法＝国会）、法律をもとに政治を行う機関（行政＝内閣）、行われていることが正しいかどうかを判断する機関（司法＝裁判所）、の３つの独立した機関に分け、バランスを保つことで、国がよりよく機能することを目的とした国家システムのこと。三権が、お互いをチェック・抑制することで、**権力の濫用**を防ぎ、国民の権利と自由を保障することを目的としている。また、「唯一の立法機関」とすることで、国の運営はすべて国会の審議によってつくられた法律に基づいて行われなくてはならないことを明示している。三権は、それぞれの機関に対して、以下のような役割をもっている。なお、主権者である国民は、選挙を通じて国会への意見を示し、国民審査を通じて最高裁判所裁判官への意見を示す。また、世論により内閣を評価する。

国会→内閣　　内閣総理大臣の指名、**内閣不信任決議**

内閣→国会　　衆議院の解散権、国会の召集、国会に対する連帯責任

国会→裁判所　裁判官の弾劾

裁判所→国会　**違憲立法審査**

内閣→裁判所　**最高裁判所長官の指名**、裁判官の任命

裁判所→内閣　命令・処分などの違憲審査、行政訴訟の終審裁判

正解　4

 ワンポイントアドバイス

「国会（＝立法）」が、憲法第41条で「国権の最高機関」とされるのは、国会のみが「主権者である国民から直接選ばれた議員により構成される」という点での「最高機関」であり、法的にすべての国家機関より上という意味ではありません。

問題11 日本の統治機構②

① 次は、国会の種類について述べた文です。文中の ① ～ ③ に入る語句の組み合わせとして正しいものを、下の1～4の中から1つ選びなさい。

> 国会には、予算審議を中心に毎年 ① 月に召集される常会、総選挙後に内閣総理大臣を指名する ② 会、内閣や議員の要求で必要に応じて開かれる ③ 会の3種類がある。

1 ① 1 ② 臨時 ③ 特別
2 ① 4 ② 特別 ③ 臨時
3 ① 1 ② 特別 ③ 臨時
4 ① 4 ② 臨時 ③ 特別

② 日本の司法に関する記述として最も適切なものを、次の1～4のうちから選びなさい。

1 高等裁判所は全国で5か所ある。
2 三審制では、第二審に不服があれば、控訴することができる。
3 最高裁判所の裁判官は、国民審査によって辞めさせられる場合がある。
4 弾劾裁判は、衆議院から選ばれた7人の議員によって行われる。

学習日 ／ ／ ／

解答解説

①

通常国会として知られる**常会**は、毎年1月に召集され、予算審議を中心に150日間、開かれる。会期の延長は1回のみ。衆議院の解散・総選挙後に行われるのは、**特別（国）会**である。内閣総理大臣を指名するための国会である。そのほかの場合に開催される国会は、「臨時（国）会」と呼ばれる。「そのほかの場合」とは、内閣の求めによる場合、あるいは衆参いずれかの議院における国会議員の4分の1以上の請求があった場合、衆議院の任期満了による総選挙後、参議院の通常選挙後、である。なお、臨時（国）会と特別（国）会は、両議院での一致した議決があれば、2度まで延長が可能。たとえば1972年に召集された特別（国）会は通常国会の時期に食い込むように延長され、最終的な会期は280日間となった。このときの首相の田中角栄は、「通年国会」を主張していた。

正解　3

②

1　×　高等裁判所は、各地方にひとつずつ、合計**8か所**である。札幌、仙台、東京、名古屋、大阪、広島、高松、福岡に置かれている。

2　×　第二審の判決に納得できず第三審を行うよう上級裁判所に訴えるのは**上告**である。第一審に不服を感じて第二審を行うよう求めることを控訴という。

3　○　肢文の通り。最高裁判所裁判官の国民審査は、衆議院議員選挙と同時に行われる。

4　×　弾劾裁判は、裁判官の罷免を決めるための裁判。**衆議院議員7人、参議院議員7人**の合計14人の裁判員により行われる。ほかに両院各4人の予備員がいる。

正解　3

問題12 日本の統治機構③

　右の図は、国民と三権とのかかわりを示したものである。矢印 a ～ c が示すかかわりの組合せとして適切なものを、次の 1 ～ 4 のうちから 1 つ選びなさい。

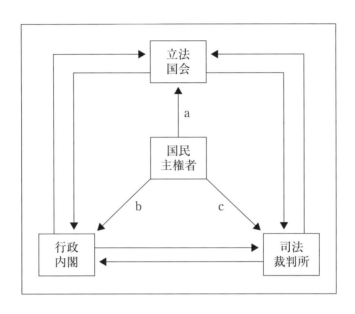

1　a　最高裁判所裁判官の国民審査　　b　世論
　　c　弾劾裁判
2　a　選挙　　　　　　　　　　　　　b　弾劾裁判
　　c　最高裁判所裁判官の国民審査
3　a　世論　　　　　　　　　　　　　b　選挙
　　c　弾劾裁判
4　a　選挙　　　　　　　　　　　　　b　世論
　　c　最高裁判所裁判官の国民審査

解答解説

日本の国家システムは、国家がもつ3つの権力、立法権、行政権、司法権（国会と内閣と裁判所）が、互いをチェック・抑制しあって権力の濫用を防ぎ、国民の権利と自由を保障する**三権分立**を原則としている。政治（行政）は法律に基づいて行われ、法律は、国民の声を代弁する人々が、国会での議論を通じて作る（立法）。法律を作るのは、主権者である国民が**選挙**を通じて選んだ国会議員である。国会には衆議院と参議院の2つの議会があり、内閣総理大臣を指名する。内閣総理大臣を中心に内閣が組閣され、省庁と呼ばれる行政機構とともに日本の政治を行っていく。また、主権者である国民は内閣の政治に意見がある場合、メディアなどを通して内閣に伝えることができる。そうした国民のなかに生まれる意見のことを**世論**という。司法については、一般の裁判官の存在を左右することは、国民にはできない。ただし、最高裁判所の裁判官については、国民にも判断の機会がある。衆議院議員選挙と同時に行われる**最高裁判所裁判官の国民審査**は、それぞれの裁判官が過去にどのような判決を行ってきたかなどをもとに、最高裁判所裁判官として適格か不適格かを、国民が判断するものだ。不適格と考えた場合に、裁判官氏名の上の欄に×をつけることで意思表示をする。×印の数が、有効投票数の過半数に達した場合、その裁判官は罷免される（憲法第79条）。

正解 4

 ワンポイントアドバイス

内閣は主権者である国民が直接選ぶことはできませんが、世論という形で意見を内閣に伝えることができます。

① 内閣総理大臣が権限を有する事項として適切でないものを、次の1～4のうちから1つ選びなさい。

1 内閣を代表して議案を国会に提出する。
2 行政各部を指揮監督する。
3 最高裁判所の長たる裁判官を任命する。
4 国務大臣を任命・罷免する。

② 次の(1)～(3)は、「日本国憲法」（昭和21年11月公布）の条文の一部を基にしたものである。（ a ）～（ c ）内に当てはまるものを語群から選ぶとき、正しい組合せとなるものを解答群から一つ選びなさい。

(1) すべて国民は、法律の定めるところにより、その保護する子女に（ a ）を受けさせる義務を負ふ。義務教育は、これを無償とする。 （第26条第2項）
(2) （ b ）議員の任期は、四年とする。但し、（ b ）解散の場合には、その期間満了前に終了する。 （第45条）
(3) すべて司法権は、最高裁判所及び法律の定めるところにより設置する（ c ）に属する。 （第76条）

【語　群】 ア　学校教育　　イ　普通教育　　ウ　参議院
　　　　　　エ　衆議院　　　オ　下級裁判所　　カ　特別裁判所

【解答群】 1　a－ア　b－ウ　c－オ　　2　a－ア　b－ウ　c－カ
　　　　　 3　a－ア　b－エ　c－オ　　4　a－ア　b－エ　c－カ
　　　　　 5　a－イ　b－ウ　c－オ　　6　a－イ　b－ウ　c－カ
　　　　　 7　a－イ　b－エ　c－オ　　8　a－イ　b－エ　c－カ

学習日　／　／　／

解答解説

1

選択肢のうち総理大臣の権限でないものは、３の**最高裁判所の長たる裁判官の任命**。最高裁判所の長たる裁判官（長官）は、内閣の**指名**に基づいて**天皇によって任命**される。また、長官ではなく、「14人の最高裁判所判事」は、内閣によって任命され、天皇の認証を受けることになっている。

正解 3

2

(1)は憲法第26条の「教育を受ける権利」と「教育を受けさせる義務」に関するもの。問題文は第26条第２項の「教育を受けさせる義務」についての条文。「国民はその保護する子女に**普通教育**を受けさせる義務を負う」としている。一方26条第１項は、「すべて国民は、法律の定めるところにより、その能力に応じて、ひとしく教育を受ける権利を有する」である。

(2)は国会議員の任期について。**衆議院議員の任期は４年**であるが、衆議院には解散がある。参議院議員の任期は６年である。

(3)は憲法第76条の裁判所の設置についての設問。「すべて司法権は、最高裁判所及び法律の定めるところにより設置する**下級裁判所**に属する」とある。

正解 7

問題14 **地方自治①**

1 次のア～オは、地方自治に関する直接請求権である。有権者の50分の1以上の署名をもって請求できるものの組合せとして最も適切なものを、後の1～5のうちから選びなさい。

ア 議会の解散請求

イ 首長の解職請求

ウ 条例の制定請求

エ 議員の解職請求

オ 監査請求

1 ア と オ

2 イ と ウ

3 イ と エ

4 ウ と エ

5 ウ と オ

2 次は、「地方公務員法 第三十三条」の全文です。文中の ① 、 ② に入る語句の組み合わせとして正しいものを、下の1～4の中から1つ選びなさい。

職員は、その職の ① を傷つけ、又は職員の職全体の ② となるような行為をしてはならない。

---

1 ① 信頼 ② 不利益

2 ① 信頼 ② 不名誉

3 ① 信用 ② 不名誉

4 ① 信用 ② 不利益

学習日 ／ ／ ／

解答解説

1

地方自治における**直接請求権**の問題。請求する内容によって、有権者の50分の1以上の連署（署名）が必要なものと、3分の1以上の連署が必要なものに分かれる。おおまかに「政治家個人（あるいは主要な公務員個人）の立場にかかわるもの」は、有権者の3分の1以上の署名、**条例や行政にかかわるものは50分の1以上の署名**が必要と考えてよい。なお、請求が行われたのち、監査請求以外は、議会の議決や、選挙権者の投票が行われ、過半数の賛成で成立する（主要公務員の解職請求は、少し違う道筋をとる）。選択肢のなかで、「政治家個人の立場にかかわるもの」は、ア、イ、エ（アは、議会の解散請求だが、議会が解散されれば、議員は失職する）。条例や行政に対する請求は、ウとオ。

正解 **5**

2

地方公務員法第33条は、**信用失墜行為の禁止**を定めたもの。選択肢には、信頼・信用、不利益・不名誉の2種類4つがある。信用失墜行為の禁止を定めているという知識があれば、①には**信用**が入るとわかる。ここでいう「信用」は社会的な信用のこと。社会全体から信用を失うことは、職員全員の**不名誉**にも通じる。（不名誉とは、自分や自分の所属する組織の存在価値が否定されること。一方、不利益は、ある限定的な範囲でのマイナスのこと）。なお、地方公務員には、**5つの身分上の義務**がある。信用失墜行為の禁止（第33条）をはじめとして、秘密を守る義務（第34条）、政治的行為の制限（第36条）、争議行為等の禁止（第37条）、営利企業等の従事制限（第38条）である。

正解 **3**

問題15 # 地方自治②

① 次は、「地方公務員法　第二十九条」の一部です。文中の ① 、 ② に入る語句の組み合わせとして正しいものを、下の1～4の中から1つ選びなさい。

> 　職員が次の各号の一に該当する場合においては、これに対し懲戒処分として戒告、 ① 、 ② 又は免職の処分をすることができる。

1　① 減給　　② 停職
2　① 減給　　② 休職
3　① 降給　　② 休職
4　① 降給　　② 停職

② 次は、「地方公務員法　第三十二条」の全文です。文中の ① 、 ② に入る語句の組み合わせとして正しいものを、下の1～4の中から1つ選びなさい。

> 　職員は、その職務を遂行するに当つて、 ① 、条例、地方公共団体の規則及び地方公共団体の機関の定める規程に従い、且つ、 ② の職務上の命令に忠実に従わなければならない。

1　① 法律　　② 上司
2　① 法律　　② 任命権者
3　① 法令　　② 上司
4　① 法令　　② 任命権者

学習日　／　／　／

解答解説

1

地方公務員法では、職員の懲戒処分として、軽い処分内容から重い処分内容へと、**戒告、減給、停職、免職**の４つを定めている。選択肢の言葉の意味は、「減給」は、一時的に給与を減らすこと。「減給○か月」のように限定的。「降給」は、「昇給」の対義語で、将来までずっと及ぶように給与を一定額引き下げるもの。「停職」は、職にはとどまるものの、一定期間仕事につくことができず給与も受け取れない状態。「休職」は、雇用条件はそのままで、長期間、労働の義務を免れることである。

正解 1

2

地方公務員法第32条は、「法令等及び上司の職務上の命令に従う義務」について定めたもの。このなかに２つの正解**「法令」**と**「上司**（の職務上の命令）」が、書かれている。地方公務員には、設問文の「命令に従う義務」を含めて、３つの**職務上の義務**が課せられている。ほかの２つは、第31条の「宣誓の義務」と、第35条の「職務専念義務」である。「宣誓の義務」とは、就任の際に公務員としての使命を自覚・確認するために「服務の宣誓」を行わなければならない、ということ。職員が国民・住民全体の奉仕者として公共の利益のために勤務することから課せられる。最後の「職務専念義務」は、「職員は、職務の遂行に全力で専念しなければならないこと」をいう。

正解 3

政治

問題16 国際政治①

次の記述は、「世界人権宣言」（1948年採択）の一部である。空欄 ア ～ エ に当てはまるものの組合せとして最も適切なものを、後の1〜4のうちから選びなさい。

前文

人類社会のすべての構成員の固有の尊厳と平等で ア ことのできない権利とを承認することは、世界における自由、正義及び平和の基礎であるので、

人権の無視及び軽侮が、人類の良心を踏みにじった野蛮行為をもたらし、言論及び信仰の自由が受けられ、恐怖及び イ のない世界の到来が、一般の人々の最高の願望として宣言されたので、

人間が専制と圧迫とに対する最後の手段として ウ に訴えることがないようにするためには、法の支配によって人権保護することが肝要であるので、

諸国間の エ 関係の発展を促進することが、肝要であるので、

外務省Webサイトより

1　ア　奪う　　イ　迫害　　ウ　反逆　　エ　友好
2　ア　譲る　　イ　欠乏　　ウ　裁判　　エ　経済
3　ア　奪う　　イ　迫害　　ウ　裁判　　エ　経済
4　ア　譲る　　イ　欠乏　　ウ　反逆　　エ　友好

学習日

解答解説

「世界人権宣言」は、すべての人と国が達成すべき**基本的人権の尊重**の原則を定めた画期的な宣言。1948年の第三回国連総会で採択された。設問文は、「世界人権宣言（仮訳文）」の「前文」に当たるもの。外務省のサイトで確認できる。アの主体は、「人類社会のすべての構成員」つまり、「我々、すべての人」である。その我々は「固有の尊厳」と「平等で（　ア　）ことのできない権利」とを持っている、としている。我々が生まれながらに持っている基本的人権は、手放すべきではないというのがここの趣旨なので、「手放す」に近い「**譲る**」が適当。イのある段落は、これまでに行われてきた野蛮な行為によってもたらされてきたもの＝「恐怖と（　イ　）」のない世界をつくる、という意味の文である。たとえば戦争が起これば、人々は恐怖を感じると同時に、食料不足やエネルギー不足などによる生命の危険に陥るから、「**欠乏**」が適当。ウは、専制と圧迫を繰り返された人々はなんらかの「最後の手段」に訴えたくなるが、その手段は用いるべきではない、としているので、「**反逆**」が適当。裁判は当然の権利としてあるものであって「最後の手段」とは考えにくい。そうした暴力を抑えるには、法による人権の保護が必要であるし、また、人々に平和な生活をもたらすためには、それぞれの国の間で（　エ　）関係を築くことが大切だ、としているのが最後の文。つまり、エには、「**友好**」が入る。

正解　4

✋ワンポイントアドバイス

基本的人権とは、「あらゆる人が誰にも侵されることなく、人間として生まれながらに持っている権利」のこと。「世界人権宣言」では、自由権と社会権に具体的に言及しています。

政治

問題17 国際政治②

　1980年代以降の国際社会の記述として適切ではないものを、次の1～4のうちから選びなさい。

1　ロシア連邦などの各共和国の独立により、1991年にソビエト社会主義共和国連邦（ソ連）は解体した。

2　ヨーロッパでは軍事的な統合を主目的として、1993年にヨーロッパ連合（EU）が結成された。

3　ドイツでは冷戦の象徴であった「ベルリンの壁」が取り壊され、1990年に東西ドイツが統一された。

4　国連平和維持活動（PKO）が世界各地で展開されてきたが、日本も1992年に初めて自衛隊が参加した。

学習日　／　／　／

解答解説

1

1　○　肢文の通り。ソビエト連邦は、1922年に発足した国家。当初はロシア、ベラルーシ、ウクライナなどの４つの共和国が参加。第二次世界大戦後には15の共和国からなる連邦国家となった。ソビエト連邦の解体は1991年12月。当時の国家元首はゴルバチョフ連邦大統領だった。

2　×　EUとは、European Union＝欧州連合の略。ヨーロッパの国々を中心とした経済・政治連合である。発足の主目的は軍事統合ではない。欧米における軍事同盟は北大西洋条約機構（NATO）である。

3　○　肢文の通り。第二次世界大戦後、敗戦国ドイツの東部はソ連が、西部をアメリカ、イギリス、フランスが占領したことをきっかけに、ドイツは東ドイツと西ドイツに分裂した。西ドイツの首都はボン、東ドイツの首都はベルリンだったが、ベルリンの西側だけは、東ドイツにありながら西ドイツの一部となっていた。その西ベルリンへ、東ベルリンから国民が逃げないように築かれたのが、ベルリンの壁である。ドイツ分裂の象徴であったその壁が1989年に崩壊すると、翌年、東ドイツの州が西ドイツに加入するかたちでドイツ統一がなされた。

4　○　肢文の通り。PKOは国連平和維持活動の略称。世界各地の紛争の解決を目指して国連が行う活動である。各国からの派遣部隊でつくる平和維持隊による停戦活動や、停戦監視団による停戦監視などがある。日本は、国際連合平和維持活動等に対する協力に関する法律に基づき1992年に初参加した。

正解　2

 ワンポイントアドバイス

EUは1993年のマーストリヒト条約によって発足。主に経済分野での統合を進めています。

問題1 経済①

1　次は、プライマリー・バランスについて述べた文です。文中の空欄にあてはまる語として最も適切なものを、下の1〜4の中から1つ選びなさい。

> 国や地方自治体の歳入から公債費を除く歳出を差し引いて計算した収支で、[　　　　　]を表す指標として用いられる。

1　PFIの進捗度
2　所得格差
3　財政の健全性
4　経常収支

2　企業などが、投資家や債権者といった利害関係者に、経営や財務状況などの各種情報を開示することを表す経済用語として正しいものを、次の1〜4の中から1つ選びなさい。

1　コマーシャルペーパー
2　ストックオプション
3　デリバティブ
4　ディスクロージャー

学習日　／　／　／

212

解答解説

1

国や地方自治体などの、基礎的な財政収支のことを**プライマリー・バランス**という。行政が行う、社会保障や公共事業などに必要な経費を、税収などでまかなえ切れているかを示すもので、国や地方自治体などの**財政の健全性**を表す指標のひとつともなっている。問題文中の公債費とは、それまでに国や自治体がしてきた借金に対して、その年に支払わなくてはならないもののこと。過去に発行し返済期限を迎える公債に対する元金、公債そのものへの利息分や、一時借入金の利子など。公債費の割合が高いと、入ってきた税金のうち「使える割合」が低くなり、十分な行政サービスを行うゆとりがなくなる。

正解 3

2

選択肢1のコマーシャルペーパーは、企業が、必要な金額を素早く調達したいときなどに発行する無担保の約束手形。3か月以内を期限とするものが多い。財務内容が良好で、信頼性が高い企業しか発行できないため、企業の税務的な信頼性や健全性を測る目安になる。2のストックオプションは、一般的には企業の役員や従業員が「一定期間内に、あらかじめ設定された価格で」自社から自社株式を購入できる権利のこと。しかし近年では、従業員や役員に限定しない場合も多くなっている。3のデリバティブは、証券や通貨売買の本来の取引方法から派生した新しい金融商品の総称で、金融派生商品とも言われる。先物取引、オプション取引、スワップ取引などがあり、典型的なハイリスク・ハイリターン商品である。4の**ディスクロージャー**は、企業が、投資家や株主、債権者などに**経営状況や事業内容など**を開示すること。透明性の向上、信頼の獲得という面では、投資対象としての安心感が生まれるが、経済的・人的コストがかかるうえに、不都合な情報も開示する必要があるなど、企業にとってのデメリットもある。

正解 4

問題2 **経済②**

次の文を読んで、問1、問2に答えなさい。

　右のグラフは、需要量と供給量及び価格の関係を示したものである。

　<u>市場経済</u>においては、財やサービスを取引する市場にて、売り手（供給者）と買い手（需要者）が、価格を仲立ちにして売買を行う。完全競争市場で、取引が成立するのは、交点Cのように需要側と供給側の希望が一致したときである。

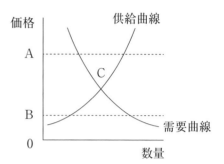

問1　グラフに関する記述として、適切なものの組合せを選びなさい。
① 　Aを価格とすると、超過供給が生じるため、価格が押し上げられる。
② 　Bを価格とすると、超過需要が生じるため、価格が押し上げられる。
③ 　作物が不作になると、その作物の供給曲線は左へ移動する。
④ 　消費者の所得が増加すると、需要曲線は左へ移動する。
⑤ 　製品の生産性が向上すると、その製品の供給曲線は右へ移動する。
　　ア　①②④　　イ　①③④　　ウ　①③⑤　　エ　②③⑤　　オ　②④⑤

問2　下線部に関する記述として、適切なものの組合せを選びなさい。
① 　比較年の物価水準を指数で表したものを物価指数という。
② 　生産協定や価格協定を結び、市場を支配することをコンツェルンという。
③ 　物価の下落と実体経済の縮小が相互に作用し、景気がどんどん悪くなっていく現象をデフレ・スパイラルという。
④ 　価格競争をうながすために制定されたのが独占禁止法であり、その運用にあたっている行政機関を公安審査委員会という。
　　ア　①②　　イ　①③　　ウ　①④　　エ　②③　　オ　②④

学習日

解答解説

供給とは、もの（商品）が出まわること。需要とは、人が（ものを）ほしがること。人がほしがる数以上のものが出まわれば、商品は余る（供給超過）。売り切りたいから値段は下がる。商品の供給と値段の関係を表したのが供給曲線。反対に、ほしがる人のぶんの商品が出まわっていない、つまり商品がたりなければ、ほしがる人のあいだに競争が起き、値段は上がる。その関係を表したのが**需要曲線**。需要と供給のバランスがとれた点を**均衡価格**という（図のＣ）。図の横軸は、商品の数。右へ行くほど出まわる数が多くなる。縦軸は価格。上へ行くほど価格が高くなる。

問1
需要と供給のバランスがとれている均衡価格（図の点Ｃ）よりも、上にある価格では、商品が出まわり過ぎている状態。下にある価格は、商品が足りない（ほしがる人が商品に比べて多い）ことを意味するから、Ａでは価格は「押し下げ」られる。また消費者の所得が増えれば、ほしがる人（ほしがる数）も増えるから、「需要曲線」は「右へ」移動する（横軸は「数量」。右へ行くほど「数が多いこと」を表す）。同様に、技術が高まれば供給もしやすくなるため供給曲線は右へ移動し、作物が不作になれば、出まわる野菜等の数は減るから、供給曲線は左へ移動する。

正解 エ

問2
1　○　肢文の通り。
2　×　価格協定は**カルテル**という。コンツェルンは独占的企業集団のこと。
3　○　肢文の通り。
4　×　独占禁止法の運用にあたる機関は**公正取引委員会**。「公安」とは、「社会の安全、無事」のこと。とくに破壊活動や国益の侵害などを防ぐことでもある。

正解 イ

経済

問題3 経済③

次の(1)～(4)の各文は、現代経済のしくみと特質に関するものである。文中の（　ア　）～（　エ　）に当てはまる語句の正しい組合せを選びなさい。

(1) 景気の刺激のために拡張的財政政策と金融緩和を同時におこなうように、政策目標実現のために複数の政策手段を同時に用いることを（　ア　）という。

(2) 需要量と供給量が一致したときの価格を均衡価格といい、そのときの取り引き量を均衡取り引き量というが、このように価格の変化により市場における需要量と供給量が調整されていくことを、（　イ　）という。

(3) 規模の大きい企業ほど、財1単位あたりの生産費を低く抑えること（コストダウン）が可能となり、利潤が増大する。これを（　ウ　）という。

(4) 企業を、出資者や経営者だけでなくそこではたらく従業員をはじめ、消費者や地域住民など、直接間接に関わりのあるすべての利害関係者にとって意義ある存在とするために、企業の責任や義務のあり方、すなわち（　エ　）を問う声が高まっている。

	ア	イ	ウ	エ
1	量的緩和政策	価格の 自動調節作用	価格の下方硬直性	企業の社会的責任
2	ポリシー・ ミックス	資源配分の調整	価格の下方硬直性	コンプライアンス
3	ポリシー・ ミックス	資源配分の調整	価格の下方硬直性	企業の社会的責任
4	量的緩和政策	資源配分の調整	規模の利益	コンプライアンス
5	ポリシー・ ミックス	価格の 自動調節作用	規模の利益	企業の社会的責任

学習日 　／　　／　　／

216

解答解説

(1)　目標を達成するために、たとえば、「経済成長と安定、国際収支改善」などといった、いくつかの金融政策・財政政策を組み合わせて実施することを**ポリシー・ミックス**という。「ポリシー」は「政策」、「ミックス」は「組み合わせ」。なお、選択肢の量的緩和政策とは、世の中に出回る資金の量を増やす日銀の政策。市場の安定や景気の改善などを目的とする。金融緩和とほぼ同じ意味で用いられる。

(2)　価格によって、需要量と供給量が調節されて釣り合いがとれる状態になることを、**価格の自動調節作用**という。一方、「資源配分の調整」とは、民間企業では国民全体に行きわたらせにくい「社会資本の整備や公共サービス（たとえば道路や橋を整備する、学校をつくるなど）」を、国や地方公共団体（都道府県・市町村）に納められた税金などを使うことで、全体として調整していく機能のこと。

(3)　企業や工場の規模が大きいほど、製品の単位あたりのコストを低く抑え利益を上げやすいことを「**規模の利益**」という。選択肢の「価格の下方硬直性」は、生産量が少ない場合には、価格が下がりづらいこと。寡占市場（数少ない企業により独占されている市場）で起こりがちである。

(4)　商品を提供し対価を受けとる企業には、製品への責任だけでなく、仕事の進め方や地域社会への貢献などについても責任があるとするのが「**企業の社会的責任（CSR）**」である。企業を主体としたCSRに対して、サスティナビリティは、社会全体で取り組むべき問題である。また、選択肢の「コンプライアンス」は、「法令遵守」という日本語を当てることもあるが、企業は、法律に従うことだけでなく、社会的な規範や企業倫理を守ることも求められている。

正解 5

ワンポイントアドバイス

中央銀行が市場から債券などを購入することで通貨の流通量を増加させることを買いオペレーションといいます。これを一般に金融緩和、量的緩和と呼んでいます。

経済

問題4 経済④

次は、日本の金融行政について述べたものである。（　a　）～（　c　）内に当てはまるものを語群から選ぶとき、正しい組合せとなるものを解答群から一つ選びなさい。

バブル経済崩壊後、金融機関は巨額の回収困難な債権を抱え込み、経営破綻も相次いだ。このため政府は、1998年10月に金融再生法や金融機能早期健全化法を制定した。これによって、（　a　）などを通じて巨額の公的資金投入による破綻処理を進め、利用者の保護と金融システムの安定化を目指した。

さらに2000年には（　b　）を設置し、金融機関の監査・検査の強化を図った。（　b　）は自己資本比率が一定水準以下の銀行に対して、BIS規制を基準に、業務改善命令などを段階的に発する早期是正措置を実施し、不良債権処理を促進する一方、自己資本不足に陥った銀行の破綻処理を進めた。

2005年には、金融機関が破綻した場合の預金保護制度であるペイオフが全面解禁され、一つの金融機関につき普通預金元本（　c　）万円とその利子までが保護されるようになった。

【語　群】　ア　国民生活金融公庫　　イ　預金保険機構　　ウ　金融監督庁
　　　　　　エ　金融庁　　　　　　　オ　100　　　　　　カ　1,000

【解答群】　1　a－ア　b－ウ　c－オ　　　2　a－ア　b－ウ　c－カ
　　　　　　3　a－ア　b－エ　c－オ　　　4　a－ア　b－エ　c－カ
　　　　　　5　a－イ　b－ウ　c－オ　　　6　a－イ　b－ウ　c－カ
　　　　　　7　a－イ　b－エ　c－オ　　　8　a－イ　b－エ　c－カ

学習日　／　／　／

解答解説

金融機関が破綻した場合、利用者の預金などの保護のために、金融機関が加入するのが預金保険制度、その金融機関の利用者たちに保険金の支払い（預金等の一定上限までの金額）を行うのが、選択肢イの**預金保険機構**である。バブル崩壊後、政府は、預金保険機構を通じ巨額の公的資金を投入して、利用者の保護、金融システムの安定化等を図った。1998年には、金融再生法および金融機能早期健全化法を制定した。また、同年に設置した金融監督庁（選択肢 ウ）を2000年には改組して**金融庁**（選択肢 エ）とし、金融機関の監査および検査の強化を図った。問題となっていた不良債権処理や、自己資本が大きく不足した銀行等の破綻処理をすすめる役割を担った。銀行などの金融機関が破綻した場合、保護される額の上限は、1971年には100万円、1979年には300万円などと、時代に合わせた一定額となっていたが、実際には大きな破綻はなく、破綻した銀行の吸収合併による措置等で、利用者は、全額を保護され続けていた。しかし、バブル崩壊後の金融危機では、全額保護が難しくなったため、1996年のペイオフの凍結から2005年のペイオフ解禁までの間に、政府は、段階的に定額保護を実施しやすい環境を整備し、ひとつの金融機関について、「**普通預金元本1000万円とその利子**」までを保護の対象とすることにした。利用者が自己責任で金融機関を選ぶ時代となったのである。なお、選択肢アの国民生活金融公庫は、一般の金融機関から融資を受けづらい小口の事業資金や教育資金を国民に貸し出していた機関。2008年に解散し、その業務は日本政策金融公庫に移管されている。

正解 8

 ワンポイントアドバイス

金融機関利用者の預金等の保護において、預金保険機構は重要でよく問われます。

数学

問題1 数と式の計算①

$\boxed{1}$ $\dfrac{\sqrt{3}}{\sqrt{7}-\sqrt{6}}$ の分母を有理化した値として正しいものを、次の $1 \sim 4$ の中から 1 つ選びなさい。

    1 $\sqrt{21}-3\sqrt{2}$ 2 $\sqrt{21}+3\sqrt{2}$

    3 $\dfrac{\sqrt{21}+3\sqrt{2}}{13}$ 4 $\dfrac{3\sqrt{2}-\sqrt{21}}{13}$

$\boxed{2}$ $x=2$、$y=-5$ のとき、$(x+2y)^2-x(2x-y)$ の式の値として正しいものを、次の $1 \sim 4$ の中から 1 つ選びなさい。

    1 46   2 54   3 146   4 154

学習日 ／ ／ ／

解答解説

1

ルートの数を有理化するには、二乗すればよい。ただし、$(\sqrt{7}-\sqrt{6})$ というような2つのルートの数字をただ二乗すると、$(\sqrt{7}-\sqrt{6})^2=\sqrt{7}(\sqrt{7}-\sqrt{6})-\sqrt{6}(\sqrt{7}-\sqrt{6})$ $=7-\sqrt{42}-\sqrt{42}+6=7+6-2\sqrt{42}$ というように、分母にルートが残ってしまう。こうしたものを有利化する際、$2\sqrt{42}$ が残らないようにするには、$(\sqrt{7}-\sqrt{6})$ に $(\sqrt{7}+\sqrt{6})$ をかけてやればよい。$\dfrac{\sqrt{3}}{(\sqrt{7}-\sqrt{6})}\times\dfrac{(\sqrt{7}+\sqrt{6})}{(\sqrt{7}+\sqrt{6})}=\dfrac{\sqrt{3}(\sqrt{7}+\sqrt{6})}{\sqrt{7}(\sqrt{7}+\sqrt{6})-\sqrt{6}(\sqrt{7}+\sqrt{6})}=$ $\dfrac{\sqrt{21}+\sqrt{18}}{7+\sqrt{42}-\sqrt{42}-6}=\sqrt{21}+3\sqrt{2}$。なお、大まかにいってルートのついた数字の多くは無理数といわれるが、有利数とは、$\dfrac{m}{n}$ と、整数で表せる数のこと $(n\neq0)$。それ以外の数はすべて無理数である。

正解 2

2

$(x+2y)^2-x(2x-y)$ の式に、最初から、$x=2$ と、$y=-5$ を代入すると、$(2+2\times(-5))^2-2\times\{2\times2-(-5)\}=(2-10)^2-2\times(4+5)$ $=(-8)^2-18=64-18=46$ となる。また、$(x+2y)^2-x(2x-y)$ を展開し、$x^2+4xy+4y^2-2x^2+xy=-x^2+5xy$ $+4y^2$ と少しまとめてから、与えられている $x=2$ と、$y=-5$ を代入し、$-(2)^2+5\times2\times(-5)+4\times(-5)^2=-4+(-50)+100=46$ と計算してもよい。計算しやすいところまでまとめてから代入すると、その後の計算は単純になる。

正解 1

数学

問題2 数と式の計算②

① $(\sqrt{5}-\sqrt{3})^2$ を展開した式として正しいものを、次の1～4の中から1つ選びなさい。

1　$2-2\sqrt{15}$　　2　$8-2\sqrt{15}$　　3　2　　4　4

② $(a^2+2)(b-a)$ を展開した結果として正しいものを、次の1～4の中から1つ選びなさい。

1　$a^3+ab+2a-2b$　　2　$-a^3+a^2b-2a+2b$
3　$a^3+a^2b+2a-b$　　4　$-a^3-a^2b-a+2b$

学習日 ／ ／ ／ ✎

222

解答解説

1

$(\sqrt{5}-\sqrt{3})^2$のカッコを開いて計算する。$(\sqrt{5}-\sqrt{3})^2=\sqrt{5}(\sqrt{5}-\sqrt{3})-\sqrt{3}(\sqrt{5}-\sqrt{3})=5-\sqrt{15}-\sqrt{15}+3=8-2\sqrt{15}$となる。

正解 2

2

$(a^2+2)(b-a)=a^2(b-a)+2(b-a)=a^2b-a^3+2b-2a=-a^3+a^2b-2a+2b$

正解 2

 ワンポイントアドバイス

式の展開においては、分配法則を用います。

m(a+b)=ma+mb

2乗の数式においては、乗法公式を用います。

(a+b)²=a²+2ab+b²

(a−b)²=a²−2ab+b²

問題3 数と式の計算③

次のア～エの記述について、正しく述べているものの組合せとして最も適切なものを、後の1～6のうちから選びなさい。

ア　$-3^2 \times 2 + (-0.2)^2 \times 10^2$を計算すると、22である。

イ　$x^2 - 4y^2 + 4x - 8y$を因数分解すると、$(x - 2y)(x + 2y + 4)$である。

ウ　方程式$x^2 + 4x - 1 = 0$を解くと、解は$x = -2 \pm \sqrt{5}$である。

エ　$\sqrt{2}$の小数部分をx、整数部分をyとするとき、$x - y$の値を求めると、$\sqrt{2}$である。

1　ア と イ
2　ア と ウ
3　ア と エ
4　イ と ウ
5　イ と エ
6　ウ と エ

学習日 ／ ／ ／

224

解答解説

ア　×　-3^2と$(-0.2)^2$との違いを理解しながら解く。-3^2は「3」だけを二乗した数。「-3」を二乗するのではない。$(-0.2)^2$は、$(-0.2) \times (-0.2)$なので正の数となる。$-3^2 \times 2 + (-0.2)^2 \times (10)^2 = -18 + 0.04 \times 100 = -14$

イ　〇　肢文の通り。$x^2 - 4y^2 + 4x - 8y$のなかの$x^2 - 4y^2$は$(x - 2y)(x + 2y)$とも表せる。また$4x - 8y$も、$4(x - 2y)$と表せるから、$x^2 - 4y^2 + 4x - 8y = (x - 2y)(x + 2y) + 4(x - 2y) = (x - 2y)(x + 2y + 4)$と因数分解できる。

ウ　〇　肢文の通り。$x^2 + 4x - 1 = 0$の解が$-2 \pm \sqrt{5}$かどうかを確かめる。解に$\sqrt{}$があるので、二乗の式に直してみると、$(x + 2)^2 - 1 - 4$と表せる。$(x + 2)^2$は本来、$x^2 + 4x + 4$だから余計な4を引かなくてはならない。-1のあとの4はそのためのもの。この2つを計算すると-5。すでにでき上っている二乗式にこの-5を組み込む。二乗して5になる数は$\sqrt{5}$なので、$(x + 2 + \sqrt{5})(x + 2 - \sqrt{5}) = 0$となる。よって、$x$は$-2 \pm \sqrt{5}$となる。

エ　×　考えるまでもなく、誤り。$\sqrt{}$の数値を小数部分と整数部分に分けて、小数から整数を引いたら、もとの$\sqrt{}$の数値より少なくなるのは明らか。$\sqrt{2}$の数値を思い出して、検算をしてみればよい。$\sqrt{2}$の数値を小数点以下3桁までの1.414とする。0.414と1に分けて引いた結果は、もとの$\sqrt{2} = 1.414$には決してならない。

正解　4

数学

問題4 数と式の計算④

次のア～エの記述について、正しく述べているものの組合せとして最も適切なものを、後の1～6のうちから選びなさい。

ア　$3^2 + \{6 + (-4^2)\} \div \dfrac{2}{5}$ を計算すると、1である。

イ　方程式 $x + 6 = 2(x + 1)$ の解は、$x = 5$である。

ウ　$4x^2 - 48x + 144$ を因数分解すると、$4(x - 6)^2$である。

エ　$x = \sqrt{6} + 2$、$y = \sqrt{6} - 2$ のとき、$x^2 y + x y^2$ の値は $4\sqrt{6}$ である。

1　ア　と　イ
2　ア　と　ウ
3　ア　と　エ
4　イ　と　ウ
5　イ　と　エ
6　ウ　と　エ

学習日　／　／　／

解答解説

ア　×　まず ｜　　｜ のなかを計算する。間違いやすいポイントは (-4^2) の計算。(-4^2) は4の二乗を計算し－をつけるが、$(-4)^2$ は、$(-4) \times (-4)$ で、16となる。$3^2 + \{6 + (-4^2)\} \div \dfrac{2}{5} = 9 + (6 - 16) \div \dfrac{2}{5} = 9 - 10 \div \dfrac{2}{5} = 9 - 25 = -16$。設問文では「解は1」とあるので、誤り。

イ　×　$x + 6 = 2(x + 1)$ を解いてもよいし、そのまま「解」としている $x = 5$ を代入して、左辺と右辺が正しくなるかを確かめてもよい。まず $x + 6 = 2(x + 1)$ を展開してみると、$x - 2x = 2 - 6$　$-x = -4$　$x = 4$ となる。次に $x = 5$ を代入して計算してみる。左辺の $x + 6$ に $x = 5$ を代入すると、$5 + 6 = 11$。次に右辺の $2(x + 1)$ に $x = 5$ を代入すると、$2(5 + 1) = 2 \times 6 = 12$ となり、左辺と右辺の値が異なる。誤り。

ウ　○　肢文の通り。因数分解後の数式が4でくくられているので、$4x^2 - 48x + 144$ もくくってみると、$4(x^2 - 12x + 36) = 4(x - 6)^2$ となる。正しい。

エ　○　肢文の通り。$x^2 y + x y^2$ を $xy(x + y)$ のかたちに直したのち計算すると、$(\sqrt{6} + 2)(\sqrt{6} - 2) \times (\sqrt{6} + 2 + \sqrt{6} - 2) = (6 - 4) \times (2\sqrt{6}) = 4\sqrt{6}$ となる。正しい。

正解 6

問題5 数と式の計算⑤

次のア～エの記述について、正しく述べているものの組合せとして最も適切なものを、後の1～5のうちから選びなさい。

ア $(-3)^2 - 1 - 4^2 \times \left(-\dfrac{1}{2}\right)^3$ を計算すると、1である。

イ $a^3x + 1 - ax - a^2$ を因数分解すると、$(a+1)(a-1)(ax-1)$ である。

ウ x についての2次方程式、$x^2 - ax + a + 1 = 0$ の1つの解が2であるとき、他の解は3である。

エ a が正の整数のとき、$\sqrt{504a}$ を最も小さい整数にするには a を7にすればよい。

1 ア と イ
2 ア と ウ
3 イ と ウ
4 イ と エ
5 ウ と エ

学習日 ／ ／ ／

解答解説

ア　×　$(-3)^2-1-4^2\times\left(-\dfrac{1}{2}\right)^3=9-1-16\times\left(-\dfrac{1}{8}\right)=8+2=10$ なので、誤り。$(-3)^2$ は $(-3)\times(-3)=9$ であることと -4^2 は $-(4)^2$ なので -16 とわかれば解ける。

イ　○　肢文の通り。$a^3x+1-ax-a^2=ax(a^2-1)-(a^2-1)=(ax-1)(a^2-1)$ $=(ax-1)(a-1)(a+1)$ となり正しい。なお、上の $ax(a^2-1)-(a^2-1)$ の $-(a^2-1)$ は $-1\times(a^2-1)$ と考えると、共通項 (a^2-1) を $(ax-1)$ でくくることができるとわかる。

ウ　○　肢文の通り。$x^2-ax+a+1=0$ に x の解のひとつ「2」を代入すると、$2^2-2a+a+1=0$　$4-a+1=0$　$a=5$。　次に $a=5$ を最初の式に代入する。$x^2-5x+5+1=0$　$x^2-5x+6=0$　$(x-2)(x-3)=0$ となり、x の解は2と3とわかる。正しい。

エ　×　$\sqrt{504a}$ をもっとも小さい整数にするには、素因数分解をしたときに、整数の偶数乗のみになれば、$\sqrt{}$ をとることができる。そこで、504を素因数分解してみると、$2^3\times3^2\times7$ となる。偶数乗のみにするには、2と7をひとつずつ掛ける必要がある。よって、$a=2\times7=14$ である。誤り。

正解 3

問題6 数と式の計算⑥

次のア〜エの記述について、正しく述べているものの組合せとして最も適切なものを、後の1〜6のうちから選びなさい。

ア　$-5+3\times(6-4^2)$ を計算すると、20である。

イ　20までの自然数の中に含まれる素数の個数は、全部で9個である。

ウ　比例式$4:3=(x-6):12$が成り立つとき、xの値は22である。

エ　$\sqrt{3}$の小数部分をaとするとき、$a(a+2)$ の値は2である。

1　ア　と　イ
2　ア　と　ウ
3　ア　と　エ
4　イ　と　ウ
5　イ　と　エ
6　ウ　と　エ

学習日　／　／　／

解答解説

ア　×　初めに $(6-4^2)$ を計算する。-4^2 は、4を二乗して $-$ をつけるから、$(6-16)$ で -10。その後は掛け算と割り算が足し算と引き算に優先するから、$3\times(-10)$ を計算し -30。それに -5 を加えて、-35 となる。$-5+3\times(6-4^2)=-5+3\times(-10)=-5-30=-35$ が答えとなる。

イ　×　素数とは、「2」以上の自然数のうち、「1」とその数以外に約数のないもののこと。20までの自然数に限定すれば、素数は、2、3、5、7、11、13、17、19の8個。「1」は素数ではないことに注意。

ウ　○　肢文の通り。比例式に x の値とされる22を代入して、式が正しくなるかを確認してみると、$4:3=(x-6):12$　$4:3=(22-6):12$　$4:3=16:12$ となり、正しい。ほかに与式を、「比例式の内項の積と外項の積は等しい」ことを利用して解く方法もある。$4:3=(x-6):12$　$4\times12=3(x-6)$　$48=3x-18$　$3x=66$　$x=22$ となり、正しい。

エ　○　$\sqrt{4}$ が2だから、$\sqrt{3}$ は1と2のあいだの数。$1<\sqrt{3}<2$ と表せる。$\sqrt{3}$ の小数部分を a とすると $a=\sqrt{3}-1$。これを $a(a+2)$ に代入すると、$(\sqrt{3}-1)\{(\sqrt{3}-1)+2\}=(\sqrt{3}-1)(\sqrt{3}+1)=3-1=2$ となり、正しい。

正解　6

問題7 数と式の計算⑦

次のア〜エの記述について、正しく述べているものの組合せとして最も適切なものを、後の1〜6のうちから選びなさい。

ア　$(-4)^2 \div \{4-(-2^2+10)\}$ を計算すると、8である。

イ　$(3x^2+2x+1)(4x^2-3x+1)$ を展開したときのx^2の係数は、1である。

ウ　方程式$9x^2-49=0$の解は、$x=\pm\dfrac{7}{9}$である。

エ　x^3+x^2-2xとx^2-x-6の最小公倍数は、$x(x-1)(x+2)(x-3)$ である。

1　ア　と　イ
2　ア　と　ウ
3　ア　と　エ
4　イ　と　ウ
5　イ　と　エ
6　ウ　と　エ

学習日　／　／　／

解答解説

ア　×　$(-4)^2 \div \{4 - (-2^2 + 10)\} = 16 \div \{4 - (-4 + 10)\} = 16 \div (4 - 6) = 16 \div (-2)$
$= -8$ となり、誤り。

イ　○　肢文の通り。$(3x^2 + 2x + 1)(4x^2 - 3x + 1)$ のうち、求めるのは「x^2 の係数」だけなので、計算後に「x^2」となる部分だけを計算すると近道。2つの（　）を展開したときに「x^2」となるのは $(3x^2) \times (1)$、$(2x) \times (-3x)$、$(1) \times (4x^2)$ の3つである。これらを計算すると、$(3x^2 - 6x^2 + 4x^2)$ となり、答えは x^2。つまり、係数は 1。正しい。

ウ　×　まず、そのまま計算してみる。$9x^2 - 49 = 0$　$x^2 = \dfrac{49}{9}$　$x = \pm\sqrt{\dfrac{49}{9}}$　$x = \pm\dfrac{7}{3}$ となるので、誤り。また、$x = \pm\dfrac{7}{9}$ が正しいかどうかを確かめればいいので、式にこの数値を代入してみてもよい。まず $\dfrac{7}{9}$ を代入してみると、$9 \times \left(\dfrac{7}{9}\right)^2 - 49 = \dfrac{49}{9} - 49$ となり「0」にはならない。また $x = -\dfrac{7}{9}$ の場合も、二乗するため同じ値となり、「0」にはならないので、誤り。

エ　○　肢文の通り。$x^3 + x^2 - 2x$ と $x^2 - x - 6$ をそれぞれ因数分解してみる。$x^3 + x^2 - 2x = x(x^2 + x - 2) = x(x-1)(x+2)$。また、$x^2 - x - 6 = (x+2)(x-3)$ となる。「最小公倍数」は「すべての要素をかけ合わせて出す」が、「同じ要素がある場合には1度だけかけて、2度はかけない」がルール。たとえば、4と6の最小公倍数なら、4は2×2、6は2×3。4の要素と6の要素とで2が重複している。この「共通の2」は1度だけかけ、その他の要素はそれぞれかける。つまり、2×2×3＝12 が最小公倍数となる。この設問の、上の2つの数の場合なら、$(x+2)$ が共通項だから、これを含めてすべての要素を1度だけかけたもの、つまり、最小公倍数は、$x(x-1)(x+2)(x-3)$ となる。

正解 5

問題8 数と式の計算⑧

1　Aさんはまっすぐな道を時速5kmで歩く。Aさんが3分歩いたときの距離として正しいものを、次の1〜4のうちから1つ選びなさい。

　1　150m　　2　250m　　3　300m　　4　500m

2　2進法で表された数1101を、10進法で表した数として正しいものを、次の1〜4のうちから1つ選びなさい。

　1　10　　2　11　　3　13　　4　26

学習日　／　／　／

解答解説

1

時速 5 kmは、時速5000m。60で割って「分速」にすると、$\dfrac{5000}{60}$ なので、 3分歩いたときの距離は、$\dfrac{5000}{60} \times 3 = \dfrac{5000}{20} = 250$(m)。

正解 2

2

2進法の数を10進法に置き換えるときには、いちばん下の位はそのままとし、下から 2番目の数字には 2をかける。さらにその上位の数字（下から 3番目の数字）には2^2をかけ、下から 4番目の数字は2^3をかけ……と続けていき、出てきた数を全部たせばよい。たとえば「11001」という 2進法の数があった場合 $(1 \times 2^4) + (1 \times 2^3) + (0 \times 2^2) + (0 \times 2) + 1 = 16 + 8 + 0 + 0 + 1 = 25$となり、10進法の25に等しいことがわかる。与えられている 2進法の数は、1101なので $(1 \times 2^3) + (1 \times 2^2) + (0 \times 2) + 1 = 13$となる。

正解 3

問題9 数と式の計算⑨

1 2次方程式$x^2 + 3x + 2 = 0$の2つの解の和の値として正しいものを、次の1～
4のうちから1つ選びなさい。

  1 -3 2 -1 3 1 4 3

2 $\left(\dfrac{1}{2} + \dfrac{1}{3}\right) \times 30 - 2 \times 3^2$を計算した答えとして正しいものを、次の1～4のうち
から1つ選びなさい。

  1 -11 2 -6 3 7 4 210

学習日 ／ ／ ／

解答解説

1

与えられた式、$x^2 + 3x + 2 = 0$を因数分解すると、$(x+1)(x+2) = 0$となる。求めるのは「解」で、「$=0$」となることが条件だから、（　）のなかの合計が「0」になる数をそれぞれ出して、それらを合計したものが答えとなる。$(x+1) = 0$では$x = -1$、$(x+2) = 0$では$x = -2$となるので、$(-1) + (-2) = -3$が答えとなる。また、$ax^2 + bx + c = 0$のとき、xの2つの解をαとβとすると、「二次方程式の係数と解の関係」により、$\alpha + \beta = -\dfrac{b}{a}$となる性質をもつ。$x^2$と$x$の係数をそれぞれこの式に当てはめると$2$つの解（$\alpha$と$\beta$）を合計した数を出せる。$-\dfrac{b}{a} = -\dfrac{3}{1} = -3$となる。

正解　1

2

$$\left(\frac{1}{2} + \frac{1}{3}\right) \times 30 - 2 \times 3^2 = \left(\frac{3}{6} + \frac{2}{6}\right) \times 30 - 2 \times 9 = \left(\frac{5}{6}\right) \times 30 - 18 = 25 - 18 = 7$$

正解　3

ワンポイントアドバイス

別解による計算方法を用いて検算するのも正答率を上げるテクニックです。

問題10 **数と式の計算⑩**

① 100から200までの自然数の和として正しいものを、次の1〜4のうちから1つ選びなさい。

　　1　15050　　　2　15100　　　3　15150　　　4　15200

② $-5^2+\left(1-\dfrac{1}{2}\right)^3\times8+(-5)^2$を計算した答えとして正しいものを、次の1〜4のうちから1つ選びなさい。

　　1　0　　　2　1　　　3　7　　　4　51

学習日　／　／　／

解答解説

1

100から200までの整数は、合計101個。大きいほうから順にひとつ、小さいほうから順にひとつずつ足していってみる。100と200を足すと300。101と199を足しても300……と、149＋151までに合計50組の「300の組み合わせ」ができ、最後に150がひとつだけ残る。だから、すべてを足した数は、300×50＋150＝15150となる。混乱したら、小さな数字で考え直してみるとよい。たとえば 0 ～ 10までなら 0 と10、1 と 9、2 と 8……と、「10の組み合わせ」が 5 つと、中央の数の「5」となる。

正解　3

2

$$-5^2 + \left(1 - \frac{1}{2}\right)^3 \times 8 + (-5)^2 = -25 + \left(\frac{1}{2}\right)^3 \times 8 + 25 = -25 + \frac{1}{8} \times 8 + 25 = 1$$

正解　2

 ワンポイントアドバイス

「整数の和」を求める問題は、「0 ～ 10」のようなイメージしやすい例に置き換えて考えてみると、解法が見えてきます。

数学

問題11　方程式と不等式

1　関数 $y = x^2$ の x の変域が $-4 \leqq x \leqq 3$ のとき、y の変域として正しいものを、次の1〜4の中から1つ選びなさい。

　　1　$-16 \leqq y \leqq 9$　　　2　$0 \leqq y \leqq 9$　　　3　$0 \leqq y \leqq 16$　　　4　$9 \leqq y \leqq 16$

2　数の大小関係を不等号を用いて表したとき正しいものを、次の1〜4のうちから1つ選びなさい。

1　$\dfrac{4}{3} < \sqrt{2} < 1.5 < \dfrac{8}{5}$　　　2　$\dfrac{4}{3} < 1.5 < \sqrt{2} < \dfrac{8}{5}$

3　$\sqrt{2} < \dfrac{4}{3} < 1.5 < \dfrac{8}{5}$　　　4　$\sqrt{2} < 1.5 < \dfrac{4}{3} < \dfrac{8}{5}$

学習日　／　／　／

解答解説

1

xの数値が変わったときに、yの数値がどうなるかを求める二次関数の問題。xの値は、$-4 \leqq x \leqq 3$のあいだで動くので、まず$y = x^2$に-4を当てはめてみると$y = (-4)^2 = 16$となる。ここで、xの変域について考えてみる。xは、$-4 \leqq x \leqq 3$の範囲で変化する。$x = 0$のときだけはyも0となる。つまりyは0以上16以下の数となり、式で書けば、$0 \leqq y \leqq 16$となる。

正解 3

2

設問の数字は、分数や小数などさまざまなかたちであるものの、わりと見慣れた数字ばかり。よく見ると、どの選択肢にも同じ数字がつかわれている。数は、かたちを統一すると比較しやすい。まず、分数を帯分数になおしたうえで、小数にしてみると、$\frac{4}{3} = 1\frac{1}{3} \fallingdotseq 1.3$、$\frac{8}{5} = 1\frac{3}{5} = 1.6$、ほかに$1.5$と、$\sqrt{2} = 1.4142...$がある。これら$4$つを比較すると、正しい並びは選択肢$1$である。

正解 1

問題12 関数①

1　右下の図のように、$y = -2x^2$のグラフ上に、x座標がそれぞれ-2、$\dfrac{1}{2}$である2点A、Bをとる。この2点A、Bを通る直線の式として正しいものを、次の1〜4の中から1つ選びなさい。

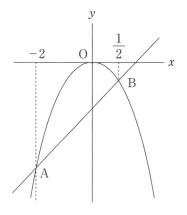

1　$y = \dfrac{1}{3}x - 2$　　　2　$y = 3x - 2$

3　$y = \dfrac{1}{3}x - 6$　　　4　$y = 3x - 6$

2　右の図のように、関数$y = \dfrac{1}{2}x^2$のグラフ上にx座標がそれぞれ-3、2である2点A、Bをとる。この2点A、Bを通る直線の式として正しいものを、次の1〜4の中から1つ選びなさい。

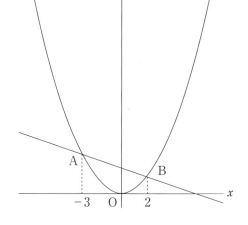

1　$y = -x + 3$

2　$y = -\dfrac{1}{2}x + 3$

3　$y = -x + 6$

4　$y = -\dfrac{1}{2}x + 6$

学習日　／　／　／

解答解説

1

点A、点Bのx座標はそれぞれ-2と$\dfrac{1}{2}$でどちらも$y=-2x^2$のグラフ上にある。この式に、それぞれのxの数値を代入してy座標の位置を求める。点Aの座標は、$y=-2\times(-2)^2=-8$と計算できるため、$(-2,\ -8)$。次に点Bは、$y=-2\times\left(\dfrac{1}{2}\right)^2$$=-\dfrac{1}{2}$となり、座標は$\left(\dfrac{1}{2},\ -\dfrac{1}{2}\right)$である。直線は$y=ax+b$で表わされるから、この2つの数値をこの式に入れて計算する。点Aは、$-8=a\times(-2)+b$ $-2a+b=-8$　$b=2a-8$　…①　点Bは、$-\dfrac{1}{2}=\dfrac{1}{2}a+b$　両辺を2倍して、$-1=a+2b$　…②。①を②に代入して計算すると、$-1=a+2(2a-8)$　$5a=15$ $a=3$　…③。③を①に代入して$b=-2$となる。a、bの数値を、$y=ax+b$にあてはめると、$y=3x-2$となる。

正解 2

2

$y=\dfrac{1}{2}x^2$のグラフのうえに、それぞれのx座標が-3と2の点Aと点Bをとる。まず、点Aのy座標を求めるため、グラフを表す式に-3を代入すると、$y=\dfrac{1}{2}(-3)^2$$=\dfrac{9}{2}$となる。次に点Bの$y$座標を求める。$x$座標の$2$を代入すると、$y=\dfrac{1}{2}2^2=2$となる。点Aの座標$\left(-3,\ \dfrac{9}{2}\right)$、点Bの座標$(2,2)$を通る直線は、$y=ax+b$で表せるから、それぞれの座標をこれに代入すると、$\dfrac{9}{2}=-3a+b$　$b=3a+\dfrac{9}{2}$ …①。$2=2a+b$　…②。①を②に代入して計算すると、$2=2a+3a+\dfrac{9}{2}$　$5a=2$ $-\dfrac{9}{2}$　$5a=-\dfrac{5}{2}$　$a=-\dfrac{1}{2}$となり、これを②に代入して、$2=2\left(-\dfrac{1}{2}\right)+b$　$2=-1+b$　$b=3$。$y=ax+b$にそれぞれを当てはめると、選択肢2が正解とわかる。

正解 2

関数②

1　直線 $y = 2x + 9$ と x 軸の交点を A とする。点 A を通り、直線 $y = 2x + 9$ と垂直に交わる直線の式として正しいものを、次の 1 ～ 4 の中から 1 つ選びなさい。

1　$y = \dfrac{1}{2}x - \dfrac{9}{2}$ 　　　　2　$y = \dfrac{1}{2}x - \dfrac{9}{4}$

3　$y = -\dfrac{1}{2}x - \dfrac{9}{2}$ 　　　4　$y = -\dfrac{1}{2}x - \dfrac{9}{4}$

2　関数 $y = 3x^2$ の性質について述べた文として正しいものを、次の 1 ～ 4 の中から 1 つ選びなさい。

1　x の値が 1 つずつ増加すると、y の値は 3 ずつ増加する。

2　$x < 0$ のとき、x の値が増加すると、y の値は減少する。

3　グラフは、x 軸について対称である。

4　グラフは、右上がりの直線である。

学習日 ／ ／ ／

解答解説

1

直線 $y = 2x + 9$ と x 軸が交わるとき、y 座標は 0 である。これを y に代入して x 座標を求めると、$0 = 2x + 9$　$x = -\dfrac{9}{2}$ となる。次に、直線 $y = 2x + 9$ に垂直に交わる直線について考える。直線が垂直に交わるとき、2 本の直線の「傾きの積」は「-1」になる。直線 $y = 2x + 9$ の傾きは 2。求めるのは、かけて「-1」になるような傾き (a') だから、$2 \times a' = -1$　$a' = -\dfrac{1}{2}$ となる。傾きがわかったら、$y = ax + b$ の公式にあてはめる。y 座標が 0 のとき、x 座標は $-\dfrac{9}{2}$ であることがわかっているから、$0 = \left(-\dfrac{1}{2}\right) \times \left(-\dfrac{9}{2}\right) + b$　$b = -\dfrac{9}{4}$ となる。傾きは $-\dfrac{1}{2}$ なので、$y = -\dfrac{1}{2}x - \dfrac{9}{4}$ となる。

正解 4

2

1　×　x が 1 のときは、y は 3、x が 2 のときには y は 12 になるので、誤り。

2　○　肢文の通り。「x の値が増加する」を負の数で考えると、たとえば「-2」が「-1」になること。x が「-2」のとき y は「12」、x が「-1」のときに y は「3」となるので、「減少」している。

3　×　グラフ化すると、「y 軸」に対し線対称となる。「x 軸」ではない。誤り。

4　×　二次関数のグラフは、放物線と呼ばれる曲線を描くので、誤り。

実際に $y = 3x^2$ に数値をあてはめて、選択肢の文章と比較してみると正誤がわかる。

正解 2

問題14 **関数③**

次の図において、曲線アは関数 $y = ax^2$ のグラフである。直線イは点A（-4, 0）を通り、y軸に平行な直線であり、曲線アと点Bで交わる。直線ウは点Bを通り、x軸に平行な直線であり、曲線アと点Cで交わる。直線エは点Aと点Cを通る直線であり、曲線アと点Dで交わる。

原点をOとし、AB：AO＝2：1のとき、△BCDの面積として最も適切なものを、後の1～5のうちから選びなさい。

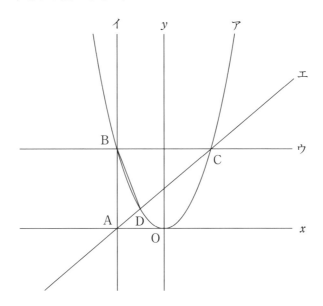

1 8

2 24

3 32

4 48

5 64

学習日

数学

関数③

解答解説

決められる座標から決めてゆく。点Aの座標は $(-4, 0)$。AB：AO＝2：1で、AOの長さは4。ABはその倍の8となり、点Bの座標は $(-4, 8)$。このB座標から曲線の a を求める。$y = ax^2$ にB座標の値を入れると、$8 = (-4)^2 a$　$16a = 8$　$a = \dfrac{1}{2}$ となり、この曲線は、$y = \dfrac{1}{2}x^2$ …①と表すことができる。直線ウは x 軸に平行なので、点Cの y 座標は8。この数値を $y = \dfrac{1}{2}x^2$ に当てはめると $8 = \dfrac{1}{2}x^2$　$x = 4$ となり、C座標は $(4, 8)$ である。ここで直線エの傾きは1とわかる（x 軸を8移動したとき y 軸も8移動している）。y 軸との交点も4とわかるので、直線エは、$y = x + 4$ …②、となる。求めるべき△BCDの面積は、「△BCD＝△BACの面積 − △BADの面積」だから、まず点Dの座標を求める。点Dは曲線と直線の交点である。それぞれの式は「$y =$」と「$y =$」の式だから、$\dfrac{1}{2}x^2 = x + 4$ と結べる。両辺を2倍するなどして計算すると、$x^2 = 2x + 8$　$x^2 - 2x - 8 = 0$　$(x-4)(x+2) = 0$ となり、x 座標は4と −2であるとわかる。4は点Cの x 座標であるから、点Dの x 座標は、−2。これを②の $y = x + 4$ に代入すると、$y = (-2) + 4$　$y = 2$ となり、点Dの座標は $(-2, 2)$ である。この y 座標は「△BADの高さ」でもある。ここで△BACの面積と△BADの面積を出してみる。△BACは、底辺も高さも8。面積を求めると $(8 \times 8) \div 2 = 32$ となる。一方、△BADは底辺が8、高さが2だから $(8 \times 2) \div 2 = 8$。「△BCDの面積＝△BACの面積 − △BADの面積」だから、$32 - 8 = 24$ となる。

正解 2

ワンポイントアドバイス

三角形の面積を直接求めるのが難しいときは、ふたつの三角形の面積の差を考えると、解法が得られることがあります。

問題15 関数④

　次の図において、曲線アは関数 $y = x^2$ のグラフである。また、直線イは曲線アと2点A、Bで交わっており、それぞれの x 座標は -3、2である。直線イと x 軸との交点をCとし、原点をOとするとき、△OABと△OBCの面積比として最も適切なものを、後の1～5のうちから選びなさい。

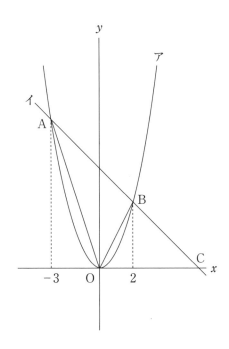

1　3：2
2　5：2
3　5：4
4　5：6
5　9：4

学習日　／　／　／

解答解説

点Aも点Bも$y=x^2$上にあるから、すでに与えられているxの座標点から、y座標を求めることができる。$y=x^2$に「2」と「-3」をそれぞれ代入して計算すると、点Aは（-3, 9）、点Bは（2, 4）となる。この座標点を$y=ax+b$の公式に当てはめると、$4=2a+b$　$9=-3a+b$となり、これを解くと、$a=-1$、$b=6$。直線イは、$y=-x+6$と表すことができる。また、この式から、点Cは（6, 0）、y軸と直線イの交点は（0, 6）とわかる。求めるべきものは、△OABと△OBCの面積比である。ここで、点Aと点Bから垂線をおろしてx軸と交わっている点をそれぞれ点P、点Qとし、それぞれの座標からの長さを確認しておく。AP＝9、PC＝9、OP＝3、OC＝6、BQ＝4。次に、△OABの面積を求める方法を考えると、△OAB＝△APC－（△APO＋△OBC）となる。座標から求めた長さをこれに当てはめて、三角形の面積を求めると（三角形の面積は「底辺×高さ÷2」である。分数の分母の2は、この「÷2」にあたるもの）、$△OAB = \dfrac{9 \times 9}{2} - \left(\dfrac{3 \times 9}{2} + \dfrac{6 \times 4}{2}\right) = \dfrac{81}{2} - \left(\dfrac{27}{2} + \dfrac{24}{2}\right) = \dfrac{81}{2} - \dfrac{51}{2} = \dfrac{30}{2} = 15$となる。一方、△OBCは、すでに上の式で求めたように、$\dfrac{6 \times 4}{2} = 12$である。よって三角形OABと三角形OBCの面積比は、15：12＝5：4となる。

正解 3

ワンポイントアドバイス

三角形OABと三角形OBC の面積比は、線分AB、線分BCの比によっても求めることができます。

問題16 **関数⑤**

次の図で、点A、Bは、関数 $y = \dfrac{1}{2}x^2$ のグラフ上の点で、x 座標はそれぞれ -2 と 4 である。このとき△OABの面積として正しいものを、あとの 1 ～ 4 のうちから 1 つ選びなさい。

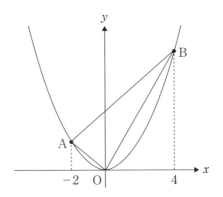

1　8　　2　10　　3　12　　4　14

解答解説

点Aと点Bは、ともに$y = \frac{1}{2}x^2$のグラフ上の点で、それぞれx座標がわかっている。まず、点Aのx座標を$y = \frac{1}{2}x^2$に代入してy座標を求める。x座標は-2だから$y = \frac{1}{2} \times (-2)^2 = \frac{1}{2} \times 4 = 2$となり、点Aは（$-2$, 2）となる。点Aから垂線をおろした（-2, 0）の座標を点aとする。次に、同様の計算を点Bについても行う。点Bのx座標は4だから、$y = \frac{1}{2} \times (4)^2 = 8$となり、点Bの座標は（4, 8）である。ここから$x$軸に垂線をおろした点（4, 0）を点bとする。求めるのは、△OABの面積である。台形BAabの面積から、△AaOと△BObを足した面積を引けば、△OABの面積となる。台形の面積の出し方は、「（上辺＋下辺）×高さ÷2」である。上辺は2、下辺は8、高さは6だから、$(2+8) \times 6 \div 2 = 10 \times 6 \div 2 = 30$となる。三角形の面積は「底辺×高さ÷2」。△AaOは、底辺2、高さ2なので、$2 \times 2 \div 2 = 2$、△BObは、底辺4、高さ8なので、$4 \times 8 \div 2 = 16$。△OABの面積＝台形BAabの面積－（△AaOの面積＋△BObの面積）だから、$30 - (2 + 16) = 12$となる。

正解 3

 ワンポイントアドバイス

二次関数の曲線と一次関数の直線の交点を求めることが出発点となります。

問題17 図形①

① 右の図で、∠xの大きさとして正しいもの
を、次の1～4の中から1つ選びなさい。

1　95°　　　2　100°
3　110°　　　4　120°

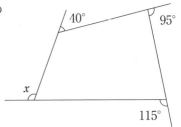

② 右の図のように、点Oを中心とする円周
上に3点A、B、Cをとる。また、OBと
ACとの交点をEとする。∠OAC＝19°、
∠AEB＝53°のとき、∠xの大きさとして
正しいものを、次の1～4の中から1つ選
びなさい。

1　17°　　　2　18°
3　19°　　　4　20°

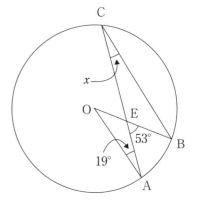

解答解説

1

多角形の外角を求める問題。四角形にかぎらず、多角形の外角の和は360°。設問の図形は四角形。そのうち3つの外角が出ていて、求めるxは、残りの外角の角度だから、$360-(40+95+115)=110$となり、xは110°。また、それぞれの内角の角度を、直線上のもう一方の角度から引いて算出してもよい。直線は180°で、3つの外角の角度が与えられていることから、四角形のそれぞれの内角の角度は、$180-95=85$　$180-40=140$　$180-115=65$と出る。四角形の内角の和は360°だから、$360-(85+140+65)=70$と出したあとで、$180-70=110$とxを求めてもよい。

正解 **3**

2

求めるべき$\angle x$は、弧ABに対する円周角であることと、「中心角は円周角の2倍の大きさ」であることを、まず確認しておく。また、$\angle$AEBは53°。直線上の$\angle$AEOは$180-53=127$°である。ここで△OAEを考える。三角形の内角の和は180°だから、今求めた127°と与えられている19°を180°から引くと、残りの$\angle$EOAは34°となる。$\angle$BOA（EOA）は、円周角$\angle x$の中心角で、円周角は中心角の半分の大きさであることから、$\angle x$は17°である。ほかに、三角形の内角の和と、二等辺三角形に注目して答えを導く方法もある。中心点Oから点A、点B、点Cへの距離は同じ、つまり線分OA、OB、OCはどれも同じ長さとなる。$\angle$AEOは$\angle$AEBが53°であることから、127°。$\angle$OAEは19°なので、△OAEの残りの、$\angle$EOAは$180-(127+19)=34$となる。次に、△BOAに注目する。中心点Oを頂点（$\angle$AOBは34°）とした二等辺三角形のため（線分OAと線分OBはどちらも円の半径）、$\angle$OABと$\angle$ABOは同じ角度。180から34を引いた残りの角度146の半分の73が、$\angle$OABと$\angle$ABOの角度となる。$\angle$EABは$73-19$で54。（$\angle$OAEは19°のため、）ここで中心点Oから点Cに補助線を引いて、**二等辺三角形COA**について考える。$\angle$OACは19°だから、$\angle$ACOも19°となり$\angle$COAは142°、$\angle$EOAは34°なので、$\angle$COEは108°となる。最後に**二等辺三角形COB**を考えると、残りの二つの角はどちらも$180°-108°$の半分、つまり36°となり、求めるxは$36-19=17$となり、17°とわかる。

正解 **1**

数学

問題18 図形②

① 右の図のように、円Oの円周上に3点A、B、Cがある。∠BAC = 48°であるとき、∠BCOの大きさとして正しいものを、次の1～4の中から1つ選びなさい。

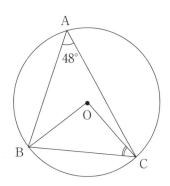

1　42°　　2　44°

3　46°　　4　48°

② 右の図のように、長方形ABCDの辺BC上に点Eをとり、線分FGを折り目として、頂点Aが点Eに重なるように折る。AB = 8 cm、BE = 4 cmであるとき、線分FBの長さとして正しいものを、次の1～4の中から1つ選びなさい。

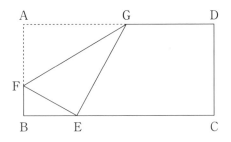

1　$2\sqrt{2}$ cm　　2　3 cm　　3　$2\sqrt{3}$ cm　　4　4 cm

学習日　／　／　／

254

解答解説

1

∠BACは、弧BCに対する円周角、∠COBは中心角である。中心角の角度は、同じ弧の円周角の2倍だから、∠COBは∠BACの2倍の96°。△OBCの、線分OBと線分OCはどちらも半径であるから、△OBCは二等辺三角形。よって∠OBCと∠BCOは同じ角度。**三角形の内角の和は180°**なので、$(180-96) \div 2 = 42$、∠BCOは42°とわかる。また、次のように二等辺三角形に注意しながら、角度を求めていく方法もある。まず∠CABについて考える。前提として、点Oから点Aに補助線を引き、△ABOと△AOCがともに半径を短辺とした二等辺三角形であることを確認しておく。そして以下のようにx、y、zを置いて、計算を進める。∠ABO = ∠OABを∠x、∠CAO = ∠OCAを∠y、∠BCO = ∠OBCを∠zとする。求める∠BCOは∠zでもある。このとき、$x + y = 48$ …①、$x + z = 180 - 48 - (y + z)$ …②、となる（②は△ABCについての数式）。$x + y = 48$を$x = 48 - y$と変えたのち、②に代入すると、$48 - y + z = 180 - 48 - (y + z)$ となり、これを計算すると、$48 - y + z = 180 - 48 - y - z$　$-y + y + z + z = 180 - 48 - 48$　$2z = 84$　$z = 42$となる。∠zと置いたのは、求めるべき∠BCOでもあるから、答えは42°である。

正解 1

2

求める線分FBをxとする。また、△AFGを重ねるように折りたたんでできたのが、△GFEなので、線分AF = 線分FEである。線分ABが8cmであることから、線分FEは「$8 - x$」と表せる。△FBEは**直角三角形**なので、$a^2 + b^2 = c^2$（短辺の二乗＋長辺の二乗＝斜辺の二乗）の公式からxを求めていく。短辺はx、長辺は4、斜辺は$8 - x$なので$x^2 + 4^2 = (8 - x)^2$　$x^2 + 4^2 = 64 - 16x + x^2$　$16x = 64 - 16$　$x = 3$となる。

正解 2

問題19 図形③

次の図において、△ABCは∠A＝90°の直角三角形である。頂点Aから辺BCへ垂線を引き、交点をDとする。また、∠Bの二等分線を引き、AC、ADとの交点をそれぞれE、Fとする。このとき、△AEFは二等辺三角形であることを次のように証明した。

空欄 ア ～ エ に当てはまるものの組合せとして最も適切なものを、後の1～5のうちから選びなさい。

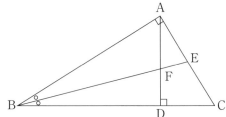

＜証明＞

△ABEと△DBFにおいて、

仮定より、　　　　　∠BAE＝ ア ＝90° ………………………………… (1)

　　　　　　　　　　∠ABE＝∠DBF ……………………………………………… (2)

(1)、(2)より イ がそれぞれ等しいので

　　　　　　　　　　△ABE∽△DBF

よって、　　　　　　∠AEB＝∠DFB …………………………………………… (3)

また、 ウ は等しいので

　　　　　　　　　　∠DFB＝∠AFE ………………………………………………… (4)

(3)、(4)より、　　　∠AEF＝∠AFE

エ が等しいので△AEFは二等辺三角形である。

1	ア	∠BEC	イ	2組の角	ウ	同位角	エ	2つの角
2	ア	∠BEC	イ	2組の辺の比	ウ	錯角	エ	2つの辺
3	ア	∠BDF	イ	2組の角	ウ	対頂角	エ	2つの角
4	ア	∠BDF	イ	2組の辺の比	ウ	対頂角	エ	2つの辺
5	ア	∠BDF	イ	2組の角	ウ	対頂角	エ	2つの辺

学習日

解答解説

この設問を解くうえでのポイントとなるのは、「角度の性質」と「三角形の相似の条件」。設問上で与えられている、∠BAEと∠ADCが直角であること、∠ABEと∠DBFが同じ角度であることを踏まえて、〈証明〉を読んでいくと、線分BC上にある∠ADCが直角であることから、設問部ア「∠BDF」も直角であることがわかる。△ABEと△DBFでは、「2組の角」が等しいことから、この2つの三角形は相似形である。また、2つの三角形の残り1組の角、∠AEBと∠DFBも同一である。さらに「対頂角」である∠DFBと∠AFEも等しく、△AEFの底辺の二角、∠AEFと∠AFEは同じ角度である。「2つの角」が等しい三角形は二等辺三角形だから、△AEFは二等辺三角形である。

正解 3

 ワンポイントアドバイス

なお三角形の相似の条件と、合同の条件は次の通り。それぞれどれかひとつの条件を満たせば、相似あるいは合同となります。

相似の条件：
「2組の角がそれぞれ等しい」
「3組の辺の比がすべて等しい」
「2組の辺の比とその間の角がそれぞれ等しい」

合同の条件：
「3組の辺がそれぞれ等しい」
「2組の辺とその間の角がそれぞれ等しい」
「1組の辺とその両端の角がそれぞれ等しい」

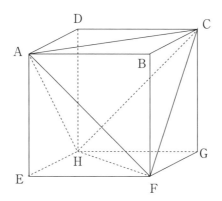

数学

問題20 **図形④**

　次の図は、1辺が6cmの立方体ABCD-EFGHである。頂点A、C、F、Hをそれぞれ結んだときにできる正四面体の体積として最も適切なものを、後の1〜5のうちから選びなさい。

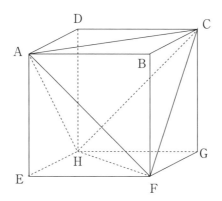

1　72cm³
2　108cm³
3　144cm³
4　180cm³
5　216cm³

解答解説

1辺が6cmの立方体ABCD−EFGHの体積は、6×6×6＝216。この立方体の頂点、A、C、F、Hを結ぶとできあがる正四面体の体積を求める問題だが、「高さ」のわからない**正四面体そのものの体積**を出そうとするよりも、「**正四面体以外の体積**」を立方体の体積から引いて、正四面体の体積を求めることを考えてみる。正四面体は立方体の頂点を結んだ図形で、正四面体を取り囲むようにある4つの図形AEFH、AFCB、CHFG、DAHCはどれも同じ形をした三角錐である。三角錐の体積は、底面積×高さ×$\frac{1}{3}$で求められるから、1つの三角錐の体積を出して4倍し、立方体の体積から引けばよい。三角錐CHFG を見てみると、（立方体の1辺の長さは6なので）底面となる三角形HFGの面積は、6×6÷2＝18 、底面積に高さをかけて3で割れば三角錐の体積が出るから、$18×6×\frac{1}{3}＝36$が、三角錐1つの体積。立方体のなかには、この三角錐が4つと、正四面体が1つあるので、最初に求めた立方体の体積216から、**4つの三角錐の体積を引く**ことで、正四面体の体積となる。216−36×4＝216−144＝72（cm³）が、正四面体の体積である。

正解 1

🎵 ワンポイントアドバイス

問われている立体そのものの体積をいきなり求めるのではなく、全体の体積から周囲の体積を引くことで求めるのは、立体の体積を求める上での重要なテクニックです。

問題21 図形⑤

次の図において、4点A、B、C、Dは円Oの円周上の点である。また点Cを通り、ABに平行な直線とADを点Dの方向に延長した半直線との交点をEとする。

このとき、△BDC∽△ACEであることを次のように証明した。

空欄 ア ～ エ に当てはまるものの組合せとして最も適切なものを、後の1～5のうちから選びなさい。

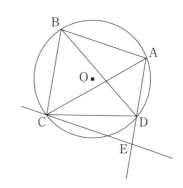

〈証明〉

△BDCと△ACEにおいて

弧CDに対する ア は等しいので

∠CBD = ∠EAC ……………………………………………………………… (1)

仮定よりAB∥ECであり、平行線の イ は等しいので

∠BAC = ∠ECA ……………………………………………………………… (2)

また、弧BCに対する ア は等しいので

∠BAC = ウ ……………………………………………………………… (3)

(2)、(3)より

ウ = ∠ECA ……………………………………………………………… (4)

(1)、(4)より

エ がそれぞれ等しいので、△BDC∽△ACE

1　ア　中心角　　イ　同位角　　ウ　∠ACD　　エ　2組の角

2　ア　円周角　　イ　同位角　　ウ　∠ACB　　エ　1組の辺とその両端の角

3　ア　円周角　　イ　対頂角　　ウ　∠CDB　　エ　1組の辺とその両端の角

4　ア　円周角　　イ　錯角　　　ウ　∠CDB　　エ　2組の角

5　ア　中心角　　イ　錯角　　　ウ　∠ACD　　エ　1組の辺とその両端の角

学習日 ／ ／ ／

解答解説

円周角を用いた「相似形」の証明の問題。２つの三角形は、次の条件のどれかに当てはまれば相似形といえる。「２組の角がそれぞれ等しい」、「２組の辺の比とその間の角がそれぞれ等しい」、「３組の辺の比がすべて等しい」。また、証明文に出てくる「円周角（と弧）」の性質についてまとめておくと、「ひとつの弧ABに対する円周角の大きさは、どれも等しい」。たとえば、円周上に点Aと点Bがあるとする。この２点と、円周上にある別の点P、点Qとでそれぞれに三角形を作った場合、△APBの∠Pと△AQBの∠Qの角度は、同一となるのが、円周角の性質である。以上を念頭に、証明文を読んでいくと、初めの設問部アは「円周角」であることがわかる。次の設問部イの答えは「錯角」。２本の直線に別の直線が交わってできた角のうち、鏡越しに反転するような位置にある角を「錯角」と言う。二本の直線が平行線の場合には、「錯角」の角度は等しくなるから、∠DAC＝∠ECAといえる。設問部ウも、円周角の性質から同じ角度の角を見つける問題。弧BCの円周角∠BACと、同じ弧BCの円周角「∠CDB」は同じ角度である。そして、∠BAC＝∠ECA、∠BAC＝∠CDBだから、∠CDB＝∠ECAであると三段論法で証明を終えている。この証明の根拠となっているのが、最初に記した「三角形の相似形の条件」のうちの、「２組の角がそれぞれ等しいこと」である。

正解 4

 ワンポイントアドバイス

円周上に点のある三角形の問題の場合、円周角を想起すると解答の糸口を得られることがあります。

問題22 図形⑥

次の図のように、2つの正三角形ABCとADEがある。このとき、BD＝CEとなることを次のように証明した。空欄　ア　～　ウ　に当てはまるものの組合せとして最も適切なものを、後の1～5のうちから選びなさい。

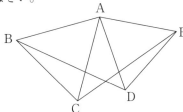

〈証明〉

△ABDと△ACEにおいて

仮定より

　　AB＝AC ……………………………………………………………………………(1)

　　　ア　 ……………………………………………………………………………(2)

また

　　∠BAD＝　イ　＝60°＋∠CAD ………………………………………………(3)

　　∠CAE＝∠DAE＋∠CAD＝60°＋∠CAD …………………………………(4)

(3)、(4)より

　　∠BAD＝∠CAE ……………………………………………………………………(5)

(1)、(2)、(5)より

　　ウ　がそれぞれ等しいから

　　△ABD≡△ACE

合同な図形の対応する辺の長さは等しいから

　　BD＝CE

1　ア　AD＝AE　　イ　∠BAC＋∠CAD　　ウ　2組の辺とその間の角

2　ア　AD＝DE　　イ　∠BAC＋∠CAD　　ウ　2組の辺とその間の角

3　ア　AD＝DE　　イ　∠BAC＋∠DAE　　ウ　2組の辺とその間の角

4　ア　AD＝AE　　イ　∠BAC＋∠DAE　　ウ　1組の辺とその両端の角

5　ア　AD＝AE　　イ　∠BAC＋∠CAD　　ウ　1組の辺とその両端の角

学習日

262

解答解説

三角形の合同の条件は次の3つ。「3組の辺の長さがそれぞれ等しい」、「2組の辺の長さとその間の角がそれぞれ等しい」、「1組の辺の長さとその両端の角がそれぞれ等しい」。なお「3組の角がそれぞれ等しい」は、相似の条件で合同の条件ではない。問題は、△ABCと△ADEが正三角形である前提で、△ABDの辺BDと、△ACEの辺CEが同じ長さだと証明していくもの。はじめに、△ABCの辺に注目する。正三角形で3つの辺の長さは同一だからAB＝AC、さらにABは△ABDの一辺、ACは△ACEの一辺でもある。次に、同じように△ADEに注目する。こちらも正三角形でありすべての辺の長さは同じで「AD＝AE」であり、ADは△ABDの一辺、AEは△ACEの一辺でもある。2組の辺の長さが等しいことがわかったので、その間の角、∠BADと∠CAEについて考えてみる。∠BADと∠CAEはどちらも、①正三角形の角（＝60°）に、②∠CADを合わせた角である。つまり、∠BAD＝「∠BAC＋∠CAD」といえる。その直下に、∠CAE＝∠DAE＋∠CADとあるのがヒントになる。このことから、∠BACと∠DAEは同じ角度であると証明され、その前に証明されている「△ABDの辺AB＝△ACEの辺AC」「△ABDの辺AD＝△ACEの辺AE」と合わせて、合同の条件、「2組の辺とその間の角がそれぞれ等しい」を満たすことがわかった。2つの三角形は合同であるから、ほかの組の辺も同じ長さである。よって、BD＝CEとなる。

正解 1

ワンポイントアドバイス

　2組の辺の長さとその間の角がそれぞれ等しいことによって2つの三角形が合同であることを証明すれば、他の組の辺の長さが等しいことを証明したことになります。

数学

問題23 図形⑦

[1] 次の図のように、AD = 2 cm、BC = 4 cm、CD = 3 cmの台形ABCDがある。この台形を、辺CDを回転の軸として一回転させて立体を作ったとき、この立体の体積として最も適切なものを、後の1〜5のうちから選びなさい。ただし、円周率はπとする。

1　12π cm³
2　28π cm³
3　32π cm³
4　84π cm³
5　96π cm³

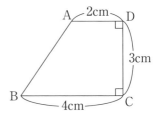

[2] 次の図は、1辺が2 cmの立方体ABCD−EFGHである。頂点Aから辺BF、CG、DH上を通って頂点Eまでひもをかけるとき、最短になるひもの長さとして最も適切なものを、後の1〜5のうちから選びなさい。

1　$2\sqrt{5}$ cm
2　$2\sqrt{10}$ cm
3　$2\sqrt{17}$ cm
4　$2\sqrt{19}$ cm
5　$2\sqrt{21}$ cm

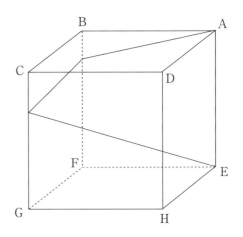

学習日　／　／　／

264

解答解説

1

回転させると**円錐の上部のない形**となるから、（台形の上部のある）円錐を想定してみる。台形の線分BAと線分CDの交点をOとすると、△OADと△OBCができる。交点Oは、平行線の比率からOD：OC＝AD：BCである。AD：BC＝2：4＝1：2の比率なので、OCはDCの倍の長さ。つまりOCは6（cm）、ODは3（cm）である。次に円錐の体積を求める。円錐の体積の求め方は、「底面積×高さ÷3」である。底面積はπr^2で表せるから、円錐全体の体積は、$\pi \times (4)^2 \times 6 \div 3$となり、$32\pi$となる。台形の上部の円錐の体積は、$\pi \times (2)^2 \times 3 \div 3$、つまり$4\pi$。「台形ABCDが辺CDを軸として回転してできた立体」の体積は、「この2つの数値の前者から後者を引いたもの」＝$32\pi - 4\pi = 28\pi$（cm³）となる。

正解 2

2

図を見ると、点Aから1面ずつ左へひもが通り、最後は点Aと上下で同じ辺をつくる点Eに到達している。立方体の上下の面は考えずに、ひもが通っている面だけを展開図にしてみると、**2cm四方の正方形が左右に4つ並ぶ**。いちばん右の面の右上が点A、いちばん左の面の左下が点E。1つの面を通り過ぎるごとに、ひもは少しずつ下へ向かい、点Eでいちばん下まで届いている。展開図として考えた場合には、点Aから点Eへと**一直線にひもをかければ最短距離**となる。2cmの正方形が4枚だから、高さは2cm、幅は8cm。点Aから点Eを結んだ斜辺とともに直角三角形をつくる。三平方の定理$a^2 + b^2 = c^2$からc（斜辺の長さ）を求めると、$2^2 + 8^2 = c^2$　$c^2 = 68$　$c = 2\sqrt{17}$（cm）

正解 3

問題24 図形⑧

次の図のように、平行四辺形ABCDで、∠ABCの二等分線と辺ADとの交点をE とする。このときCD＋DE＝BCとなることを次のように証明した。

空欄 ア ～ エ に当てはまるものの組合 せとして最も適切なものを、後の1～5のうち から選びなさい。

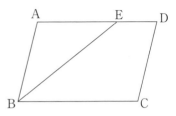

〈証明〉

仮定より、　　　　　∠ABE＝∠CBE ……………………………………………(1)

AD∥BCより、平行線の ア は等しいから、

　　　　　　　　　∠CBE＝∠AEB ……………………………………………(2)

(1)(2)より、　　　　∠ABE＝∠AEB

 イ が等しいので、△ABEは二等辺三角形である。

したがって、　　　　AB＝AE ……………………………………………………(3)

また、平行四辺形の ウ は、それぞれ等しいから、

　　　　　　　　　AB＝CD ……………………………………………………(4)

　　　　　　　　　AD＝BC ……………………………………………………(5)

(3)(4)より、　　　　AE＝ エ

したがって、　　CD＋DE＝AE＋DE

　　　　　　　　　　　＝AD ……………………………………………………(6)

(5)(6)より、

　　　　　　　CD＋DE＝BC

1	ア	錯角	イ	2つの辺	ウ	対角	エ CD
2	ア	同位角	イ	2つの辺	ウ	対辺	エ CD
3	ア	同位角	イ	2つの角	ウ	対辺	エ BC
4	ア	錯角	イ	2つの角	ウ	対辺	エ CD
5	ア	錯角	イ	2つの角	ウ	対角	エ BC

学習日 ／ ／ ／

解答解説

2本の直線に別の1本の直線が交わってできる角度には、選択肢のように「錯角」と「同位角」がある。この2本の直線が平行であるときには、「錯角」も「同位角」も、角度が等しくなる。「同位角」は、カタカナの「キ」の文字で考えると、たとえば1本目の横線の右側上部の角と、2本目の横線の右側上部の角の関係のこと。ほかの対になる角度も同様である。錯角とはたとえば、「Z」の文字がつくる2つの角の位置関係のもので、図形の∠CBEと∠AEBは「錯角」である。設問部では、∠ABE＝∠CBEおよび∠CBE＝∠AEBであることから、∠ABE＝∠AEBを証明し、「2つの角が等しい」ことを根拠に△ABEが二等辺三角形であることと、辺AB＝辺AEであることを証明している。また、「2組の対辺は等しい」という平行四辺形の特徴を挙げて、AB＝CDおよびAD＝BCだから、ABと等しいAEはまた、AE＝「CD」であるとする。最後に、AD＝AE＋DEであり、AE＝CDであることから、AD＝CD＋DEとも置き換えられるとし、平行四辺形の対辺は等しいので、AD＝BCつまり、BC＝CD＋DEと証明している。

正解 **4**

ワンポイントアドバイス

平行四辺形のように平行線のある図形問題では、錯角と同位角について考えるのが解法のカギとなることがあります。

問題25 **図形⑨**

　次の図のように、平行四辺形ABCDで、対角線の交点Oを通り、2辺AB、CDと交わる直線を引く。このとき、AB、CDとの交点をそれぞれP、Qとすると、OP＝OQとなることを次のように証明した。空欄 ア ～ ウ に当てはまるものの組合せとして最も適切なものを、後の1～5のうちから選びなさい。

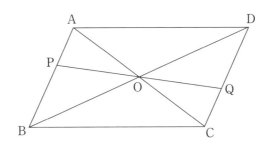

〈証明〉

△APOと△CQOにおいて、

平行四辺形の対角線はそれぞれの中点で交わるので、OA＝OC …………………(1)

AB∥DCより、 ア は等しいので、∠PAO＝∠QCO ………………………………(2)

イ は等しいので、∠POA＝∠QOC ………………………………………………(3)

　(1)(2)(3)より、 ウ がそれぞれ等しいので、△APO≡△CQOとなる。合同な三角形の対応する辺の長さは等しいので、OP＝OQである。

1	ア　対頂角	イ　同位角	ウ　2辺とその間の角
2	ア　同位角	イ　対頂角	ウ　2辺とその間の角
3	ア　同位角	イ　錯角	ウ　1辺とその両端の角
4	ア　錯角	イ　対頂角	ウ　1辺とその両端の角
5	ア　錯角	イ　同位角	ウ　1辺とその両端の角

学習日 ／ ／ ／

解答解説

平行四辺形の特徴は3つ。①2組の対辺はそれぞれ等しく平行である、②2組の対角はそれぞれ等しい、③**対角線はそれぞれの中点で交わる**、である。また、図形⑧の解説で記した、錯角と同位角の特徴を思い出しながら設問に向かうとよい。証明文は、平行四辺形の上記の特徴③、つまり、対角線は中点で交わるという特徴からOA＝OCとし、また特徴①の、平行な対辺を結ぶ対角線が作りあげる**錯角**の特徴から∠PAO＝∠QCOとしている（2本の平行な直線と、それに交わる1本の直線がつくる錯角の角度は等しい）。さらにここでは、2本の直線が交わってできた向かい合った角＝**対頂角**の角度が等しいことから、∠POA＝∠QOCとして、これらが2つの三角形が合同であるための条件、つまり「**1辺とその両端の角**が等しいこと」を満たしているから、△APOと△CQOは合同であること、さらには、そのうちの1組の辺、OPとOQの長さが同一であることを証明している。なお、以下の3つのいずれかの条件を満たしたとき、三角形は合同であるといえる。①3組の辺がそれぞれ等しい、②2組の辺と、その間の角がそれぞれ等しい、③1組の辺と、その両端の角がそれぞれ等しい。

正解 **4**

🖐️ ワンポイントアドバイス

2つの三角形の対応する辺の長さが等しいことは、三角形が合同であることを用いて証明することができます。

数学

問題26　図形⑩

底面の半径が4cm、高さが30cmの円柱の形をした容器に、図のように、ちょうど入る正三角錐の形をしたおもりを入れた。このとき、問1、問2に答えなさい。ただし、容器の厚みは考えないものとする。なお、円周率はπとする。

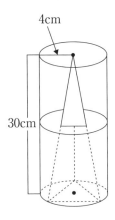

問1　底面の半径が4cm、高さが30cmの円柱の表面積として、正しいものを選びなさい。

ア　$152\pi\,\text{cm}^2$　　イ　$240\pi\,\text{cm}^2$　　ウ　$256\pi\,\text{cm}^2$

エ　$272\pi\,\text{cm}^2$　　オ　$512\pi\,\text{cm}^2$

問2　このおもりを入れた容器に水を注ぎ、ちょうど15cmの高さにするには何cm³の水が必要か、正しいものを選びなさい。

ア　$120\pi - 90\sqrt{3}\ (\text{cm}^3)$　　　イ　$120\pi - 105\sqrt{3}\ (\text{cm}^3)$

ウ　$240\pi - 90\sqrt{3}\ (\text{cm}^3)$　　　エ　$240\pi - 105\sqrt{2}\ (\text{cm}^3)$

オ　$240\pi - 105\sqrt{3}\ (\text{cm}^3)$

学習日

解答解説

問1

円柱の表面積を求める公式は$2\pi r(r+h)$。円柱には底面と呼べるものが上下に2つあり、1つの底面の表面積は、半径×半径×π。底面は2つあるから$2\pi r^2$が底面の面積の合計となる。側面（円柱の柱の部分）の表面積は、「幅×高さ」で、「幅」となるのは「底面の円周」（円柱の展開図を考えてみると、理解できる）である。円周は、「円の直径(半径rの2倍)×π」で求めることができるから$2\pi r$、つまり側面の表面積は$2\pi r \times h$（高さ）と示せる。円柱の表面積はこの底面積の合計と側面の表面積をたした、$2\pi r^2+2\pi r \times h=2\pi r(r+h)$となる。この式に半径4、高さ30を当てはめて計算すると、$2\times4\pi(4+30)=8\pi\times34=272\pi$（cm²）となる。

正解 エ

問2

まず三角錐の底面積を求める。三角形の、上の頂点をA、左の頂点をB、右の頂点をC、中心点をO、AからOを通り辺BCと垂直に交わる点をDとする（また、点Oから点Bと点Cにもそれぞれ補助線を引いておく）。∠ODCは直角、AO＝OB＝OC＝4cm（円の半径）、∠AOCは、円を3等分している角だから120°、それを垂線ADがさらに半分にしているから∠CODは60°である。△ODCは60°と90°をもつ直角三角形だから、短辺：斜辺：長辺＝$1:2:\sqrt{3}$、短辺＝OD＝2、斜辺＝OC＝4、長辺＝DC＝$2\sqrt{3}$。△ABCの、底辺BCは$4\sqrt{3}$（DCの2倍）、高さADは6（AO＋OD）なので、底面積は、$4\sqrt{3}\times6\div2=12\sqrt{3}$（cm²）となる。底面積に高さをかけて3で割ったものが三角錐の体積だから、$12\sqrt{3}\times30\div3=120\sqrt{3}$となる。次に30cmの高さの三角錐全体と、15cm位置で水面から上に出ている三角錐について考える。この2つは相似形。また、15cmの位置の三角形を底面とする三角錐は、三角錐全体と比べて、底面の底辺と高さも半分、さらに三角錐の高さも半分だから、体積としては、三角錐全体の体積の$\left(\frac{1}{2}\right)^3=\frac{1}{8}$。つまり全体の体積（$120\sqrt{3}$）の$\frac{7}{8}$にあたる$105\sqrt{3}$が水面下の三角錐の体積である。一方、円柱の15cmの高さまでの体積は、底面積×高さ、$(4\times4\times\pi)\times15=240\pi$なので、円柱の15cmまでに入る水の量は、これから水面下の三角錐の体積を引いた、$240\pi-105\sqrt{3}$（cm³）である。

正解 オ

問題27 **図形⑪**

下の図のような、中心角の大きさが90°のおうぎ形AOBについて、問1、問2に答えなさい。

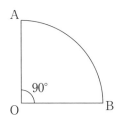

問1　このおうぎ形の弧の長さが4πcmであるとき、半径の長さとして、正しいものを選びなさい。

ア　2cm　　イ　4cm　　ウ　6cm　　エ　8cm　　オ　12cm

問2　このおうぎ形を直線AOを軸として1回転させる。次にAとBを結んでできる△AOBを、直線AOを軸として1回転させる。このとき、おうぎ形を1回転させてできる立体の体積は、△AOBを1回転させてできる立体の体積の何倍となるか、正しいものを選びなさい。

ア　$\dfrac{2}{3}$倍　　イ　$\dfrac{4}{3}$倍　　ウ　$\dfrac{3}{2}$倍　　エ　2倍　　オ　4倍

学習日　／　／　／

解答解説

問1

中心角が90°のおうぎ形なので、弧ABの長さは、円周全体（360°）の４分の１。おうぎ形の弧の長さ＝４πを４倍したもの、つまり16πが円周全体の長さである。「円周の長さ＝直径×π」だから、ここでは円周の長さ＝16πをπで割れば、直径を出せる。直径は16なので、求める半径はその半分、16÷2＝8（cm）。

正解 **エ**

問2

AOもOBも同じ長さ（半径）なので、**おうぎ形を１回転させると半球になる**。つまり、**球の体積を出して２で割ればよい**。球の体積の公式は、$\frac{4}{3}\pi r^3$ で求められる。一方、おうぎ形の点Aと点Bを結んでできた三角形を回転させると円錐となる。円錐の体積の公式は、底面積×高さ×$\frac{1}{3}$。底面は円。円の面積の公式はπr²、円錐の体積は、$\pi r^2 \times r$（AOもOBも半径なので、高さ＝半径＝r）×$\frac{1}{3}$ となる。これを計算すると、円錐の体積は、$\frac{1}{3}\pi r^3$ であることがわかる。一方、半球の体積は、球の体積の半分。球の体積の公式＝$\frac{4}{3}\pi r^3$ に $\frac{1}{2}$ をかけると、$\frac{4}{3}\pi r^3 \times \frac{1}{2}=\frac{2}{3}\pi r^3$。これが半球の体積である。これと、円錐の体積の $\frac{1}{3}\pi r^3$ とを比べると、分数だけが違い、ほかの係数はすべて同じ。分数どうしを比較すると、おうぎ形を１回転させてできる立体の体積は、円錐の体積の２倍だとわかる。

正解 **エ**

問題28 図形⑫

① 立方体の展開図でないものを、次の1〜4のうちから1つ選びなさい。

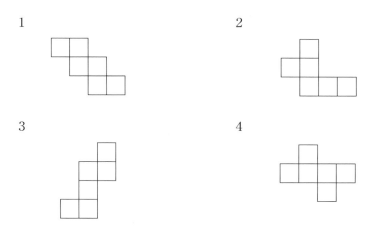

1

2

3

4

② 次の円錐の表面積として正しいものを、あとの1〜4のうちから1つ選びなさい。

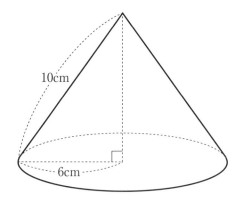

10cm

6cm

1　$86\pi\,\text{cm}^2$　　2　$96\pi\,\text{cm}^2$　　3　$106\pi\,\text{cm}^2$　　4　$116\pi\,\text{cm}^2$

学習日

解答解説

1

それぞれの図形の、ある面を底面として動かさないと決め、ほかを折りたたんだ状態を考えてみる。図形2の場合、中央の段の右側のマス目を底面と決めて、ほかのすべてのマス目を立ち上げてみる。すると、ふた（立方体の上面）になる部分だけはマス目でカバーできないことがわかる（展開図のいちばん上のマス目といちばん右のマス目が重なってしまう）。

正解 2

2

円錐の表面積の公式は、「表面積＝（半径＋母線）×半径×π」。「半径」は、底面の半径のこと、「母線」は、側面の斜面＝展開図にしたときにおうぎ形の半径になる部分のこと。円錐の側面部を展開すると、円ではなくおうぎ形になる。そのおうぎ形の弧に当たる部分は、底面の円周に等しいことから、側面積を出すことができる。つまり、「側面積＝母線×母線×π×$\dfrac{半径}{母線}$」となり、「母線」を約分して簡潔にすると「側面積＝母線×半径×π」。さらに、表面積全体を考えると、表面積＝底面積＋側面積＝（半径×半径×π）＋（母線×半径×π）。2つの（　）に共通の「半径×π」でくくると、冒頭の「表面積＝（半径＋母線）×半径×π」となる。設問の図形では、底面の半径は6cm、母線は10cmなので、表面積＝（6＋10）×6×π＝96π（cm²）。イメージしづらい場合には、手近の正方形のメモ用紙をおうぎ形に切り取って、丸めて立ててみると、どこが母線で、どこが底面の半径かがわかる。母線と半径の関係を理解できると、計算式の意味もわかる。

正解 2

問題29 場合の数①

右の表は、生徒30人の小テストの得点を度数分布表に整理したものです。生徒30人の小テストの得点の中央値（メジアン）として正しいものを、次の1〜4の中から1つ選びなさい。

小テストの得点（点）	人数（人）
0	1
1	5
2	9
3	6
4	5
5	4
計	30

1　3.5　　　2　3

3　2.5　　　4　2

学習日　／　／　／

解答解説

「中央値（メジアン）」と「最頻値（モード）」はそれぞれ以下のような数値のこと。「最頻値（モード）」は、大まかに言うと、階級分け（ここでは「小テストの得点」）のなかで、「**数値（ここでは人数）がもっとも多くなる階級**」のこと。設問の表では、「小テストの得点　2」の階級に「9人」いるので、これが「最頻値（モード）」となる。一方、「中央値（メジアン）」は、とったデータ中、「**まんなかに当たるデータ**」のこと。総数が11なら6番目にあたる数字が「中央値（メジアン）」。データの総数が奇数の場合には、中央値もすぐに決まるが、偶数の場合には、2つの数字が並ぶことになる。その場合には総数が10なら、5位と6位の平均値を中央値（メジアン）とするのが一般的。4位と5位ではなく、「より低い順位の2つ」をとって、その平均を出す。この問いでは、データの総数は30。メジアンのもととなる数値は15番目と16番目となる。15番目が2（点）、16番目が3（点）に当たるため、その平均値、2.5点が、中央値（メジアン）となる。

正解 3

 ワンポイントアドバイス

データの数が奇数個の場合は、まんなかの値がそのまま中央値（メジアン）になります。

問題30 場合の数②

　次の図は、6つの面のうち1つの面にA、2つの面にB、残り3つの面にC、と書かれたさいころの展開図である。この展開図を組み立てたさいころを2個作って同時に投げたとき、最も起こりやすいことがらとして適切なものを、後の1～5のうちから選びなさい。ただし、2個のさいころは、6つのどの面が出ることも同様に確からしいとする。

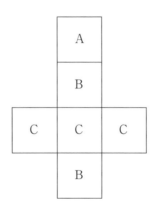

1　2個とも「B」の面が出る
2　2個とも「C」の面が出る
3　「A」と「B」の面が1つずつ出る
4　「B」と「C」の面が1つずつ出る
5　「A」と「C」の面が1つずつ出る

学習日　／　／　／

解答解説

面はそれぞれA＝1つ、B＝2つ、C＝3つと、Cの面がいちばん多いため、直感的に、「どちらにもCが出る組み合わせがいちばん多い」と感じそうだが、実際にはどうかを考えてゆく。冷静にならないとミスをしがちな設問。Cの次に面が多いのはBなので、片方のさいころ（「ア」とする）ではBの面が、もう一方（「イ」とする）ではCの面が出る組み合わせを考えてみると、「ア」の上の面にBが出る場合は、2通り（b①とb②とする）考えられる。同様に「イ」の上の面にCが出る場合は、3通り（c①、c②、c③とする）ある。b①のときにc①、c②、c③の3通りで条件を満たし、b②のときにもc①、c②、c③の3通りで条件を満たす。つまり2×3＝6通りが考えられる。また、アのさいころの上の面がC、イの上の面にBが出る場合についても、最初と同様に、ア＝Cの場合が3通り、イ＝Bの場合が2通りずつあり、6通りとなる。両方を足すと6＋6＝12通りとなる。一方、アのさいころがCで、イもCの場合を考えてみると、どちらも3通りずつで3×3＝9通り。「どちらもC」の場合には、「アがB、イがC」「アがC、イがB」のように「逆の場合」がない。もっとも起こりやすいのは、「BとCの面が1つずつ出る」である。その他の面の組み合わせは、以下の通り。なお、2個のさいころを同時に投げたときに、上に出る面の組み合わせは合計で36通りである。「AとA」＝1通り、「AとB」＝4通り、「BとB」＝4通り、「AとC」＝6通り。

正解 4

ワンポイントアドバイス

さいころ問題でイメージがわかないときは、樹形図を描いてみましょう。

数学

（問題31） **場合の数③**

[1] 次の図のような、6つのマス目がある。それぞれのマス目に1から6までの整数を1つずつ書き入れる。このとき、横に並ぶどの2つの数についても右の数より左の数の方が大きく、縦に並ぶどの2つの数についても下の数より上の数の方が大きくなるように書き入れる。書き入れ方は全部で何通りあるか。最も適切なものを、後の1～5のうちから選びなさい。

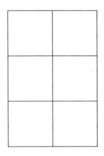

1　4通り
2　5通り
3　6通り
4　9通り
5　12通り

[2] 校庭に50mの白線（白い直線）を引いた。この白線に端から端まで1.25m間隔で目印をつけるとすると、目印はいくつ必要になるか。答えとして正しいものを、次の1～4のうちから1つ選びなさい。

1　39　　2　40　　3　41　　4　42

学習日

。、

解答解説

1

左右のマス目では、左のほうが大きく、上下のマス目では上のマス目ほど大きい数でなくてはならない。このことから、左上のマス目は「6」、右下のマス目は「1」以外は入れられないことがわかる。この2つの数字を固定したうえで、「数字がすべて順番に並んでいる状態」を考えてみる。「左の列が上から6、5、4、右の列が上から3、2、1」という並び。また「左から右にジグザクに数が減っていく並び、すなわち一番上が左右に6と5、中段が左右に4と3、下段が左右に2と1の並び」である。この2つの並びを「少し崩した並び」もあるはずだから、そうした並びを探してみる。するとほかに、「左列（の上から）＝6、5、3、右列4、2、1」「左列（の上から）＝6、5、2、右列＝4、3、1」「左列（の上から）＝6、4、3、右列＝5、2、1」の3通りがあり、全部で5通りとなる。

正解 **2**

2

50mの白線に、1.25m間隔で目印をつけていく。ここで間違えてはならないのは、「線の最初と最後にも目印をうつ」こと。たとえば、ここに10cmくらいの線をフリーハンドで描いてみて、最初と最後に目印をつけたうえで2cmくらい間隔で5つに分けようとすると、最初と最後以外の目印は4つになり、合計6つの目印がうたれることになる。50mの白線の場合も同じ。1.25m間隔なのだから、50を1.25で割った数に1をたしてやればよい。$50 \div 1.25 = 40$に1を足した41が正解。なお「40」は、50mを1.25mで割っただけの数字。これは、50mの距離のなかに1.25mの長さをいくつとれるかを計算したものとなる。

正解 **3**

問題32 **確率①**

① A、B、C、D、Eの5人が、くじ引きで順番を決めて、1列に並ぶものとする。このとき、列の両端がAとBである確率として正しいものを、次の1〜4の中から1つ選びなさい。

1 $\dfrac{1}{6}$　　2 $\dfrac{1}{10}$　　3 $\dfrac{1}{15}$　　4 $\dfrac{1}{30}$

② 1、2、3、4の数字を1つずつ記入した4枚のカードがある。この4枚のカードをよくきって、カードを続けて3枚取り出し、取り出した順に左から右に並べて3けたの整数をつくる。この3けたの整数が3の倍数となる確率として正しいものを、次の1〜4の中から1つ選びなさい。

1 $\dfrac{1}{6}$　　2 $\dfrac{1}{4}$　　3 $\dfrac{1}{3}$　　4 $\dfrac{1}{2}$

学習日　／　／　／

解答解説

①

まず5人が1列に並ぶ組み合わせを考える。1人目は、5人のうち誰でもよいから5通り、次は残りの4人の誰かのため4通り……となり、5人が1列に並ぶすべての組み合わせは、5!＝120通りである。次にAとBが両端のどちらかに並ぶ組み合わせは、ABかBAの2通り。2!と表せる。残りの3人は2番目から4番目のいずれかとなる。3人のうちの2番目の位置に立つのは、CかDかEの3通り、3番目の位置は2通り、4番目の位置は1通り、つまり3!＝6通りとなる。両端がABの場合に6通り、BAの場合にも6通りが考えられるのだから、両端2人を決めてから残りの3人を決める並び方は2通りと6通りをかけた**12通り**である。**分母は120通り**あるので、確率は120分の12、つまり10分の1となる。数式にすると、

$$\frac{3! \times 2!}{5!} = \frac{3 \cdot 2 \cdot 1 \times 2 \cdot 1}{5 \cdot 4 \cdot 3 \cdot 2 \cdot 1} = \frac{1}{10}$$ となる。

正解 2

②

設問は「1、2、3、4のカードを3枚続けて左から右に置いたときにできる3ケタの整数が3の倍数である確率は、どれほどか」だが、できる数字を123、124、134……と書き出す必要はない。まず、4枚のカードをランダムに引いた場合の、「3枚のカードの組み合わせ」のグループを考えてみる。グループで考えると、（1，2，3）、（1，2，4）、（1，3，4）、（2，3，4）の4通り。ここで、3の倍数の性質、つまり「与えられた数字を1ケタにしてすべて足したとき、その和が3の倍数なら、どんな組み合わせでも3の倍数」であることに気づけば、それぞれのグループの3つの数字の和を調べればすむ。3つの数字のグループのそれぞれの和は、（1，2，3）＝6、（1，2，4）＝7、（1，3，4）＝8、（2，3，4）＝9。つまり、（1，2，3）と（2，3，4）の組み合わせでできた数字は、すべて3の倍数となり、（1，2，4）と（1，3，4）の組み合わせ数字は、そうはならない。**4つのグループのうち、2つはすべて3の倍数になる。**残りの2つのグループでは、すべて3の倍数にならないことから、答えは、$\frac{1}{2}$となり、正解は4である。

正解 4

問題33 確率②

1　次の図のように、数直線上に点Aがある。点Aはさいころを投げて、出た目が奇数なら正の方向に、偶数なら負の方向に出た目の数だけ数直線上を移動する。その次にさいころを投げたときは、その位置から続いて移動することとする。

　今、点Aが原点Oにあり、さいころを2回投げたとき、原点Oから点Aまでの距離が1の位置にある確率として最も最適なものを、後の1～5のうちから選びなさい。ただし、さいころの1から6までのどの目が出ることも、同様に確からしいものとする。

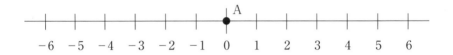

$$1 \quad \frac{1}{4} \qquad 2 \quad \frac{5}{18} \qquad 3 \quad \frac{1}{6} \qquad 4 \quad \frac{1}{9} \qquad 5 \quad \frac{5}{36}$$

2　2つの袋A、Bがある。袋Aには、1から4までの整数を1つずつ書いた同じ大きさの4枚のカード①、②、③、④が、袋Bには、1から5までの整数を1つずつ書いた同じ大きさの5枚のカード①、②、③、④、⑤がそれぞれ入っている。

　袋Aから取り出されたカードに書かれた整数を十の位の数字、袋Bから取り出されたカードに書かれた整数を一の位の数字として、2けたの自然数をつくるとき、つくられる自然数が210の約数である確率として最も適切なものを、次の1～5のうちから選びなさい。ただし、それぞれの袋の中からは、1枚ずつカードを取り出すこととし、どのカードが取り出されることも、同様に確からしいものとする。

$$1 \quad \frac{1}{5} \qquad 2 \quad \frac{1}{4} \qquad 3 \quad \frac{3}{20} \qquad 4 \quad \frac{3}{10} \qquad 5 \quad \frac{2}{5}$$

学習日

解答解説

[1]

「サイコロをふって、奇数ならその数のぶん右へ進み、偶数ならその数のぶん左へ進む」というルールの問題。サイコロを2回投げたあとに、「距離1＝右か左かどちらかに1つ」だけ進む確率を求める。「2つのサイコロの目の差が1」のときだけどちらかに「距離1」を進める。その組み合わせは、（1、2）（2、1）（2、3）（3、2）（3、4）（4、3）（4、5）（5、4）（5、6）（6、5）の10通り。2つのサイコロをふったときに出る目の組み合わせは6×6＝36通りだから、「距離1」を進む確率は、$\frac{10}{36} = \frac{5}{18}$となる。

正解 2

[2]

まず210を素因数分解してみると、$2 \times 3 \times 5 \times 7$となる。つまり、約数としては$2 \times 3$、$2 \times 5$、$2 \times 7$、$3 \times 5$、$3 \times 7$、$5 \times 7$、$2 \times 3 \times 5$、$2 \times 3 \times 7$、$2 \times 5 \times 7$、$3 \times 5 \times 7$の10通りが考えられる。しかし2枚のカードを引いたときにできる数字は2ケタで、しかも最大で45（10の位の袋には1、2、3、4のカードのみ、1の位の袋には1、2、3、4、5のカードのみ）。また「0」のカードは入っていないから、積の1の位が0になる約数（2×5と$2 \times 3 \times 5$）はできあがらない。2枚のカードを引いてつくられる数字のうち210の約数は、上記のうちの2×7、3×5、3×7、5×7、$2 \times 3 \times 7$の5通りである。袋Aと袋Bからカードをとり出してでき上がる数字の組み合わせは、4×5で20通りなので、210の約数となる確率は、$\frac{5}{20} = \frac{1}{4}$である。

正解 2

問題34 **確率③**

1 次の図のように、1周が8cmの円Oの円周上に、円周を8等分する点A、B、C、D、E、F、G、Hがある。

1から6までの目が出る大、小2つのさいころを、同時に1回投げ、大きいさいころの出た目の数をa、小さいさいころの出た目の数をbとし、点Aの位置から円周に沿って右周りにa cm移動した点の位置に点Pをとり、点Aの位置から円周に沿って左周りにb cm移動した点の位置に点Qをとる。

このとき、三角形APQが直角三角形となる確率として最も適切なものを、後の1〜5のうちから選びなさい。ただし、大、小2つのさいころはともに、1から6までのどの目が出ることも、同様に確からしいとする。

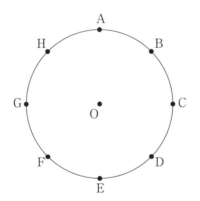

1 $\dfrac{1}{3}$ 2 $\dfrac{7}{18}$ 3 $\dfrac{5}{12}$ 4 $\dfrac{4}{9}$ 5 $\dfrac{17}{36}$

2 白玉3個、赤玉2個が入っている袋から、2個の玉を同時に取り出すとき、取り出された玉の色が同じになる確率として正しいものを、次の1〜4のうちから1つ選びなさい。

1 $\dfrac{2}{3}$ 2 $\dfrac{2}{5}$ 3 $\dfrac{3}{5}$ 4 $\dfrac{3}{10}$

学習日

解答解説

1

点A、点Aから右回りに進んだ点P（a）、点Aから左回りに進んだ点Q（b）の3点を結んだ三角形について考える。「円周角の角度は、中心角の角度の半分」だから、「**三角形の一辺が直径になっている場合**」には、この三角形は直角三角形になる。まず、APが直径になる場合を考えると、点Aの対称点Eに点Pがきたとき、つまり大きいサイコロの目が「4」のときとなる。このとき「Q＝4」のとき以外、つまり（a、b）＝（4、1）（4、2）（4、3）（4、5）（4、6）の5通りで直角三角形ができる。AQが直径の場合には（a、b）の位置がこの逆（1、4）（2、4）（3、4）（5、4）（6、4）の5通りで直角三角形となる。PQが直径になるのはPとQが正反対の位置にあるときだから、（a、b）＝（1、3）（2、2）（3、1）（6、6）の4通りである。サイコロ2個をふったときの目の組み合わせは36通り。このうち14通りで直角三角形ができあがるから、確率は $\frac{14}{36} = \frac{7}{18}$ となる。

正解 2

2

袋のなかにある玉は5個。白玉が3個、赤玉が2個。ここから2個をとり出して、その2個ともが赤玉である確率は、最初は5個のうちの2個にチャンスがあるから $\frac{2}{5}$ だが、赤玉を1つとり出してしまったあとに4つのなかから最後の赤玉をとり出せる確率は $\frac{1}{4}$ である。この条件のどちらも満たさなくてはいけないので、このふたつをかけたもの、$\frac{2}{5} \times \frac{1}{4} = \frac{1}{10}$ が赤玉を続けてとり出せる確率となる。次に、2個とも白玉の確率は、最初は5個のうち3個にチャンスがあり、1個白玉をとり出したあとは4個のうちの2個にチャンスがあるから、$\frac{3}{5} \times \frac{2}{4} = \frac{3}{10}$ となる。「とり出した2つの玉が同じ色の場合」の条件は、2個とも赤玉の場合でも2個とも白玉の場合でも満たされるから、それぞれの「**2個続けて赤玉／白玉をとり出せる**」確率を足せばよい。よって確率は $\frac{1}{10} + \frac{3}{10} = \frac{4}{10} = \frac{2}{5}$ となる。

正解 2

問題35 確率④

　下の図1のように、円Oの周上に円周を12等分する点A〜Lがある。図2のように、箱㋐、箱㋑の2つの箱があり、箱㋐の中にはA〜E、箱㋑の中にはF〜Kの文字が1字ずつ書かれたカードが入っている。このとき、問1、問2に答えなさい。

【図1】　　　　　　　　　【図2】

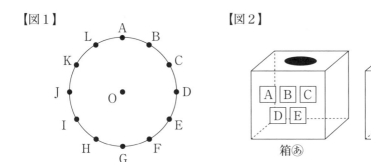

箱㋐　　　　　　箱㋑

問1　図2の箱㋐の中からカードを1枚取り出し、そのカードに書かれた文字と図1の同じ文字の点の位置に点Pをとる。同様に、図2の箱㋑の中からカードを1枚取り出し、そのカードに書かれた文字と図1の同じ文字の点の位置に点Qをとる。このとき、線分PQが円Oの直径になる確率として、正しいものを選びなさい。ただし、どのカードが取り出されることも同じ程度に確からしいとする。

ア　$\dfrac{1}{9}$　　　イ　$\dfrac{1}{8}$　　　ウ　$\dfrac{1}{7}$　　　エ　$\dfrac{1}{6}$　　　オ　$\dfrac{1}{5}$

問2　図1において、線分AHと線分DJの交点をRとする。このとき、∠ARDの大きさとして正しいものを選びなさい。

ア　69°

イ　72°

ウ　75°

エ　78°

オ　81°

学習日

解答解説

問1

点Pを作るカードは5枚、点Qを作るカードは6枚。円周上の点LはPにもQにも対応しない（Lのカードはどちらの箱にも入っていない）。点Pを作るカードが5枚のなかのどれであっても、点Pに対して直径になるカードは、もう一方の箱に入っている6枚のうちのどれかだから、確率は6分の1。具体的にいえば、「箱⓪」に入っているカードのうち、G、H、I、J、Kのカードは「箱あ」の、A、B、C、D、Eのそれぞれのカードに対応して直径を作るが、Fのカードは、「箱あ」のカードには対応せず、どちらの箱にも入っていないLと直径を作る。点Pと直線を作るカードはつねに、6枚のカードのうち1枚だけである。計算をして求めるなら、点Pと点Qの組み合わせは、それぞれの箱のなかのカード、**5枚と6枚をかけた30通り**。そのうち直線を作る組み合わせは、（P、Q）＝（A、G）（B、H）（C、I）（D、J）（E、K）の**5通り**だから、$\frac{5}{30} = \frac{1}{6}$ となる。

正解 **エ**

問2

円周上の点は12等分されているので、ABなどの隣り合った2点と中心点Oが作る∠AOBなどは、すべて30°である。またそのことから、FHなど1つ飛ばした2点とOが作る三角形は正三角形となり、その中心角である∠FOHは60°となる。問題文では、線分AHと線分DJの交点をRとして∠ARDを求めよとしている。ここで、AFにも補助線を引いてみると、二等辺三角形AHFができあがり、∠FAHは中心角FOH＝60°の円周角なので、半分の30°である。線分DJと線分AFの交点をSとすると、△ARSもまた二等辺三角形。∠SARが30°の二等辺三角形なので、三角形の和**180°から30°を引いた150°の半分**が、残りの2つの角の角度。つまり∠ARDは75°となる。

正解 **ウ**

問題1 **物理①**

1　仕事の大きさに関する記述について、仕事の大きさが最も大きいものを、次の1～4の中から1つ選びなさい。なお、重力加速度はすべての記述において同一とする。

1　人が質量200gのリンゴを手で鉛直上向きに50cm持ち上げたとき、人がした仕事。
2　人が質量2kgのスイカを手で鉛直上向きに10cm持ち上げたとき、人がした仕事。
3　体重60kgの人が摩擦の無いスケートリンクの上で、5mの等速直線運動をしたとき、この人がされた仕事。
4　人が質量3kgのカバンを、地面から1mの高さを保ちながら5分間持ち続けたとき、人がした仕事。

2　質量5kgの物体を、モーターを使って床から1.5mの高さまで、5秒で引き上げた。このとき、物体にした仕事の大きさとして最も適切なものを、次の1～4の中から1つ選びなさい。ただし、100gの物体を持ち上げるときに必要な力を1Nとする。

1　7.5J　　2　15J　　3　75J　　4　375J

学習日

物理

物理①

解答解説

1

「ある物体に力を加えて、その向きに動かすこと」が「仕事」である。「**物体を動か
すこと**」が、重要な点。「人がどれだけ力を要したか」ではない。（以下は、中学校
での教わり方をもとにした解説である）。「仕事の大きさ」を求める際には、100gの
物体にかかる重力を1N（ニュートン）、1Nの力によってある物体がその方向に1
m動いたときの仕事量を1J（ジュール）とする。つまり、「仕事の大きさ（J）＝力
（N）×距離（m）」。この式で選択肢の仕事の大きさを考えると次のようになる。

1　200gのリンゴにかかる重力は2N、それを50cm持ち上げるとすると、距離は
　　0.5mであるから、2N×0.5m＝1J。

2　2kgは2000g、それを10cm持ち上げるので、20N×0.1m＝2J。

3　摩擦のないスケートリンクの上での等速直線運動は、スピードが変わらず摩擦
　　もないのだから、力は加えられていない。つまり「仕事の大きさ」は、0であ
　　る。

4　3kgのカバンは、1mの高さにあるが、そこから力の向きに動かされてはい
　　ないので、「仕事の大きさ」は0である。

正解 2

2

上の設問では、100gの物体にかかる重力は1N、ある物体が1m動いたときの仕事
量は1Jだから、仕事の大きさ（J）＝力（N）×距離（m）と説明したが、「仕事の大
きさ」はW、力（の大きさ）はF、力の向きに動いた距離をsとしてW（J）＝F
（N）×s（m）あるいは**W＝Fs**と覚えておくとよい。設問は、「質量5kgの物体」を
「1.5mの高さまで引き上げる」ときの仕事の大きさを求めるもの。**仕事にかけた
「時間」は、仕事の大きさとは関係がない。**質量5kg（5000g）のものを1.5mまで引
き上げるので、$W(J) = \frac{5000}{100} \times 1.5 = 75 (J)$ となる。なおFは「力」を意味するforce
（フォース）の略である。

正解 3

問題2 物理②

次の図のように、水平面からなめらかにつながっている高さ1mの斜面上に、質量1kgの台車Aを静止させている。また、仕事測定器は、くいに与えられる仕事と、くいが押し込まれる長さとが比例するようになっている。静かに台車Aを放すと、台車Aはまっすぐ斜面を下り、仕事測定器のくいを押し込んだ。次に、くいの位置を元に戻して、台車Aを質量2kgの台車Bに変え、同じ実験を行った。

台車Aが押し込んだくいの長さは台車Bが押し込んだくいの長さの何倍か。最も適切なものを、後の1～5のうちから選びなさい。ただし、空気の抵抗や台車に関わる摩擦は考えないものとし、衝突のエネルギーは全てくいに伝わるものとする。

1 台車Aがくいを押し込んだ長さは、台車Bがくいを押し込んだ長さの $\frac{1}{4}$ 倍である。

2 台車Aがくいを押し込んだ長さは、台車Bがくいを押し込んだ長さの $\frac{1}{2}$ 倍である。

3 台車Aがくいを押し込んだ長さは、台車Bがくいを押し込んだ長さと同じである。

4 台車Aがくいを押し込んだ長さは、台車Bがくいを押し込んだ長さの2倍である。

5 台車Aがくいを押し込んだ長さは、台車Bがくいを押し込んだ長さの4倍である。

解答解説

台車Aは1kgの物体、台車Bは2kgの物体である。一方、台車のスタート位置は、水平面から高さ1mである。したがって、位置エネルギー(J) = 重さ(N) × 高さ(m)だから、仕事測定器が受けるAからの衝突のエネルギーはBの2分の1倍。設問は、「Aの台車がくいを押し込んだ長さは、Bが押し込んだ長さの何倍か」だから、答えは2である。

問題文が長く複雑なので難しく考えがちだが、**位置エネルギーの視点から考えれば、解法は単純であることがわかる**。「斜面」「台車」「くい」などといったものに惑わされず、純粋に位置エネルギーの問題として単純化して考えること。

正解 2

 ワンポイントアドバイス

問題文が長く難解な問題に見えても、本質は位置エネルギーの問題であることを理解すれば、それほど難しくありません。公式に数値を当てはめてしまえば、すぐに答えは出ます。

物理

物理②

物理③

問題3

　次の図のように、物体（光源）が凸レンズの焦点距離の2倍の位置（A)′にある。凸レンズの反対側で焦点距離の2倍の位置（B）にスクリーンをおいた場合、そこにできる像の大きさと向きとして最も適切なものを、後の1〜6のうちから選びなさい。

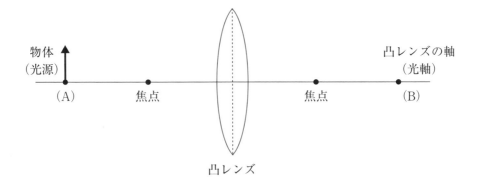

1　物体（光源）より小さく、上下左右が同じ向き
2　物体（光源）より小さく、上下左右が逆向き
3　物体（光源）と同じ大きさで、上下左右が同じ向き
4　物体（光源）と同じ大きさで、上下左右が逆向き
5　物体（光源）より大きく、上下左右が同じ向き
6　物体（光源）より大きく、上下左右が逆向き

解答解説

凸レンズは、周辺部より中心部分がより厚くなっているレンズ。凸レンズの中心を通って、レンズの表面に垂直な直線を光軸という。この光軸に平行な光が、凸レンズに当たると、光は屈折しながら凸レンズを通り抜けて、ある一点に集まる。それが**焦点**である。また、凸レンズの中心から焦点までの距離を**焦点距離**という。焦点は、光源と凸レンズの間にも、凸レンズの先にもある。まず、凸レンズと、凸レンズの先にある焦点（焦点 b とする）との関係について考える。①光源を出て、光軸に平行に入った光は、凸レンズで屈折して焦点 b を通る。②光源を出て、凸レンズの中心を通った光は、そのまま直進する。こうして、物体から出た光は、レンズの向こう側で実際に集まって像を作る（実像）。③物体側の焦点を通って入った光は凸レンズで屈折し、凸レンズの光軸と平行に直進する。①と②の場合だけを考えると、②の光は、（B）にあるスクリーンにそのままたどりつくが、①の光は、**上下も左右も逆さになって**、（B）にたどりつく。問題文の図のように、物体が焦点距離の 2 倍の位置にあるときには、（B）の位置に実像ができて、**物体と同じ大きさに映る**。以上のことから、正解は 4 の「物体（光源）と同じ大きさで、上下左右が逆向き」となる。

正解 4

ワンポイントアドバイス

①②③の光は、凸レンズの反対側で 1 点に集まって像を作ります。

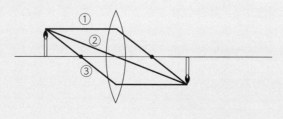

問題4 物理④

次の文を読んで、問1、問2に答えなさい。

地球上の物体をある高さまで持ち上げるためには、物体にはたらく重力と反対の向きに、同じ大きさの力を加え続ければよい。このとき、斜面やてこ、滑車などの道具を使うことで、そのまま持ち上げるよりも小さな力で、物体を持ち上げることができる。

物体に力を加えて、その力の向きに動かしたときの、力の大きさと　1　との積を「仕事」といい、「仕事」の単位には　2　が使われる。

問1　空欄1、空欄2に当てはまる適切な語句の組合せを選びなさい。

ア　1 ― 力を加えた時間　　　　　2 ― ワット（記号：W）
イ　1 ― 力を加えた時間　　　　　2 ― ジュール（記号：J）
ウ　1 ― 力の向きに動いた距離　　2 ― ワット（記号：W）
エ　1 ― 力の向きに動いた距離　　2 ― ジュール（記号：J）
オ　1 ― 力の向きに動いた距離　　2 ― ニュートン（記号：N）

問2　下線部に関する記述として、物体をある高さまで持ち上げるとき、適切なものの組合せを選びなさい。ただし、使用する道具の質量や摩擦力などの影響は考慮しないものとする。

①　斜面を使った方が、そのまま持ち上げるよりも仕事の大きさは小さくなる。
②　斜面の傾斜を変化させても仕事の大きさは変わらない。
③　てこを使う時、物体と支点の距離を短くしても仕事の大きさは変わらない。
④　てこを使う時、支点と力点の距離を2倍にすると、加える力は半分ですむ。
⑤　滑車を1つ使うと、物体の重さを2倍にしても、仕事の大きさは変わらない。

ア　①②④　　イ　①②⑤　　ウ　①③⑤　　エ　②③④　　オ　③④⑤

学習日 ／ ／ ／

解答解説

問1

荷物を持ち上げる際にはいくつかの方法がある。そのまま手で２ｍ持ち上げる、高さ２ｍまで斜面を引き上げる、ひもでくくった荷物を滑車で２ｍまで引っ張り上げるなどである。その場で荷物を持ち上げるなら、２ｍの高さまで持ち上げればすむ。一方、斜面をつかうと、必要な力は小さくなるものの、荷物を動かす距離は長くなる。到達する高さはやはり２ｍである。つまり、仕事（J）＝重さ（N）×高さ（m）となる。重さは「力の大きさ」、高さは「力の向きに動いた距離」とも言い換えられるから、**仕事の大きさ（J）＝力の大きさ（N）×力の向きに動いた距離（m）** でもある。仕事の単位には**ジュール（J）** が用いられる。なお、重さや力の単位はニュートン（N）である。

正解 エ

問2

① ×　ものを動かすとき、斜面を用いると小さな力ですむが、動かす距離は長くなる。「仕事の大きさ」は**一定**で、仕事(J)＝力(N)×距離(m)である。

② ○　肢文の通り。

③ ○　肢文の通り。

④ ○　肢文の通り。てこの場合も上記と同様に「仕事の大きさ」は同じため、説明は正しい。支点を中心に片側に物体（支点からの距離ａ）、反対側に力を加える点（支点からの距離ｂ）があるとすると、物体の重さ×距離ａ＝力の大きさ×距離ｂである。力の大きさ×距離ｂはつねに一定だから、距離が２倍なら力は半分ですむ。

⑤ ×　使う滑車が１つだけの場合、必要な力も動かす距離も、滑車を使わない場合と変わらない。動かす**物体の重さが２倍になれば仕事の大きさも２倍になる。**

正解 エ

問題5 **物理⑤**

[1] 音の伝わり方や性質について述べたものとして誤りを含むものを、次の1〜4のうちから1つ選びなさい。

1 離れた場所に設置した2つのスピーカーから同じ振動数の音を出すと、音波が干渉することで音がよく聞こえる場所と聞こえない場所ができることがある。

2 地震の揺れとともに音が聞こえることがあるが、岩石等の固体を伝わる音は、空気中を伝わる音より早く伝わる。

3 動いている音源の出す音を、静止している観測者が聞くとき、音源が近づくときに音は高く聞こえ、音源が遠ざかるときに音は低く聞こえる。

4 弦楽器は、弦をおさえる位置を変えて、弦の振動する部分を長くするほど、より高い音が出る。

[2] 慣性の法則の事象として適切でないものを、次の1〜4のうちから1つ選びなさい。

1 だるま落としで、力を加えた1段は横に飛ぶが、力を加えていないそれ以外の上の段は、下に落ちる。

2 走行している電車が急ブレーキをかけたときに、乗客の体が進行方向に倒れる。

3 カーリングの試合で、滑らかな氷の上に投げられたストーンが、遠くまで滑っていく。

4 池に浮かんで静止している2台のボートの一方の漕ぎ手が、相手のボートを押すと、2台のボートは離れていく。

学習日 ／ ／ ／

解答解説

1

1 ○ 肢文の通り。同じ振動数でも逆位相の場合には、音は打ち消し合って聞こえなくなる。

2 ○ 肢文の通り。空気中より水中のほうが音は速く伝わり、固体のほうが音は速く伝わることが多い。たとえば、プラットフォームで電車を待っているときに、電車の姿は見えないのに、線路には音が伝わってくるのが一例である。

3 ○ 肢文の通り。いわゆるドップラー効果。むこうから来た救急車が自分の前を通り過ぎていくときにサイレン音の高さが変わるのが一例だが、近頃は同じ音が聞こえるように補正している救急車もあるという。

4 × ギターでもウクレレでも、音を奏でるときに、弦を押さえた指の近くで弦を弾くほど高い音が出る。遠い（ネックの端のほうで）弦を押さえて楽器の中心付近を弾くと、低い音が出る。

正解 4

2

選択肢4は、慣性の法則ではなく、**作用・反作用の法則**の説明。「あるものに力を加えると、その力とは反対方向の力を受ける」というもの。スケートボードに乗って止まっている人が、壁を押すと押し返されて反対側に滑り始めるのも一例で、作用・反作用の法則も慣性の法則と同じように、地球上のあらゆる物体に当てはまる法則である。また、慣性の法則は、①止まっている物体に力を加えなければ、そのまま止まっている、②動いている物体に力を加えなければ、そのまま動き続ける（等速直線運動）というもの。肢文1、2、3のように、運動をしているものはそのままでい続けようとし、止まっているものは止まり続けようとする。止まっている電車内に立っている人が、電車が急に走り出したときにうしろに引っ張られてしまうようになるのは、立っている人は止まり続けようとしているのに、前方に加速する力が加えられてバランスを崩すためである。

正解 4

化学①

① 次は、水とエタノールの混合物を加熱し、分離する実験について述べた文章です。文章中の ① 、 ② にあてはまる語句の組み合わせとして正しいものを、下の1～4の中から1つ選びなさい。

水とエタノールの混合物を熱すると、水よりも沸点が ① エタノールを多く含んだ気体が先に出てくる。このように、物質の沸点の違いを利用して、蒸発する気体を冷やして再び液体を得る操作を ② という。

1　① 低い　② 再結晶
2　① 低い　② 蒸留
3　① 高い　② 再結晶
4　① 高い　② 蒸留

② 塩酸の性質として適切でないものを、次の1～4の中から1つ選びなさい。

1　マグネシウムを入れると水素が発生する。
2　青色リトマス紙を赤色に変える。
3　緑色のBTB溶液を黄色に変える。
4　フェノールフタレイン溶液を赤色に変える。

学習日　／　／　／

解答解説

1

沸点とは、液体が沸騰する温度のこと。また、沸騰とは液体のなかで気化が起こっている状態のことで、沸騰して泡立つのは、気体が生じているから（一方、液体の表面だけで起こる気化のことを、蒸発という）。1気圧のもとでは、水の沸点はおよそ100℃、エタノールは約78℃なので、水とエタノールの混合物を加熱すると、**水よりも沸点が低いエタノール**を多く含んだ気体が先に出てくる。このように液体から出てきた気体を再び冷やし、もとの液体に戻す作業を**蒸留**という。なお選択肢のなかにある**再結晶**とは、適当な溶媒に加熱して溶かすなどし、溶解度の差を利用して、不純物をとりのぞく精製作業を行うこと。固体から液体へと**溶ける温度の差**を利用する。

正解 2

2

1 ○ 肢文の通り。

2 ○ 肢文の通り。青色のリトマス試験紙は、酸性の溶液につけると赤色に、赤色の試験紙は、アルカリ性の溶液に浸すと青色になる。

3 ○ 肢文の通り。BTB溶液は、「ブロモチモールブルー」を水かエタノールに溶かしたもの。液体が、酸性か中性かアルカリ性かを調べる。調べる液体に数滴たらした際に、色が黄色に変化すれば酸性、緑色なら中性、青色ならアルカリ性と判断する。

4 × フェノールフタレイン溶液は酸性の塩酸には反応しないので、この記述は間違い。フェノールフタレイン溶液は無色の液体。**アルカリ性**の溶液に混じると**赤色**に変化する。酸性・中性の場合には、無色のまま。ここで出てきたもののほかに、ph指示薬のメチルオレンジなどもある。

正解 4

化学

問題2 **化学②**

[1]　それぞれ質量パーセント濃度が1%の塩酸と水酸化ナトリウム水溶液があります。その塩酸に水酸化ナトリウム水溶液を加えていくと、酸性もアルカリ性も示さない中性の水溶液になりました。この水溶液にさらに水酸化ナトリウム水溶液を加えていくと、水溶液はアルカリ性を示しました。このとき、水溶液中に最も数多く存在しているイオンを、次の1〜4の中から1つ選びなさい。

　　1　H^+　　　2　Cl^-　　　3　Na^+　　　4　OH^-

[2]　次の1〜4の中から、酸素を発生させる操作として最も適切なものを、1つ選びなさい。

　　1　石灰石にうすい塩酸を加える。
　　2　塩化アンモニウムと水酸化ナトリウムを混合して、水を加える。
　　3　二酸化マンガンにうすい過酸化水素水を加える。
　　4　亜鉛にうすい塩酸を加える。

学習日　

解答解説

1

濃度１％の塩酸に水酸化ナトリウムの水溶液を加えると以下のような変化が起こる。化学式はHCl＋NaOH→H$_2$O＋NaCl、イオン式はH$^+$Cl$^-$＋Na$^+$OH$^-$→H$_2$O＋Na$^+$Cl$^-$（塩酸はHCl、水酸化ナトリウムはNaOH。NaClは塩化ナトリウム。また、H$_2$Oは水）。中和・中性化（酸性でもアルカリ性でもなくなる状態）するまで、塩酸に水酸化ナトリウム水溶液を追加していくと、上記の状態で、拮抗する。設問中に「中和したのちに、さらに水酸化ナトリウム水溶液を加えていくと、**水溶液はアルカリ性を示した**」とあることから、OH$^-$がH$^+$より多いことがわかる。このとき、Na$^+$はOH$^-$と同じ数のように思えるが、塩化ナトリウム（NaCl）は水溶液中ではNa$^+$とCl$^-$のイオンの状態で存在するため、**Na$^+$がOH$^-$より多くなる**。正解は３。

正解 3

2

二酸化マンガンに薄い過酸化水素水を加えると、**酸素と水が発生**する。もともと過酸化水素水は、単独でも酸素をゆっくりと発生させて水に戻ろうとしている。二酸化マンガンは、その速度を速める**触媒**としての働きがある。選択肢３が正解。なお、１では、二酸化炭素が発生する。主成分が炭酸カルシウム（CaCO$_3$）の石灰石に、塩酸（HCl）を加えた場合の反応式は、CaCO$_3$＋2HCl→CaCl$_2$＋CO$_2$＋H$_2$O（CaCl$_2$は塩化カルシウム）となり、二酸化炭素が生じることがわかる。２では、アンモニアと水と塩化ナトリウムになる。NH$_4$Cl＋NaOH→NaCl＋H$_2$O＋NH$_3$となる。NH$_3$はアンモニア。選択肢４の反応では、水素が発生する。Zn＋2HCl→H$_2$＋ZnCl$_2$となる。Znは亜鉛。

正解 3

化学

問題3 化学③

　　水素と酸素を混ぜた気体に点火したところ、激しく反応して水が生じた。このときの化学変化を原子や分子のモデルで表したものとして最も適切なものを、次の1〜5のうちから選びなさい。ただし、水素の原子を○、酸素の原子を●で表すものとする。

1　　○○　　＋　　●　　→　　○●○

2　　○○　　＋　　●●　　→　　●○
　　　　　　　　　　　　　　　●○

3　　○○　　＋　　●●　　→　　○○●
　　　　　　　　　　●●　　　　●○●

4　　○○　　＋　　●●　　→　　○●○
　　　○○　　　　　　　　　　　○●○

5　　○○○　　＋　　●●　　→　　●○
　　　○○○　　　　　　　　　　　○●○

学習日　／　／　／

304

解答解説

水素は燃える気体であり、一方、酸素は、ものを燃やす性質を持っている。ただし、空気中にふつうの状態で水素と酸素があっても燃えることはない。この２つを燃やすためには、「点火・発火させるためのもの」が必要である。たとえばビニール袋に水素と酸素を入れて密封し、（安全のために）棒などにとりつけて、離れたところにあるアルコールランプ等で温めると、設問文のように「激しく反応して水が生じた」というようなことが起こる。実際には、大きな音を立てて爆発を起こし、水が残る。これを化学反応式で表すと、$2H_2 + O_2 \rightarrow 2H_2O$ となる。この化学反応式を表しているのは選択肢４である。**水素分子が２つ、酸素分子が１つ、水分子が２つ**であることを表しているからである。

水素と酸素は瞬間的に激しく化合し、爆発し、燃える。燃焼は、化学的にいえば「酸素と結合すること（酸化）」。そして、水素が高温になって完全に燃えたあとにできる「燃えカス」ともいえるものが、水である。水素が酸素と結合して燃えて水になるのは、空気中に水素分子と酸素分子が別々に存在するより、水になってしまったほうが低エネルギーの状態で存在できるから。ガスの状態でたまっていた熱エネルギーが、爆発することで急激に放出され、水となる。反対に、電気を通すなどして、水に無理にエネルギーを与えれば、水素と酸素に分解できる。

正解 4

ワンポイントアドバイス

化学反応式から水素原子と酸素原子はいくつずつあるか数えれば、正解肢は容易に見つけることができます。

問題4 化学④

① 次の記述は、燃料電池について説明したものである。空欄 ア 〜 エ に当てはまるものの組合せとして最も適切なものを、後の1〜5のうちから選びなさい。

　 ア の イ とは逆の化学変化を利用して、 ウ エネルギーを取り出す装置を燃料電池という。燃料電池は エ と酸素を供給すれば、継続的に使うことができる。

1	ア	水	イ	電気分解	ウ	電気	エ	水素
2	ア	水	イ	燃焼	ウ	電気	エ	水素
3	ア	二酸化炭素	イ	電気分解	ウ	熱	エ	水
4	ア	水	イ	電気分解	ウ	熱	エ	水素
5	ア	二酸化炭素	イ	燃焼	ウ	熱	エ	水

② 砂糖80gを水に溶かして、400gの水溶液を作った。この水溶液の質量パーセント濃度を10%にするためには、水をあと何g加えるとよいか。最も適切なものを、次の1〜4のうちから選びなさい。

1　320g
2　400g
3　480g
4　800g

学習日　／　／　／

306

解答解説

1

水に電気を流すと、水素と酸素が発生する。これを「水の電気分解」という。

電気分解と反対の化学変化を利用したものが燃料電池で、水素と酸素から電気エネルギーをとり出すものである。燃料電池の大きなメリットは、燃焼過程がないため、エネルギー以外に生じるものは、水だけ、という点である。

正解 1

2

水溶液の質量パーセント濃度は、$\dfrac{\text{溶かす物体の量(g)}}{\text{水の量(g)}+\text{溶かす物体の量(g)}} \times 100$で表す。砂糖80gを溶かして400gの水溶液をつくったのなら、水は320gであり、$\dfrac{80\,(\text{g})}{320\,(\text{g})+80\,(\text{g})}$と表せる。このとき、水溶液400g中の砂糖は80gであるから、水溶液の濃度は20%である。この水溶液を10%の水溶液にするためには、水溶液そのものの質量に対して、溶けている物体の質量が10%になればよい。砂糖は80gだから、水溶液を800gにすれば質量パーセント濃度は10%となる。現在の水溶液は400gなので、800－400＝400。水を400g入れればよい。

正解 2

次の文を読んで、問1、問2に答えなさい。

　物質は、熱を与えられたり奪われたりして温度が変化すると、それにともなって固体、液体、気体と状態が変化することがある。物質の状態が変化することを、<u>物質の状態変化</u>という。私たちの身の回りには様々な物質があり、空気の約8割を占める　1　は十分に冷やすと液体になるが、さらに冷やし続けると固体になる。また、ドライアイスなどのように、物質によっては固体から直接気体に変化するものもある。固体から直接気体になる変化のことを　2　という。

問1　空欄1、空欄2に当てはまる適切な語句の組合せを選びなさい。

　　ア　1 ― 酸素　　　　2 ― 蒸発
　　イ　1 ― 酸素　　　　2 ― 昇華
　　ウ　1 ― 窒素　　　　2 ― 昇華
　　エ　1 ― 窒素　　　　2 ― 蒸発
　　オ　1 ― 二酸化炭素　2 ― 蒸発

問2　下線部について、物質の状態変化ではないものはどれか。後の1～4のうちから選びなさい。

　　1　洗濯物が乾く
　　2　コップの水が減る
　　3　寒い日の朝、窓ガラスに水滴がつく
　　4　ろうそくに点火する

学習日　／　／　／

解答解説

問1

温度の変化や圧力によって、物質は、固体・液体・気体の３つの状態（三態）に変化する（**物質の状態変化**）。状態の変化は、基本的には分子の運動や位置関係の違いによる。固体では規則正しく分子が配列しているが、物質に熱が加わるなどすると、分子のあいだの振動が大きくなって、広がりが生まれ、つながりがゆるくなっていく。分子が、ある程度の自由をもった状態が、液体。さらにエネルギーが加わると、分子がバラバラになって自由に動くようになる。これが気体である。

物質の三態の変化

融解	固体から液体に変化する
凝固	液体から固体に変化する
蒸発（気化）	液体から気体に変化する
凝縮（液化）	気体から液体に変化する
昇華	固体から気体に変化する（気体から固体に変化する）

空気中のおよそ８割を占める**窒素**は、冷やすと初めは液体に、さらに冷やすと固体になるが、これは上記の説明とは逆の道筋をたどって、分子間の距離が少しずつ緊密になっていく現象である。設問文に挙げられているドライアイスのように、固体からいきなり気体になる状態変化は**昇華**と呼ばれる。

正解 ウ

問2

選択肢１・２は蒸発（気化）、選択肢３は凝縮（液化）であり、いずれも物質の状態変化に当たる。一方、選択肢４は燃焼反応であり、物質の状態変化ではない。

正解 4

化学

問題6 化学⑥

① 水溶液と2つの電極を用いて、できる限り大きな起電力を生じる簡易電池をつくる組合せとして最も適しているものを、次の1〜4のうちから1つ選びなさい。

	ビーカーに入れる水溶液	電極1	電極2
1	エタノール水溶液	亜鉛	炭素
2	食塩水	銅	アルミニウム
3	砂糖水	マグネシウム	アルミニウム
4	うすい塩酸	銅	銅

② 消石灰の水溶液の性質とリトマス紙の色の変化について正しいものを、次の1〜4のうちから1つ選びなさい。

	水溶液の性質	リトマス紙の色の変化
1	酸性	赤色が青色に変化する
2	アルカリ性	青色が赤色に変化する
3	酸性	青色が赤色に変化する
4	アルカリ性	赤色が青色に変化する

学習日

310

解答解説

1

水溶液が**電解質**でないと、電流は流れない。イオン性の物質である塩化ナトリウム、塩化水素、塩化銅、水酸化ナトリウム、硫酸などが電解質である。一方、**非電解質**の溶液は電流を通さない。エタノール、ブドウ糖（グルコース）、ショ糖（スクロース）などは非電解質だから、選択肢1のエタノール水溶液と、3の砂糖水では簡易電池を作れない。また、2種類の金属板を水溶液にいれたときに電流が流れるのは、2種類の金属のどちらかが**陽イオン化して電子を放出**するからである。金属同士の性質により、陽極化するのがどちらかが変わってくる。選択肢4のように同じ金属では、電子の放出のしやすさが同じため、電流が流れず電池にはならない。

正解 2

2

消石灰は、校庭やグラウンドに線を引くときに用いられる白い粉。正式な名称は**水酸化カルシウム**。化学式は$Ca(OH)_2$で表される。水溶液はアルカリ性。化学式から**水酸化物イオン**（OH^-）を電離するとわかるため、アルカリ性であることが明らかだろう。水にはわずかに溶ける。リトマス紙は、酸性溶液に浸すと青が赤に変色し、**アルカリ性溶液に浸すと赤が青に変色**する性質を持つ。正解は4。

正解 4

化学

問題7 化学⑦

1 気体の発生方法や性質、集め方の説明として誤りを含むものを、次の1～4のうちから1つ選びなさい。

1 アンモニアは、塩化アンモニウムと水酸化カルシウムを混ぜ合わせて熱すると発生する。鼻をさすような刺激臭がある。空気よりも密度が大きいので下方置換法で集めることができる。
2 二酸化炭素は、石灰石や貝殻にうすい塩酸を加えると発生する。水に溶けると酸性を示す。空気よりも密度が大きいので下方置換法で集めることができる。また、水に少ししか溶けないので水上置換法でも集めることができる。
3 酸素は、二酸化マンガンにうすい過酸化水素水を加えると発生する。物質を燃やす働きがあるが、酸素自体は燃えない気体である。水に溶けにくいので、水上置換法で集めることができる。
4 水素は、鉄や亜鉛などの金属にうすい塩酸や硫酸を加えると発生する。非常に燃えやすく、空気中で燃えると水になる。水に溶けにくいので、水上置換法で集めることができる。

2 アルカリ性の水溶液の性質として正しいものを、次の1～4のうちから1つ選びなさい。

1 青色リトマス試験紙を赤色に変色させ、pHは7より大きい値を示す。
2 青色リトマス試験紙を赤色に変色させ、pHは7より小さい値を示す。
3 赤色リトマス試験紙を青色に変色させ、pHは7より大きい値を示す。
4 赤色リトマス試験紙を青色に変色させ、pHは7より小さい値を示す。

学習日 ／ ／ ／

解答解説

1

水上置換法　　　　　下方置換法　　　　　上方置換法

気体を集める場合、水に溶けづらい、あるいは溶けない気体であれば、水中で気体を集める水上置換法を用いる。たとえば水素、酸素、二酸化炭素などの捕集に適した方法。また、水に溶けやすい気体の場合、**空気より密度が大きい（重い）気体を集めるときには、下方置換法を用いる。**容器の口を上に向け、気体の発生口を容器の奥のほうに入れて、気体を集める。気体を集めるための管は下を向いている。二酸化炭素、塩素、塩化水素などに適している。**空気より密度が小さい（軽い）アンモニアなどの気体には、口を下に向けた容器に管を入れて気体を集める上方置換法**を用いる。管は上を向いている。空気より重い気体は下のほうに集まろうとし、軽い気体は上のほうに向かうから、管の口の向きを上図のようにすることで、気体を確保しやすく、逃げにくくすることができる。誤りを含むものは、選択肢1。

正解 1

2

リトマス試験紙は、「青い試験紙を水溶液につけて赤く変色すれば、酸性」、「**赤い試験紙を水溶液につけて青く変色すれば、アルカリ性**」である。なお緑色のBTB溶液を水溶液に入れた場合、アルカリ性であれば、やはり青色に変わる。pHは「水素イオン指数」のこと。1から14までの数値で表されて、pH 7が中性。7より小さくなればなるほど酸性が強いことを示し、**7より大きくなるほどアルカリ性が強い**ことを示す。

正解 3

問題8 **化学⑧**

① 下の表は、エタノールの性質と、エタノール120cm³を200ml用ビーカーに用意したときのエタノールの質量についてまとめたものである。これについて正しいものを、次の1～4のうちから1つ選びなさい。ただし、エタノールの密度は0.79g/cm³として計算することとする。

	エタノールの性質	質量（g）
1	空気中で完全燃焼すると、二酸化炭素と水が生じる。	94.8
2	融点が−110℃以下なので、通常の家庭用冷凍庫（−20℃程度）で凍る。	94.8
3	空気中で完全燃焼すると、二酸化炭素と水が生じる。	151.9
4	融点が−110℃以下なので、通常の家庭用冷凍庫（−20℃程度）で凍る。	151.9

② 次の1～5のうち、混合物を選びなさい。

1	塩素
2	空気
3	水
4	アンモニア
5	炭酸水素ナトリウム

学習日

解答解説

1

設問文と選択肢文でポイントになっているのは、エタノールの質量と融点の2点。120cm³のエタノール（密度は0.79cm³/g）の質量は、120×0.79＝94.8（g）である。また、選択肢文にあるように、「エタノールの融点（物質が固体から液体になり始める温度）」が「−110℃以下」ならば、−20℃程度までにしかならない家庭用冷蔵庫では、固体にならない（凍らない）。なお、エタノールの融点は−114.1℃、沸点は78.3℃。エタノールの分子式はC_2H_6O。燃焼する際には、酸素と反応することになるから、化学反応式は、$C_2H_6O + 3O_2 \rightarrow 3H_2O + 2CO_2$となり、**水と二酸化炭素が生じる**ことがわかる。

正解 1

2

「混合物」とは、物質が複数、混じりあったもののこと。混じり合っているだけで、「混在している物質の性質はそのまま」であることが特徴。**窒素、酸素、アルゴン、二酸化炭素などの混合物**といえるのが、**空気**である。

一方、**化合物**とは、2種類以上の元素の原子が化学結合してできた物質のこと。もとの物質とは性質の違う物質となり、化学変化を伴わないと、分解・分離できない（もとの物質に戻らない）。選択肢のなかでは水（H_2O）、アンモニア（NH_3）、炭酸水素ナトリウム（$NaHCO_3$）が化合物である。なお、塩素（Cl_2）は単体である。単体とは、純物質を構成している元素の種類が1種類の物質のことである。

正解 2

問題1 生物①

① 酢酸カーミン溶液で赤く染まり、細胞分裂中の細胞にみられるひも状のものを何というか。最も適切なものを、次の1〜4の中から1つ選びなさい。

1　核　　2　染色体　　3　胚　　4　卵細胞

② 次は、ヒトの血液循環について述べた文です。文中の ① 、 ② にあてはまる語句の組み合わせとして最も適切なものを、下の1〜4の中から1つ選びなさい。

> 心臓から肺へ送り出される血液は ① であり、その血液が流れる血管を ② という。

1　①　動脈血　　②　肺静脈
2　①　静脈血　　②　肺動脈
3　①　動脈血　　②　肺動脈
4　①　静脈血　　②　肺静脈

学習日 ／　／　／

解答解説

1

酢酸カーミン溶液は、赤色の液体で、顕微鏡で細胞の核や染色体を観察するときに
染色液として用いられる。酢酸は、組織を固定するために有効である。**核も染色体
も染めるが、設問にある「ひも状のもの」は、染色体**。同じような染色液として、
酢酸オルセイン溶液もある。オルセインは塩基性の色素で、細胞核や染色体を赤味
の強い紫色に染める。

正解 2

2

心臓から肺へ送り出される血液は、これから肺へ戻される血液であるため**酸素が少
なく二酸化炭素を多く含む**ので、**静脈血**である。一方、心臓から出ていく血液が流
れる血管のことを動脈という。よって、心臓から肺へ送り出される血液が流れる血
管は**肺動脈**である。血管の名称は「肺動脈」なのに、そこに流れているのは「静脈
血」であることに注意が必要である。
心臓の内側は、心室（右心室、左心室）と心房（右心房、左心房）に分かれてい
る。心臓のポンプの役割を果たすのは主に心室で、心室は肺や全身に血液を送り出
す動脈＝肺動脈と大動脈がつながっている。一方、心房には大動脈と肺静脈という
血管がつながっている。血液が炭酸ガスを多く回収して全身から戻ってくるときに
は、右心房に流れ込む。このとき血液は、青色の「静脈血」となっている。その
後、血液は右心室へ送られ、「肺動脈」を通って肺で二酸化炭素が酸素に交換され
る。酸素を多く含んで赤色になった血液は、肺静脈を通って左心房に入り、左心房
から僧帽弁を通過して左心室へと流れたのち、大動脈を通って全身へ送り出され
る。

正解 2

問題2　**生物②**

[1]　被子植物のツツジについての記述として適切ではないものを、次の1〜4のうちから選びなさい。

1　めしべの根元のふくらんだ部分を子房といい、子房の中には将来、種子になる胚珠がある。
2　めしべの先端に柱頭と呼ばれる部分があり、柱頭に花粉がつくと花粉から花粉管が伸び花粉管の中を卵細胞が移動する。
3　花弁が1枚につながっている合弁花と呼ばれる花を咲かせる。
4　花の一番外側にがくと呼ばれる部分がある。

[2]　ヒトの生命を維持するはたらきについての記述として適切ではないものを、次の1〜5のうちから選びなさい。

1　肺の呼吸運動は、肺の下にある横隔膜という筋肉や、ろっ骨を動かす胸の筋肉のはたらきによって行われている。
2　心臓は筋肉でできていて、周期的に収縮する運動によって、血液の流れをつくるポンプのはたらきをしている。
3　赤血球はヘモグロビンという物質を含む固形の成分で、細菌などの異物を分解するはたらきをしている。
4　食物にふくまれている炭水化物、脂肪、タンパク質などの栄養分を、分解して吸収されやすい形に変えるはたらきを消化という。
5　細胞の活動で生じたさまざまな不要な物質を取り除き、体外に出すはたらきを排出という。

学習日　／　／　／

解答解説

1

1　○　肢文の通り。受粉後「子房」は果実に、「胚珠」は種子に成長する。ツツジのように、胚珠が子房におおわれている植物を「被子植物」という。

2　×　花粉管のなかを移動するのは**精細胞**。卵細胞ではない。めしべは１つの花に１つ。おしべが作った花粉がめしべの柱頭につくと、花粉は花粉管を伸ばし、花柱を通って子房のなかの胚珠へ到達する。**花粉管には精細胞が入っていて、胚珠内の細胞に移動し、受精が行われる。**なお花柱とは、めしべの柱頭から子房までをつないでいる柄のような部分のこと。

3　○　肢文の通り。花弁（花びら）は「５枚」に見えるが、根元ではつながっている。このような花を「合弁花」という。アサガオやタンポポも合弁花である。

4　○　肢文の通り。ツツジの「がく」の数は５枚（一見して見える花弁の数と同じ枚数）。なお、ツツジの花は外側から、「がく」、「花弁」、「おしべ」、「めしべ」からなる。

正解 2

2

1　○　肢文の通り。肺には肺を動かす筋肉はない。呼吸は、胸腔と腹部とを仕切っている横隔膜や、肋骨のあいだの肋間筋などのはたらきによって行われる。

2　○　肢文の通り。心臓はポンプのように収縮と弛緩をし、全身に血液を送る。

3　×　ヘモグロビンは赤血球のなかに存在するタンパク質。**肺から全身へと酸素を運搬する**役割を担っている。体のなかに入ってきた細菌や真菌、ウイルスなどの異物を分解するのは、**白血球**（好中球）である。

4　○　肢文の通り。食べ物は口で咀嚼され、ブドウ糖やアミノ酸、脂肪酸、グリセリンなどの栄養分に分解される。このように、吸収されやすくするはたらきを消化という。

5　○　肢文の通り。細胞の活動でできた不要物や老廃物は、体外に排出される。

正解 3

生物

問題3 **生物③**

次の表は、ダチョウ（鳥類）、イカ（軟体動物）、メダカ（魚類）、キツネ（哺乳類）の4種類の動物（成体）について、特徴を記入したものである。それぞれの動物の分類名　ア　～　エ　の組合せとして最も適切なものを、後の①～④のうちから選びなさい。

分類名	呼吸方法	生活場所	体温	生まれ方	背骨の有無
ア	肺呼吸	陸上	恒温	卵生	有
イ	えら呼吸	水中	変温	卵生	有
ウ	えら呼吸	水中	変温	卵生	無
エ	肺呼吸	陸上	恒温	胎生	有

① ア　鳥類　　　イ　軟体動物　　ウ　魚類　　　　エ　哺乳類
② ア　哺乳類　　イ　軟体動物　　ウ　魚類　　　　エ　鳥類
③ ア　鳥類　　　イ　魚類　　　　ウ　軟体動物　　エ　哺乳類
④ ア　哺乳類　　イ　魚類　　　　ウ　軟体動物　　エ　鳥類

学習日　／　／　／

解答解説

呼吸方法と生活場所には、密接な関係があり、陸上生物は主に肺呼吸を行い、水中生物は主にえら呼吸を行う。湿った場所で生活する生物は、肺呼吸もえら呼吸も行うものが多い。背骨（あるいは脊椎）の有無によって、脊椎動物と無脊椎動物に分けられる。脊椎動物には魚類、両生類、は虫類、鳥類、哺乳類が含まれる。表にある軟体動物は無脊椎動物に含まれ、貝類のほか、ウミウシ、クリオネ、イカ、タコなどをいう。生まれ方は、卵で生まれ卵の養分で育って孵化するものを卵生、親の体内で養分を得て成長し、親と同じ姿で生まれるのが胎生である。哺乳類は胎生、魚類、両生類、は虫類、鳥類は卵生である。体温の変化は、大きく2種類に分けられる。周囲の気温と同じように体温を変化させる動物のことを変温動物、周囲の気温には影響を受けず体温がほぼ一定の動物を恒温動物という。恒温動物は、哺乳類と鳥類である。

設問を見てみると、エが哺乳類であることはすぐにわかる。水中に暮らし背骨がない特徴をもつウは軟体動物である。また、水中に暮らし、背骨がある脊椎動物のイは魚類。哺乳類と多くの同じ特徴を持ちながら、卵生であるアは鳥類である。

正解 **3**

生物

生物③

👆 **ワンポイントアドバイス**

エは胎生であることから哺乳類であることは、比較的早くわかるはず。そこで、候補を①③にしぼった上で考えると、早く正解を探せます。

生物④

$\boxed{1}$ セキツイ動物に分類される動物として正しいものを、次の1～4のうちから1つ選びなさい。

1　タツノオトシゴ
2　ヤリイカ
3　アメリカザリガニ
4　ミミズ

$\boxed{2}$ ヒトの血液の主な成分の1つである血小板のはたらきの説明として正しいものを、次の1～4のうちから1つ選びなさい。

1　出血した血液を固める。
2　養分や不要な物質を運ぶ。
3　細菌などの異物を分解する。
4　酸素を運ぶ。

学習日　／　／　／

解答解説

①

タツノオトシゴは、外形は独特だが**魚類**であり、脊椎動物である。脊椎動物は、背骨（あるいは脊椎）がある動物のこと。魚類、両生類、は虫類、鳥類、哺乳類が脊椎動物である。ヤリイカなどの軟体動物は脊椎動物ではない（無脊椎動物）。貝類やタコ、ウミウシなども軟体動物。ザリガニやエビなどの甲殻類は、クモやムカデ、あるいは昆虫と同じ仲間の節足動物。エビを料理してみると、背骨らしきものがないことがわかる。ミミズは、軟体動物でも節足動物でもなく、環形動物といわれ、無脊椎動物に含まれる。

正解 1

生物

生物
④

②

1　○　肢文の通り。血小板には、**出血を固めて止める**働きがある。血液は赤血球、白血球、血小板の3つの血球（細胞成分）と、血漿という液体成分から成っている。赤血球は酸素を運ぶ役割、白血球は異物（ウイルスや細菌など）と戦う役割、血小板は、出血を止める役割を担っているため、血小板が減少すると、出血が止まりづらくなる。

2　×　身体のすみずみに酸素や栄養素を運び、不要になった炭酸ガスや老廃物を肺や腎臓に運び去るのは、**血漿**の役割。血漿は血液中の55 〜 60%ほどを占める溶液で、水分のほか、タンパク質、脂質、糖質、ミネラル、血液凝固因子、免疫グロブリンなどからなる。

3　×　異物（ウイルスや細菌など）と戦う役割を担うのは、**白血球**。白血球全体の40 〜 70%を占める好中球のほか、好酸球、マクロファージ、リンパ球などが存在し、防御する相手や防御方法が決まっている。

4　×　全身の細胞に酸素を運ぶ役割を担うのは**赤血球**。血球全体の99%を占める。

正解 1

問題5　生物⑤

① すべて昆虫である生物の組合せとして正しいものを、次の1～4のうちから1つ選びなさい。

1　クワガタムシ、アリ、クモ、トンボ
2　バッタ、チョウ、ダンゴムシ、カブトムシ
3　クワガタムシ、バッタ、チョウ、アリ
4　クワガタムシ、カブトムシ、トンボ、クモ

② 腎臓の主なはたらきとして正しいものを、次の1～4のうちから1つ選びなさい。

1　血液中から尿素などの不要な物質を取り除く。
2　血液中のアンモニアを無害な尿素に変える。
3　ブドウ糖やアミノ酸を吸収する。
4　酸素を血液中に取り込む。

学習日　／　／　／

解答解説

1

「頭と胸と腹の3つの部分に、体を区別できる」「胸部には3対の肢がある」「頭部には一対の触角と複眼、そして（たいていは）3個の単眼をもつ」。昆虫のおもな特徴は上記の3点。これに当てはまらない種を選択肢から探せばよい。1と4に名前があるクモは、昆虫と同じ節足動物ではあるものの、頭部と胸部が一体化しているため、昆虫とはいえない。クモ類に分類される。2の「ダンゴムシ」は、節足動物ではあるが、甲殻類でエビやカニの仲間。ミジンコやオキアミ、フジツボも同種。ほかに「昆虫でないもの」としてムカデ、サソリ、ダニなどがいる。なお、**ハチとアリはどちらも昆虫**。かなり近い種類であることを覚えておくと、迷ったときにヒントになる。日本にいるアリの多くは、ミツバチに近い。スズメバチも、ミツバチよりアリに近く、この3者のなかではスズメバチとミツバチが最も遠い関係にあるという。

正解 3

2

1　○　肢文の通り。腎臓は、**血液をろ過し、老廃物や過剰な水分や塩分（電解質）などを尿とともに体外へ出す**。ナトリウムなどの電解質を一定に保つことは血液中のpHを弱アルカリに保つことにつながり、血液中の水分量を一定に保つことで血圧が調節される。腎臓は、握りこぶしより少し大きく、腰より上の背中側に、背骨を挟んで左右にひとつずつある。

2　×　血液中のアンモニアなどを「より毒性の低い尿素」に変えるのは、**肝臓の**働き。腎臓ではない。また尿素は「完全に無害」なわけでもない。

3　×　ブドウ糖やアミノ酸などは、**小腸で吸収される**。小腸の表面の柔毛というごく小さな突起のなかに入りこんだのち、毛細血管から吸収される。

4　×　酸素を血液にとり込むのは、**肺である**。

正解 1

325

 問題1 地学①

1 太陽系の天体とその分類の組み合わせとして正しいものを、次の1〜4の中から1つ選びなさい。

1　金星 ― 惑星　　2　海王星 ― 太陽系外縁天体
3　太陽 ― 衛星　　4　月 ― 恒星

2 日本のある地域で発生した地震では、観測地点での初期微動継続時間が2秒であった。このとき、地中を伝わるP波の速度を5km/s、S波の速度を3km/sとすると、震源から観測地点までの距離は何kmとなるか。その数値として最も適切なものを、次の1〜4の中から1つ選びなさい。

1　7.5km　　2　10km　　3　15km　　4　30km

解答解説

1

太陽系は、中心にある太陽、太陽のまわりを公転する**惑星**、惑星の周りを公転する**衛星**からなっている。太陽は自ら熱を発して光っている。太陽のように自ら熱を発している天体を**恒星**といい、夜空に見える天体の多くは恒星である。惑星には太陽に近いほうから、水星・金星・地球・火星・木星・土星・天王星・海王星の8つがある。月は、地球の衛星である。それぞれの惑星がもつ衛星の数はまちまち。衛星をもたない惑星もある。海王星の軌道の外側には、小さな天体が数多く散らばっていて、これを**太陽系外縁天体**という。かつて惑星の仲間とされていた冥王星は、今では太陽系外縁天体の1つと考えられている。惑星は、大きさや性質から、地球型の惑星（＝岩石型の惑星：水星、金星、地球、火星）と、体積は大きいものの密度は小さい木星型惑星（ガス惑星・木星、土星、天王星、海王星）に分類される。このなかの天王星と海王星はさらに天王星型惑星（氷惑星）と呼ばれることもある。

正解 1

2

震源から観測地点までの距離を x（km）とする。S波は秒速3km、P波は秒速5kmで進む。距離をそれぞれ3と5で割れば、地震が起こってから何秒後に、S波とP波が到達するかがわかる。そこで、S波とP波の「進む速度の違い」と、「初期微動が継続した時間＝2秒」を手がかりにして、震源までの距離を出す。S波もP波も同時に発生するものの、秒速の遅いS波のほうが遅く到達する。両方の波が届くと起こる本格的な地震＝「主要動」までには時間差があるので、S波が到達するまでの時間から、P波が到達するまでの時間を引いたもの＝2秒が、初期微動の時間となる。つまり、$\frac{x}{3} - \frac{x}{5} = 2$ となり、これを解くと、$x = 15$（km）となる。

正解 3

① 日本の季節や時期とそのころの天気の特徴を述べた文の組み合わせとして最も適切なものを、次の1～4の中から1つ選びなさい。

	季節や時期	天気の特徴
1	春	高気圧と低気圧が交互に日本列島付近を通るため、同じ天気が長く続かない。また、この高気圧と低気圧は東から西に動くため、天気は東から西へ変わることが多い。
2	梅雨	南の暖かく湿った気団と、北の冷たく湿った気団の間に停滞前線ができ、雨やくもりの日が多くなる。この時期にできる前線を「梅雨前線」という。
3	夏	強い太陽光を受ける地域が赤道より南の方になるため、日本列島の南にある太平洋高気圧が発達し、高温多湿で晴れることが多くなる。
4	冬	ユーラシア大陸が冷やされ、大陸上で低気圧が成長する。そのため「南高北低」の特徴的な気圧配置となり、冷たく乾燥した北西の風が吹く。

② 日本の北緯36°地点での夏至の日の太陽の南中高度として最も適切なものを、次の1～4の中から1つ選びなさい。

1 54.0°   2 59.4°   3 66.6°   4 77.4°

解答解説

1

正しいのは、2の梅雨の時期の特徴。よく耳にする**西高東低は、冬の気圧配置の典型**。「西高」は日本の西側、つまりユーラシア大陸にシベリア気団といわれる高気圧が張り出している、ということ（「東低」は、日本の東側の千島列島付近に低気圧があること）。シベリア気団から日本列島にむかって吹き込む冷たく強い北西の風が、大陸から日本海を渡ってくる湿った風を冷やして雪雲をつくり、その雪雲が山脈にぶつかって日本海側の地域に大量の雪を降らせる。太平洋側は（高い山々のむこう側になるため）乾燥し、晴れの日が多くなる。**夏は、南高北低の気圧配置**となる。小笠原気団の高気圧が日本列島まで張り出し、ユーラシア大陸に低気圧ができる。南の海域で生まれた小笠原気団から海を渡って流れてくる南東の風は、高温多湿のため、むし暑い日々が続く。なお春と秋は、シベリア気団も小笠原気団も強い勢いがないため、北緯30°〜北緯50°あたりに、移動性高気圧と温帯低気圧が**西から東に交互**に日本を通過して、天気が不安定となる。また、日本が夏の時期には、強い太陽光を受ける地域は、**赤道より北側**になる。

正解 **2**

2

南中高度は、太陽が真南の空に来たときの、地平線からの角度のこと。日々、変化する。夏の昼の時間が長いのは、地球の地軸が（公転面に立てた垂線に対して）、太陽側に傾いているから。夏至のときには、北半球が約23.4°太陽側に傾き、冬至のときには北半球が約23.4°太陽と反対側に傾く。春分の日と秋分の日には、この傾きはないので、自分がいる緯度の高さを90°から引けば、南中のときの太陽の高さがわかる。つまり、「**南中高度＝90−緯度**」で出すことができる。夏至・冬至の日には、傾いている23.4°分を織り込んで計算すれば南中高度が出る。「**夏至の日の南中高度＝90−緯度＋23.4**」だから、設問の「北緯36°の夏至の日の南中高度」は、$90-36+23.4=77.4°$となる。なお、「冬至の日の南中高度＝90−緯度−23.4」である。

正解 **4**

問題3 **地学③**

① 12月15日の0時ごろに、真南の空に見えたオリオン座が、1月14日から1月15日にかけて同じ真南の空に見える日時として最も適切なものを、次の1〜5のうちから選びなさい。

1 1月14日22時ごろ
2 1月14日23時ごろ
3 1月15日0時ごろ
4 1月15日1時ごろ
5 1月15日2時ごろ

② マグマが冷え固まった岩石である火成岩についての記述として適切ではないものを、次の1〜5のうちから選びなさい。

1 火山岩の種類には、玄武岩、安山岩、流紋岩がある。
2 マグマが地表や地表付近で急に冷え固まった岩石を火山岩という。
3 深成岩は、斑晶と石基による斑状組織をもつ。
4 マグマが地下深くでゆっくり冷え固まった岩石を深成岩という。
5 深成岩の一つである花こう岩には、チョウ石やセキエイのような白色や無色の鉱物が多く見られる。

学習日

解答解説

1

同じ地点で、去年と今年の同じ時刻に星座を見たとすると、ほぼ同じ位置に見える。しかし、夏の空と冬の空では見える星座は異なる。つまり星座の位置は少しずつずれる。1年で、ほぼ同じ位置に戻るのなら、1年で360°動いていることになる。つまり「1日1°弱、星座は西へ」動く。また、地球は自転していて、24時間で1周するため、360°を24時間で割ると、1時間で15°東から西へ動くことがわかる。

設問はオリオン座の位置の変化について、「12月15日の0時ごろに真南の空に見えたオリオン座は、1月14日から15日にかけての何時ごろ真南に見えるか」である。12月15日から1か月後に当たり、1日に1°動くとしたら、1か月後の同時刻には30°程度西へ動いていることになる。30°は、1日のなかでは、2時間で東から西へ動く距離である。つまりひと月前の同時刻より2時間前に、オリオン座は真南にあることになる。

正解 1

2

1 ○ 肢文の通り。流紋岩は白っぽく、玄武岩は黒っぽい。含まれる鉱物により名称が変わる。

2 ○ 肢文の通り。地中深くでできる深成岩に比べ、火山岩はきめが細かい。

3 × 斑晶と石基が混在してできた斑状組織をもつのは、火山岩の特徴である。深成岩は等粒状組織をもつのが特徴である。斑晶は、マグマが地中でゆっくり冷えてできた、大きな鉱物の結晶。一方、石基は、マグマが急激に冷やされて、結晶になれなかった部分で、ごく細かい鉱物の粒子が緻密にまじりあった、陶器や磁器に近い質のものである。

4 ○ 肢文の通り。深成岩は、ゆっくりと冷やされていくために、結晶はそれぞれ十分に大きくなり、等粒状（同じような大きさの）組織となる。

5 ○ 肢文の通り。花こう岩の主成分はチョウ石やセキエイのため、全体的に白っぽく見えるが、黒雲母などの有色鉱物も10%程度含んでいる。

正解 3

問題4 **地学④**

次の文を読んで、問1、問2に答えなさい。

地層は、川に流れ込んだ土砂が、流れる水の働きで海や湖に運ばれ、水の底に積み重なりつくられる。十砂の運ばれ方や積もり方には違いがあり、流れる水の働きで海や湖に運ばれてきた土砂は、粒の ☐1☐ ものから岸に ☐2☐ ところに堆積するため、岸から沖にかけて粒の大きさの異なる地層ができる。沖まで運ばれた土砂は、☐3☐ 粒から先に沈んで地層をつくるため、一つの地層の中で粒の大きさが異なる。地層のなかには生物の死骸や生活の跡である<u>化石</u>が含まれることがある。

問1　空欄1、空欄2、空欄3に当てはまる適切な語句の組合せを選びなさい。
　ア　1 — 小さい　　2 — 遠い　　3 — 小さい
　イ　1 — 小さい　　2 — 近い　　3 — 大きい
　ウ　1 — 大きい　　2 — 遠い　　3 — 小さい
　エ　1 — 大きい　　2 — 近い　　3 — 大きい
　オ　1 — 大きい　　2 — 遠い　　3 — 大きい

問2　下線部に関する記述として、適切なものの組合せを選びなさい。
　① 化石のなかには、限られた地域に生存したものがあり、これらの化石から地層が堆積した年代を知ることができるが、そのような化石を示相化石という。
　② サンゴ礁をつくるサンゴの化石から、その化石を含む地層が、暖かく、水のすんだ浅い海で堆積してできたということが推測できる。
　③ ホタテガイの化石から、その化石を含む地層が、やや温暖な深い海で堆積してできたということが推測できる。
　④ ブナの葉の化石から、その化石を含む地層が、温帯のやや寒冷な陸地で堆積してできたということが推測できる。
　⑤ 化石は、古い時代の生き物の死骸等が、海や湖の底に沈み、砂や泥が堆積した層の中にうずもれて、新たな時代の堆積物の重みで固められてできる。
　　ア　①②⑤　　イ　①③④　　ウ　①③⑤　　エ　②③④　　オ　②④⑤

学習日　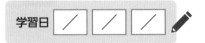　／　／　／

解答解説

問1

地層のほとんどは海でつくられる。川を流れの速さにのって運ばれた土砂などが、海に出ると流れの勢いを失って、まず粒の**大きいもの**が、岸から**近い**ところに堆積してゆく。岸では沈まず、さらに水流の力を受ける粒は、そのぶん遠くへと流されるため、沖にかけて土砂の大きさのちがう地層ができる。沖まで流れた土砂は、それ以上進めないところまでくると、**大きい粒から**順に沈んでいく。重いもののほうが速く沈むため、同じ地層のなかでも粒の大きさがちがってくる。

正解 **エ**

問2

① ×　これは**示準化石**の説明。アンモナイトや三葉虫などがある。示相化石は地層が堆積した**環境を推定**するのに有効な化石。サンゴなどが知られる。

② ○　肢文の通り。サンゴの化石が発見される場所は、暖かく浅い海であったとわかる。こうした**環境の推定**に役立つ化石が、**示相化石**である。

③ ×　ホタテガイの化石は、**冷たい海**だったと特定できる場所から発見されている。また、二枚貝の化石が見つかる場所は、**浅い砂底の海**だったと推定できる。

④ ○　肢文の通り。ブナは、温帯のやや寒冷な場所の木であるため、ブナの葉の化石が発見される場所は、かつて、**温帯のやや寒冷な場所**であったと推定できる。

⑤ ○　肢文の通り。化石のもととなる骨などが土砂に埋もれて土砂から石のもとになる成分がしみこんで、やがて骨に置き換わり、石のように固い化石になると考えられている。

正解 **オ**

問題5 地学⑤

① 次の文章は、海水の性質について述べたものである。文章中の（　a　）、
（　b　）に入る数値、物質名の組合せとして正しいものを、あとの1〜4のう
ちから1つ選びなさい。

> 　海水中の塩類の濃度を塩分とよぶ。塩分は、海水1kgあたりに含まれる
> 塩類の質量〔g〕で示され、単位は‰（千分率）を用いる。外洋水の平均の塩
> 分は（　a　）‰であり、海水に含まれる塩類の組成で最も大きな割合を占
> めるのは（　b　）である。

1　a　3.5　　b　塩化マグネシウム
2　a　3.5　　b　塩化ナトリウム
3　a　35　　b　塩化マグネシウム
4　a　35　　b　塩化ナトリウム

② 日本の冬の天気の特徴としてよく見られる現象を、次の1〜4のうちから1つ
選びなさい。

1　南高北低の気圧配置になり、北西の季節風が吹く。
2　南高北低の気圧配置になり、北東の季節風が吹く。
3　西高東低の気圧配置になり、北西の季節風が吹く。
4　西高東低の気圧配置になり、北東の季節風が吹く。

学習日　／　／　／

解答解説

1

設問文中では千分率‰（パーミル）が用いられているが、日常生活では、「海水の塩分濃度は3～3.5%くらい」と言われているのを耳にしたことがあるはず。%は百分率、‰は千分率。百分のいくつかを表す%で1%のものは、千分のいくつかを表す‰では10‰と、数値は10倍になる。「海水の塩分濃度は3～3.5%くらい」なら、千分率では30～**35‰**である。また、海水の塩分の組成は、85%が塩素とナトリウムでできていて、そのうち**塩化ナトリウム**が77.9%。海水にはほかに硫黄、マグネシウム、カルシウム、カリウムなどが含まれている。塩の主な原料も塩化ナトリウムで、塩は海水などから作られる。

正解 4

2

冬の天気の典型ともいえるのが、**西高東低**の気圧配置。日本の西側に高気圧があり、東側には低気圧があるという意味である。西側にあるユーラシア大陸からシベリア高気圧が張り出す一方、日本の東側にあるオホーツク海には発達した低気圧が位置する。大陸から海を渡るように湿った**北西の季節風**が強く吹き、シベリア高気圧から流れ出てくる冷たい空気とぶつかって雪雲を作る。その雪雲が山脈に当たって雪を降らすため、日本海側では雪になることが多く、太平洋側では乾燥した晴れの日が多くなる。なお、「南高北低」の気圧配置がよく現れるのは夏であり、春にもしばしば見られる。日本列島の南のほうに高気圧が、北のほうには低気圧や前線のある配置となる。気温は上がりやすいが、前線付近では天気が悪くなりやすく、気温も低くなりがちである。

正解 3

時事

問題1 地球環境

　次の文は「令和5年版　環境白書・循環型社会白書・生物多様性白書」（環境省）の「地球環境の保全」である。文中の ア ～ エ に当てはまる語句の正しい組合せを選びなさい。

　途上国では深刻な環境汚染問題を抱えており、2018年に開催された ア （WHO）の大気汚染と健康に関する国際会議やIPCCの報告書等においても、地球温暖化対策と環境改善を同時に実現できる イ の有効性が認識されています。

　途上国が ウ へ移行できるよう、我が国の地方公共団体が持つ経験を基に、制度・ノウハウ等を含め優れた脱炭素技術の導入支援を行う都市間連携事業や、アジア開発銀行（ADB）等と連携したプロジェクトへの資金支援を実施しました。加えて、気候変動による影響に脆弱である エ に対し、気候変動への適応・エネルギー・水・廃棄物分野への対応に関する支援や、研究者によるネットワーク設立に向けた支援など、様々な取組を行っています。

	ア	イ	ウ	エ
1	世界気象機関	コベネフィット・アプローチ	脱炭素社会	内陸国
2	世界保健機関	ユニバーサル・デザイン	脱工業社会	島嶼国
3	世界保健機関	コベネフィット・アプローチ	脱炭素社会	島嶼国
4	国際労働機関	コベネフィット・アプローチ	脱工業社会	内陸国
5	国際労働機関	ユニバーサル・デザイン	脱工業社会	内陸国

学習日 ／ ／ ／

解答解説

気候変動の影響は地域により異なることから、地域の実情に応じて適応の取組を進めることが重要である。**地方公共団体**の科学的知見に基づく適応策の立案・実施を支援するため、A-PLATにおいて、気候変動影響の将来予測や各主体による適応の優良事例を共有するとともに、気候変動適応法に基づき地方公共団体が策定する地域気候変動適応計画の策定支援を目的として、「地域気候変動適応計画策定マニュアル」を2018年度に作成・公表した。また、2019年度より開始した、住民参加型の「国民参加による気候変動情報収集・分析」事業を、対象地域を拡大して実施した。このような地方公共団体がもつ経験は、**環境問題の国際貢献**に役立っている。

正解 3

ワンポイントアドバイス

環境白書を出典とするテーマは頻出です。コベネフィット・アプローチという環境用語が難解ですが、脱炭素に関する文脈であること、島嶼国（とうしょこく）において気候変動による海面上昇が問題になっていることなどを踏まえれば、ある程度選択肢を絞り込むことができるでしょう。国連の主要機関の名称は覚えておきましょう。

問題2 科学技術①

次の文を読んで、問1、問2に答えなさい。

　情報通信ネットワークを安全・安心に使える状態に保つための操作や対策を
□1□といいます。それを実現するためには、許可されている人だけが利用できる
ようにすること（機密性）、情報が正確で、改ざんされていないこと（完全性）、必
要なときに利用できること（可用性）の3つの要素が必要になります。
　情報社会では、情報モラルを意識した正しい行動をしていても、情報通信ネット
ワークに対する不正侵入やデータの改ざん、破壊など、悪意のある攻撃などの被害
に遭うことがあります。それらを防ぐ技術や対策を特に□2□といい、その重要性
が日増しに高まっています。

問1　空欄1、空欄2に当てはまる適切な語句の組合せを選びなさい。
　ア　1 ― 情報セキュリティ　　2 ― プログラム
　イ　1 ― 情報セキュリティ　　2 ― サイバーセキュリティ
　ウ　1 ― 情報セキュリティ　　2 ― マルウェア
　エ　1 ― バックアップ　　　　2 ― サイバーセキュリティ
　オ　1 ― バックアップ　　　　2 ― マルウェア

問2　下線部に関する記述として、適切でないものの組合せを選びなさい。
　①　有名人と一緒に撮った写真をそのまま無断でSNSに掲載した。
　②　映画のDVDをバックアップ用として、コピーガードを外して複製した。
　③　映画館で上映されている映画を、自分で視聴するためにスマートフォンで録
　　　画した。
　④　購入した音楽データを自分のスマートフォンにコピーした。
　⑤　テレビの番組をDVDに録画して、家族と後日視聴した。
　　ア　①②③　　イ　①②⑤　　ウ　①③④　　エ　②④⑤　　オ　③④⑤

学習日　／　／　／

解答解説

問1

情報セキュリティという大きな枠のなかに、サイバーセキュリティが含まれるとも言えるが、理念と、日々の防衛という点では別々のものとも考えられる。**情報セキュリティ**は、情報への信頼度や正確性を向上するために、次の3点を確保・維持されるよう目配りと対策が必要である。1つめは「機密性」。許可された人だけが、情報にアクセスできること。2つめは「完全性」。情報が破壊や改ざんや消去などをされずに、もとの状態を保ち続けること。3つめは「可用性」。許可された人がいつでも情報にアクセスできること。情報が漏れる、破壊されるなどして信頼を失わないように行う活動が情報セキュリティである。一方、**サイバーセキュリティ**は、外部からの攻撃、内部も含めたセキュリティの脆弱性をどう防ぎ、情報を守るかに重点を置いた言葉。不正アクセスやコンピュータウイルスによる攻撃、サイバー攻撃、ネットワークやシステムの脆弱性などに対し、日々、対処し続けるセキュリティのことである。なお、選択肢中の「マルウェア」は、コンピュータウイルスやスパイウェアなど、有害で悪質なソフトやコードの総称である。

正解 イ

問2

「誰かが作成したもの」や「誰かの姿や氏名」を、無断・無償で使用することは、著作権法違反や肖像権侵害になる。④の購入後の複製と、⑤のテレビ番組の録画は、利益を生み出さない「私的使用による複製」として著作権者の許可がなくても許されるが、③の映画等の複製や、②のコピーガードを外すことは、私的使用でも禁じられている（著作権法第30条に規定がある）。①の有名人との写真の無断公開も適切ではない。有名人の姿などは、多くの人を惹きつける効果があるため、肖像権のなかでも**パブリシティ権**（自分の名前や肖像が利益を生み出せる場合、第三者がそれらを排他的に使用することを許可する代わりに対価を得られる権利）として、強く守られている。また肖像権には「**プライバシー権**」と呼ばれる「私生活にまつわる情報をむやみに公開されないための権利」もあり、住所や電話番号、生活の私的部分が暴露されないように、注意が必要である。

正解 ア

問題3 科学技術②

① 科学に関することがらを説明したものとして誤っているものを、次の1～4の
うちから1つ選びなさい。

1 バイオマス発電は、農林業から出る作物の残りかすや家畜のふん尿、間伐材
などを活用して、そのまま燃焼させたり、微生物を使って発生させたアルコー
ルやメタンを燃焼させたりして発電する方法である。

2 有性生殖では減数分裂によってできる生殖細胞の染色体の数が減数分裂前の
半分になり、受精によって子の細胞は両方の親から半数ずつ染色体を受け継ぐ。

3 ヒトの内臓器官であるじん臓は、肝臓でアンモニアから変えられた尿素とそ
の他の不要な物質を血液から取り除くはたらきがある。

4 宮城県内のある場所で、新月から満月までの月の満ち欠けを観察すると、新
月から約1週間後には東側が光って見える上弦の月が観察でき、その後約1週
間後に満月となる。

② 情報セキュリティに関する事故の未然防止を図るための対応として適切なもの
を、次の1～4のうちから1つ選びなさい。

1 差出人が不明な電子メールやファイルが不自然に添付された電子メールを受
信した場合は、安易に開かないように注意しなければならない。

2 ウェブサイトの情報は、掲載前に個人情報等の非公開情報が含まれていない
かを、秘密保持のため担当者一人だけで確認し、掲載しなければならない。

3 ウェブサイトの閲覧中にソフトウエアのインストールを促すメッセージが表
示された場合には、速やかに当該ウェブサイトからそのソフトウエアをインス
トールしなければならない。

4 業務上の利便性を図るには、パソコン等の端末にID・パスワードを記憶さ
せなくてはならないが、その場合は複数の情報システム等で同一のパスワード
を使い回してはいけない。

学習日 ／ ／ ／

解答解説

1

1　○　肢文の通り。バイオマス発電とは、動植物から生まれた有機性の資源、たとえば食品廃棄物、糞尿、農林水産物、廃油、汚泥等をエネルギーに再生すること。

2　○　肢文の通り。

3　○　肢文の通り。アンモニアなどは、肝臓でより毒性の低い尿素に変えられ、じん臓に送られる。じん臓は、血液をろ過し、老廃物と過剰な水分や塩分などを尿とともに体外へ出すことで、からだの環境を正常に保つ役割を担っている。

4　×　上弦の月は新月から1週間ほどの半月のこと。右半分（西側）が光っている。昼頃に東からのぼり、夕方に南中、深夜に西に沈む。「弦」は弓の「つる」、矢をつがえるこの糸（弦）が上のほうにある半月を上弦の月という（月の弧の部分が弓の本体）。月の左半分（東側）は陰になっている。したがって、「東側が光って見える」は誤り。

正解 4

2

1　○　肢文の通り。開かなくてはいけない場合はドメイン等を厳重に確認する。

2　×　個人情報の扱いは、最低でもダブルチェック、複数対応をすべきである。

3　×　インストールしたソフトがスパイウェアの可能性や、ウイルスを拡散するためのソフトであることもある。情報の盗難やデータ破壊などを避けるためにも、ウェブ上の指示には簡単に従わないことが重要である。

4　×　組織などで共有しているパソコンの端末にIDやパスワードを記憶させてしまうと、情報流出を手助けする結果にもなりかねない。避けるべきである。

正解 1

時事

問題4 労働

　次の「新しい時代の教育に向けた持続可能な学校指導・運営体制の構築のための学校における働き方改革に関する総合的な方策について（答申）」（平成31年1月　中央教育審議会）に関する記述のうち、適切でないものを1～4から選びなさい。

1　教科等における内容項目の指導を通して、事実的な知識を習得させるだけではなく、概念を軸に知識を体系的に理解させ、教科固有の見方・考え方を働かせて考え、表現させたり、授業や特別活動などを通じ対話し、協働する力をはぐくんだりしているのは、これらの教師の努力や取組によるものである。
2　学校における働き方改革は、教師にとっても子供にとっても重要なリソースである時間を、優先順位をつけて効果的に配分し直すことにより、子供たちに対して効果的な教育活動を行い、子供たちの力を一層伸ばすようにすることである。
3　学校における働き方改革を進めるに当たっては、現在の学習指導要領の考え方である「子供に応じた指導の充実」の理念を一層進めることにも留意し、専門職である教員が責任をもって子供を育てていくという視点に立ち、学校だけで子供の生活の充実や活性化を図ることが大切である。
4　学校における働き方改革を進めるためには、我が国において学校教育について責任を負う文部科学省、給与負担者である都道府県・指定都市教育委員会、服務監督権者である市区町村教育委員会や学校の設置者、各学校の校長等の管理職が、それぞれの権限と責任を果たすことが不可欠である。

学習日　／　／　／

解答解説

1　○　肢文の通り。「(第1章) 1. 我が国の学校教育と学校における働き方改革」参照。

2　○　肢文の通り。「(第1章) 3. 学校における働き方改革と子供、家庭、地域社会」参照。

3　×　「第1章　学校における働き方改革の目的」のうちの「3. 学校における働き方改革と子供、家庭、地域社会」の文中に、「**社会に開かれた教育課程**」「**家庭や地域の人々とともに子供を育てていく視点**」などの記載があり、「**学校だけで子供の生活の充実や活性化を図ることが大切**」との記載は不適切である。該当するのは以下の部分。——学校における働き方改革を進めるに当たっては、「社会に開かれた教育課程」の理念も踏まえ、家庭や地域の人々とともに子供を育てていくという視点に立ち、地域と学校の連携・協働の下、幅広い地域住民等(多様な専門人材、高齢者、若者、PTA・青少年団体、企業・NPO等)とともに、地域全体で子供たちの成長を支え、地域を創生する活動(地域学校協働活動)を進めながら、学校内外を通じた子供の生活の充実や活性化を図ることが大切である(後略)——。

4　○　肢文の通り。「(第2章) 2. 検討の視点と基本的な方向性」参照。

正解 3

👆 **ワンポイントアドバイス**

本問に関する記述は、平成31年1月25日に中央教育審議会によって出された「新しい時代の教育に向けた持続可能な学校指導・運営体制の構築のための学校における働き方改革に関する総合的な方策について(答申)」のうち、「第1章　学校における働き方改革の目的」および「第2章　学校における働き方改革の実現に向けた方向性」にあります。

問題5 福祉①

① 次の記述は、「障害者基本法」（平成25年改正）からの抜粋である。空欄 ア ～ イ に当てはまるものの組合せとして最も適切なものを、後の1～4のうちから選びなさい。

第三条

　第一条に規定する社会の実現は、全ての障害者が、障害者でない者と等しく、基本的人権を享有する個人としてその尊厳が重んぜられ、その尊厳にふさわしい ア を保障される イ を有することを前提としつつ、次に掲げる事項を旨として図られなければならない。

1　ア　生活　　イ　権利　　2　ア　自由　　イ　利益
3　ア　生活　　イ　利益　　4　ア　自由　　イ　権利

② 次の表は、日本の社会保障制度についてまとめたものである。空欄 ア ～ エ に当てはまる言葉として適切ではないものを、後の1～4のうちから選びなさい。

四つの柱	主な内容
ア	医療保険　年金保険　介護保険　雇用保険　等
公的扶助	イ （生活扶助　住宅扶助　教育扶助　医療扶助　等）等
社会福祉	ウ　高齢者福祉　障がい者福祉　母子福祉　等
エ	感染症対策　廃棄物処理　上下水道整備　公害対策　等

1　ア － 社会保険　　2　イ － 生活保護
3　ウ － 児童福祉　　4　エ － 環境衛生

学習日　／　／　／

解答解説

1

憲法第11条では、「侵すことのできない永久の権利」として、すべての国民に基本的人権があることを記している。設問文の1行目で**基本的人権**が登場しているので、我々が生まれながらに享有している権利とは何かを考えてみよう。自由権、平等権とともに、我々は**健康で文化的な最低限度の生活を営む権利**（生存権）を保障されている。だとすると、設問部のアとイは、「その尊厳にふさわしい**生活を保障される権利**を有することを前提としつつ」が正解とわかる。

正解 1

2

誤っているのは、選択肢4。エは、**公衆衛生**とするのが正しい。設問の表に記された「四つの柱」と、その内容は、以下の通り。**社会保険**＝保険料を支払い、病気などになったときに給付を受ける。医療保険、年金保険、介護保険、雇用保険などがある。**公的扶助**＝生活保護に代表されるように、一定水準の生活ができるよう社会的な困窮者を助ける制度。生活・教育・住宅・医療の扶助のほか、介護・出産・生業・葬祭の扶助、合計8項目がある。**社会福祉**＝高齢者や障害者などに施設やサービスを提供する。児童福祉、高齢者福祉、障害者福祉、母子福祉など。**公衆衛生**＝感染症対策、予防接種、健康診断、上下水道の整備、ペットの管理等、廃棄物処理、公害対策、必要に応じた消毒など。こうした社会保障制度は、日本国憲法第25条の生存権に基づき整備されてきたもので、「健康で文化的な最低限度の生活」を保障するためのものである。

正解 4

問題6 福祉②

1　次の記述は、「障害を理由とする差別の解消の推進に関する法律」の条文からの抜粋である。空欄 ア ～ ウ に当てはまるものの組合せとして最も適切なものを、後の1～4のうちから選びなさい。

第五条　行政機関等及び事業者は、 ア 障壁の除去の実施についての必要かつ イ を的確に行うため、自ら設置する施設の構造の改善及び設備の整備、関係職員に対する ウ その他の必要な環境の整備に努めなければならない。

1　ア　心理的　　イ　効果的な配慮　　ウ　啓発
2　ア　社会的　　イ　合理的な配慮　　ウ　研修
3　ア　社会的　　イ　効果的な配慮　　ウ　啓発
4　ア　心理的　　イ　合理的な配慮　　ウ　研修

2　次の記述は、「障害を理由とする差別の解消の推進に関する法律」の条文からの抜粋である。空欄 ア ～ ウ に当てはまるものの組合せとして最も適切なものを、後の1～4のうちから選びなさい。

第一条　この法律は、 ア （昭和四十五年法律第八十四号）の基本的な理念にのっとり、（中略）全ての国民が、障害の有無によって分け隔てられることなく、相互に イ を尊重し合いながら ウ の実現に資することを目的とする。

1　ア　障害者基本法　　　イ　基本的な人権　　ウ　平等な社会
2　ア　障害者基本法　　　イ　人格と個性　　　ウ　共生する社会
3　ア　障害者自立支援法　イ　人格と個性　　　ウ　平等な社会
4　ア　障害者自立支援法　イ　基本的な人権　　ウ　共生する社会

学習日　／　　／　　／

解答解説

1

「障害を理由とする差別の解消の推進に関する法律」は、平成25年6月の公布。第5条は条文の前の行に「小見出し」として、次の言葉が付されている。「**社会的障壁の除去の実施についての必要かつ合理的な配慮に関する環境の整備**」。この言葉を覚えておくと、条文のテーマが見えやすい。設問部ウの選択肢は、「啓発」と「研修」。啓発とは、知識がほぼない人に教えて目を開かせること。職務として障害者差別に向かう機会の多い公務員が、無知とは考えづらいので、ここでは研修が適当。研修とは「執務能力を高めるために行われる特別学習」のことである。

正解　2

2

設問は、「障害を理由とする差別の解消の推進に関する法律」の第一条である。設問部アには、この法律制定の基本理念となっている「昭和45年に制定された法律」の名称が入る。同年には**障害者基本法**が制定されている。この法律は、「障害者とそうでない者が、障害の有無で分け隔てられることなく暮らしていける社会を目指す」としている。ならば、実現すべきなのは**共生する社会**となる。お互いに尊重すべきものは、相手の**人格と個性**である。問題文の条文は頻出であり、空欄の箇所を変えて繰り返し出題されているので、条文中の重要語句はすべて覚えておこう。

正解　2

問題7 **福祉③**

① 次の文のような状況にある子どもたちの名称として正しいものを、次の1～5の中から1つ選びなさい。

○障がいや病気のある家族に代わり、買い物・料理・掃除・洗濯などの家事をしている
○家族に代わり、幼い弟・妹の世話をしている
○障がいや病気のある兄弟姉妹の世話や見守りをしている
○家計を支えるために労働をして、障がいや病気のある家族を助けている
○がん・難病・精神疾患など慢性的な病気の家族の看病をしている

1　チャイルドケア　　　　2　チャイルドマインダー
3　チャイルドアビューズ　4　ヤングケアラー　　　5　アダルトチルドレン

② 児童福祉法についての記述として最も適切なものを、次の1～4のうちから選びなさい。

1　要保護児童を発見した者は、これを市町村、都道府県の設置する福祉事務所若しくは児童相談所に通告しなければならないが、罪を犯した児童についても同様である。
2　児童相談所長は、一時保護が行われた児童で親権を行う者又は未成年後見人のあるものについても、監護、教育及び懲戒に関し、その児童の安全のため必要な措置を採ることができる。
3　この法律で、児童とは、満十五歳に満たない者をいう。
4　全て国民は、児童が良好な環境において生まれ、かつ、社会のあらゆる分野において、児童の年齢及び発達の程度に応じて、その意見が尊重され、その最善の利益が優先して考慮され、心身ともに健やかに育成されるよう努めなければならない。

学習日　／　／　／

解答解説

1

「ヤングケアラー」とは、本来大人が担うと想定されている家事や家族の世話など
を日常的に行っている18歳未満の子どものこと。責任や負担の重さにより、学業
や友人関係などに影響が出てしまうことがある。

令和２年度に中学２年生・高校２年生を、令和３年度に小学６年生・大学３年生
を、それぞれ対象にした厚生労働省の調査では、世話をしている家族が「いる」と
回答したのは小学６年生で6.5％、中学２年生で5.7％、高校２年生で4.1％、大学３
年生で6.2％だった（こども家庭庁HPより）。

正解 4

2

1 × 前半はその通りだが、後半の「罪を犯した児童」に関する記述が誤り。児
童福祉法第25条第１項では、「罪を犯した満十四歳以上の児童については、（中
略）これを家庭裁判所に通告しなければならない。」としている。福祉事務所や
児童相談所ではない。

2 × 「児童相談所長は、一時保護が行われた児童で親権を行う者又は未成年後
見人のあるものについても、監護及び教育に関し、その児童の福祉のため必要な
措置をとることができる。」（児童福祉法第33条の２第２項）。「懲戒」に関する規
定はない。また、「安全」ではなく「福祉」のためである。

3 × 児童福祉法における児童の年齢は18歳未満の者である。

4 ○ 肢文の通り（児童福祉法第２条第１項）。

正解 4

問題8 **法律・政策①**

1 日本国憲法の改正手続きの説明として誤りを含むものを、次の1〜4のうちから1つ選びなさい。

1 憲法改正の手続きについては、憲法第96条に定められている。
2 国会の発議後、18歳以上の日本国民による国民投票が行われる。
3 改正の承認には、国民投票で3分の2以上の賛成が必要である。
4 改正が承認されると、天皇が国民の名で改正を公布する。

2 次のA〜Dのうち、平成28年6月に公職選挙法等の一部を改正する法律が施行されたことを受けて、満18歳になると認められることになった権利の組合せとして正しいものを、あとの1〜6のうちから1つ選びなさい。

	権　　利
A	市町村長選挙の被選挙権
B	都道府県議会議員選挙の選挙権
C	衆議院議員選挙の被選挙権
D	最高裁判所裁判官の国民審査権

1　AとB　　2　AとC　　3　AとD
4　BとC　　5　BとD　　6　CとD

学習日

解答解説

1

誤りを含んでいるのは、3の文章。国民投票において、憲法改正に必要とされるのは、**過半数の賛成**である。なお、憲法の改正について定めているのは、肢文1の通り日本国憲法第96条。国民投票の権利をもつ年齢については、第1項に「特別の国民投票又は国会の定める選挙の際行われる投票において、」とあり、選挙権年齢の**18歳**であることがわかる。また、改正後に**天皇が国民の名で**公布することは、第2項に記されている。

正解 3

2

選択肢の内容は、**選挙権**と**被選挙権**に分かれている。選挙権は「投票する権利」、被選挙権とは「みんなの代表になれる権利」、つまり国政や地方自治体の議員などに立候補する権利である。なお、最高裁判所裁判官の国民審査権は最高裁判所裁判官が適格か不適格かを審査する権利。衆議院議員選挙とともに国民審査も行われる。平成28年6月の公職選挙法の改正で変更があったのは**選挙権**についてであり、**被選挙権**についての変更はない。30歳以上の日本国民であること（参議院議員の被選挙権と都道府県知事の被選挙権）、あるいは25歳以上の日本国民であること（衆議院議員の被選挙権と、地方議会議員の被選挙権。市区町村長の被選挙権）が条件となっている。

正解 5

問題9 法律・政策②

次の文を読んで、問1、問2に答えなさい。

　我が国における成年年齢は、明治9年以来、20歳とされてきたが、近年、選挙権年齢が　1　により18歳と定められるなど、国政上の重要な判断に関して、18歳、19歳の若者を大人として扱うという政策が進められてきた。こうした中、「民法の一部を改正する法律」（平成三十年法律第五十九号）が成立し、民法が定める成年年齢が20歳から18歳に引き下げられた。

　成年年齢の引下げによって、18歳、19歳の若者は、親の同意を得ずに、様々な契約をすることができるようになる。高等学校等において、消費者被害に遭った生徒から相談を受けた場合は、　2　等の外部の専門機関に相談することを促すなど、適切に対応することが望ましい。

問1　空欄1、空欄2に当てはまる適切な語句の組合せを選びなさい。
　ア　1 ― 公職選挙法　　　2 ― 消費生活センター
　イ　1 ― 公職選挙法　　　2 ― 危機管理センター
　ウ　1 ― 日本国憲法　　　2 ― 消費生活センター
　エ　1 ― 普通選挙法　　　2 ― 消費生活センター
　オ　1 ― 普通選挙法　　　2 ― 危機管理センター

問2　下線部の成立に伴い、年齢要件が変更された事柄として、適切なものの組合せを選びなさい。
　①　女性の婚姻開始年齢
　②　10年用一般旅券の取得年齢
　③　帰化することができる年齢
　④　国民年金の被保険者資格を取得できる年齢
　⑤　喫煙年齢及び飲酒年齢
　　　ア　①②③　　　イ　①②⑤　　　ウ　①③④　　　エ　②④⑤　　　オ　③④⑤

学習日

解答解説

問1

選挙権年齢の引き下げについての規定があるのは、**公職選挙法**である。選挙権年齢引き下げに伴って、最高裁判所裁判官に対する国民審査権も18歳で得られるようになった。成年とみなされれば、権利を得る一方で、さまざまな責任も自分でとらなくてはならない。商品そのものや契約にまつわるトラブルなどに見舞われた場合には、**消費生活センター**に相談をすることができる。「ある商品をつかってケガをした」という苦情の受け付けから、「契約で事業者とトラブルになった」場合の相談など、解決策の助言等を行う機関である。トラブル相手との交渉のあっせんも、場合によっては行う。なお、選択肢中の普通選挙法は、1925年に定められた法律。危機管理センターは、災害、テロ、パンデミック等が起こった際に危機管理の拠点となる組織である。

正解　ア

問2

民法の改正に伴い、18歳でできるようになったことは、携帯電話の契約、賃貸契約、ローン契約・クレジットカード契約（返済能力によってはできない場合もある）、NISAの口座開設および運用、自分の住む場所や財産の管理、進学や就職などの進路の決定、単独での**帰化**、戸籍上の性別の変更などの審判、10年間有効の**パスポート**の取得、資格取得（公認会計士、司法書士、行政書士、社会保険労務士、歯科医師、獣医師、薬剤師など）がある。女性の婚姻可能な年齢は以前の**16歳から18歳**へと引き上げられている。一方、改正後も、それまでと同様に20歳までできないことは、**国民年金**への加入、**飲酒・喫煙**、公営ギャンブル（競馬や競輪、オートレースなど）、養子をとることがある。

正解　ア

文化①

次の文を読んで、問1、問2に答えなさい。

　日本人は、1949年に湯川秀樹が物理学賞を受賞して以来、1968年に川端康成、1994年に大江健三郎がともに　1　賞を受賞するなど、20名以上がノーベル賞を受賞している。2018年には、京都大学の特別教授の本庶佑氏がアメリカのジェームズ・P・アリソン氏とともに、生理学・医学賞を受賞した。日本人のノーベル賞受賞は、2016年の大隅良典氏以来であり、受賞理由は、「負の免疫制御の抑制による　2　の発見について」となっている。

問1　空欄1、空欄2に当てはまる適切な語句の組合せを選びなさい。
　ア　1 ― 文藝　　　2 ― がん治療
　イ　1 ― 文藝　　　2 ― オートファジー
　ウ　1 ― 学術　　　2 ― オートファジー
　エ　1 ― 文学　　　2 ― がん治療
　オ　1 ― 文学　　　2 ― オートファジー

問2　下線部に関する記述として、適切なものの組合せを選びなさい。
　①　自然科学系の3賞について、21世紀に入ってからの受賞者数は、日本がアメリカに次いで多い。
　②　山中伸弥氏は、素粒子の相互作用をテーマとして、臓器細胞に成長した細胞を初期化し、多能性を獲得させうることを示した発見で、2012年に物理学賞を受賞した。
　③　本庶佑氏の研究成果を基に生まれた新たな治療薬が市場に出たのは、「PD-1」の物質解明から20年以上経ってからだった。
　④　平和賞を初めて受賞したのは、内閣総理大臣として沖縄返還を実現した朝永振一郎氏である。
　　ア　①②　　　イ　①③　　　ウ　①④　　　エ　②③　　　オ　③④

学習日

解答解説

問1

これまで日本出身者で受賞時に日本国籍だったノーベル賞受賞者は25人、日本出身だが外国籍を取得したのちに受賞した人は4人である。ほとんどのジャンルに受賞者はいるものの、経済学賞にはまだいない。また、日本人女性の受賞および団体の受賞もない。二度にわたり受賞した人もいない。受賞者の少ないジャンルは、川端康成と大江健三郎が受賞した**文学賞**と、元首相の佐藤栄作が受賞した平和賞。反対に物理学賞、化学賞、生理学・医学賞は多い。**本庶佑**の受賞理由は**がん治療**に革命的変化をもたらした彼の研究に対するものだが、基礎研究である彼のPD-1についての研究が、「がんの治療薬の開発」という成果に結びつくまでには長い年月が必要だった。なお、選択肢としてある「**オートファジーのメカニズムの発見**」で生理学・医学賞を受賞したのは、本文にも名前のある**大隅良典**である。

正解 **エ**

問2

1　○　肢文の通り。「自然科学系の3賞」とは物理学賞、化学賞、生理学・医学賞の3つの賞のこと。

2　×　山中伸弥は2012年にiPS細胞の作製により**生理学・医学賞**を受賞した。

3　○　肢文の通り。本庶佑のチームがPD-1という分子の働きを解明したのは1990年代。その研究をもとにしたがん治療薬が承認されたのは2014年である。

4　×　朝永振一郎は、1965年に電気力学分野での基礎的研究で物理学賞を受賞。1974年に平和賞を受賞したのは、**佐藤栄作**。「非核三原則の提唱」による。

正解 **イ**

問題11 文化②

① 21世紀に開催されたオリンピック競技大会（夏季）について、開催順に並んでいるものを、次の1～4の中から1つ選びなさい。

1 アテネ → 北京   → ロンドン → リオデジャネイロ
2 北京   → ロンドン → アテネ   → リオデジャネイロ
3 アテネ → ロンドン → 北京   → リオデジャネイロ
4 北京   → アテネ   → ロンドン → リオデジャネイロ

② オリンピック競技大会（夏季）において、1904年セントルイス（アメリカ）以来、112年ぶりにリオデジャネイロ（ブラジル）で実施された競技を、次の1～4の中から1つ選びなさい。

1 テコンドー   2 サーフィン   3 空手   4 ゴルフ

学習日 ／ ／ ／

解答解説

1

21世紀最初のオリンピック夏季大会は、2004年に**アテネ**で開催された。近代オリンピックの第1回大会が、1896年に行われて以来、108年ぶりのアテネ大会だった。古代オリンピックは、紀元前776年に古代ギリシャのオリンピアで始まったとされている。なお、2000年大会は、シドニーで行われたが、2000年は21世紀ではない。21世紀に開催されたオリンピック夏季大会は、次の通り。2004年アテネ大会、2008年**北京**大会、2012年**ロンドン**大会、2016年**リオデジャネイロ**大会、2020年東京大会（開催は2021年）。ちなみに2024年はパリ大会、2028年はロサンゼルス大会、2032年はブリスベン大会が予定されている。ブリスベンは、オーストラリアの都市。東京での開催は2度目、ロンドン、パリ、ロサンゼルスは3度目の開催である。

正解 1

2

2016年のリオデジャネイロオリンピックでは、**ゴルフ**とラグビーの2競技が追加された。このうちゴルフは、1904年のセントルイス大会以来、112年ぶりの正式採用。ラグビーは15人制ではなく、よりスピーディな7人制ラグビーだった。選択肢1の**テコンドー**は、1988年のソウル大会で公開競技となり、2000年のシドニー大会から正式採用された。**サーフィン**と**空手**は、東京2020大会（実施は2021年）で、スケートボード、スポーツクライミングとともに新登場した。同時に採用された野球・ソフトボールは、北京オリンピック以来の復活競技。次のパリ大会ではふたたび消え、2028年のロサンゼルス大会で復活したとしても限定的な復活と考えられている。なお、2024年のパリオリンピックでは、新競技としてブレイクダンスが決定している。

正解 4

問題12 教育問題

　次の文は、「『令和の日本型学校教育』の構築を目指して（答申）」（令和3年1月中央教育審議会）「第Ⅱ部　各論」「4．新時代の特別支援教育の在り方について」の一部を抜粋したものである。文中の（　ア　）～（　エ　）に当てはまる語句の正しい組合せを選びなさい。

（1）　基本的な考え方
○　特別支援教育は、障害のある子供の自立や社会参加に向けた主体的な取組を支援するという視点に立ち、子供一人一人の（　ア　）を把握し、その持てる力を高め、生活や学習上の困難を改善又は克服するため、適切な指導及び必要な支援を行うものである。また、特別支援教育は、（　イ　）障害のある子供も含めて、障害により特別な支援を必要とする子供が在籍する全ての（　ウ　）において実施されるものである。
（略）
（3）　特別支援教育を担う教師の専門性向上
①　全ての教師に求められる特別支援教育に関する専門性
○　全ての教師には、障害の特性等に関する理解と指導方法を工夫できる力や、個別の教育支援計画・個別の指導計画などの特別支援教育に関する基礎的な知識、（　エ　）に対する理解等が必要である。
（略）

	ア	イ	ウ	エ
1	実態	知的	学校	生徒指導
2	教育的ニーズ	発達	学級	合理的配慮
3	実態	発達	学級	生徒指導
4	教育的ニーズ	発達	学校	合理的配慮
5	教育的ニーズ	知的	学校	合理的配慮

学習日　／　／　／

解答解説

2007年以前は、ろう学校、盲学校、養護学校などに分けられていた学校が一本化されたのが、特別支援学校である。新しい特徴としては、知的発達に問題がなく、**発達障害**のみの子供でも入学が許可される場合があること。問題文の特別支援教育についての文章は、そうしたさまざまな障害のあるひとりひとりの子供に合わせた個別最適な学びを目指したものだ。個別最適な学びとはつまり、子供それぞれの**教育的ニーズ**を教師が把握し、ニーズに沿ったものでなくてはならない。これは障害により特別な支援を必要とする子供が在籍する全ての**学校**において実施される。そして、全ての教師は特別支援教育に関する基礎的な知識、**合理的配慮**に対する理解が求められる。

答申の副題には「全ての子供たちの可能性を引き出す、個別最適な学びと、協働的な学びの実現」とある。この考え方と、さまざまな状態の子供たちがいることを特別支援教育のポイントとしてとらえておくと、設問に向かいやすい。この答申は、平成19年（2007年）、学校教育法改正の際に出された文部科学省通知「特別支援教育の推進について」の考え方を踏襲していること、また、令和3年1月には「新しい時代の特別支援教育の在り方に関する有識者会議報告」もまとめられていることも知っておきたい。

正解 4

ワンポイントアドバイス

合理的配慮とは、障害者が教育や就業、その他社会生活において平等に参加できるように、学校その他の施設・行政・事業者において求められる配慮のことです。

問題13 国際問題

① 次は、ある国連機関について述べた文章である。その略称として正しいものを、下の1〜4の中から1つ選びなさい。

世界の紛争地などで飢餓に苦しむ人々を支援し続け、平和と安定に貢献し続けてきた。その活動が評価され、2020年のノーベル平和賞を受賞した。

1　IAEA
2　UNHCR
3　UNICEF
4　WFP

② 国際連合についての記述として適切ではないものを、次の1〜4のうちから選びなさい。

1　1945年に発足し、本部はアメリカ合衆国のニューヨークにおかれている。
2　世界の平和と安全を維持することを主な目的とし、190を超える国が加盟している。（2024年現在）
3　全加盟国で構成される総会では、すべての国が平等に一票をもち、世界の様々な問題について討議し、決議することができる。
4　安全保障理事会は、アメリカ合衆国、イギリス、中華人民共和国、ドイツ、ロシア連邦の5か国の常任理事国と、10か国の非常任理事国で構成されている。

解答解説

1

設問文は、4のWFPについてのもの。1961年に設立された機関で、**国連世界食糧計画**の略称。食糧援助と被災国に対する緊急援助を行う。本部はイタリアのローマ。2020年にノーベル平和賞に選定された。1のIAEAは**国際原子力機関**の略称。国連の専門機関ではなく、国連の保護下にある自治機関である。本部はオーストリアのウィーン。トロントと東京に地域事務所、ニューヨークとジュネーヴに連絡室がある。2のUNHCRは、**国連難民高等弁務官事務所**の略称。難民や国内避難民の保護など、難民に関する諸問題の解決を任務とする国連難民高等弁務官の活動の補佐を行う。1950年設立。本部はスイスのジュネーヴ。3のUNICEFは1946年に設立された機関で、**国連児童基金**の略称である。保健、HIV、水と衛生、栄養、教育、子どもの保護、社会へのインクルージョンの分野で活動を行い、被災・紛争地域への緊急・人道支援、ジェンダーの平等にも取り組んでいる。

正解 4

2

1 ○ 肢文の通り。第二次世界大戦戦勝国であるUnited Nations＝連合国がそのまま名称となったが、日本では翻訳上「国際連合」とした。

2 ○ 肢文の通り。

3 ○ 肢文の通り。重要な問題については、出席し投票した国の3分の2の賛成で、一般的な問題では過半数の賛成で決する多数決制をとる。

4 × 常任理事国はアメリカ、イギリス、フランス、ロシア、中国である。第二次世界大戦の戦勝国が常任理事国となっているので、敗戦国の**ドイツは入らない**。

正解 4

執筆協力：久保田 曉

2026年度版 スイスイとける　一般教養 合格問題集

（2025年度版　2023年9月22日　初　版　第1刷発行）

2024年9月17日　初　版　第1刷発行

編　著　者	Ｔ Ａ Ｃ 株 式 会 社	
	（教員採用試験研究会）	
発　行　者	多　田　敏　男	
発　行　所	ＴＡＣ株式会社　出版事業部	
	（ＴＡＣ出版）	

〒101-8383
東京都千代田区神田三崎町3-2-18
電話 03(5276)9492（営業）
FAX 03(5276)9674
https://shuppan.tac-school.co.jp

組　　　版	朝日メディアインターナショナル株式会社	
印　　　刷	今 家 印 刷 株 式 会 社	
製　　　本	株 式 会 社 常 川 製 本	

© TAC 2024　Printed in Japan

ISBN 978-4-300-11234-2
N.D.C. 370

のご案内 『人物重視の選考に、人物重視の対策を』

TACでは「ここを覚えてください」ではなく、「なぜ」「どうして」といった、理解中心の本質的な講義を展開します。理解して覚えるためのノウハウを盛り込んだ充実の講義は最終合格に結びつき、その後の学校現場にもつながっていきます。

授業では**実践的に使える知識を身に付ける**ことができました。**学校現場での例や実践と繋げて説明があるため長期記憶で定着**しました。

朝川 眞名さん　東京都 特別支援学校音楽

様々な先生の視点から指導いただけるのは非常に有意義だと思います。どんな**面接官に対しても高評価をもらえるような解答**を用意することができました。

石原 俊さん　愛知県 中学校数学

TACは面接や論文のサポートが手厚く、面接対策では、**自身の希望する自治体に合わせた質問や形式を準備頂き、本番に近い状況で対策をすることができました。**

竹腰 卓生さん
東京都 中高地歴

鴨田 拓 講師
Kamota Taku

鎌田 瀟子 講師
Kamata Syoko

竹之下 シゲキ 講師
Takenoshita Shigeki

永平 一洋 講師
Nagahira Kazuhiro

※各種本科生を対象とした
合格体験記より抜粋。

自分に合った
学習スタイルを！

**選べる
学習メディア**

Web通信講座

いつでもどこでも
何度でも！
マルチデバイス対応
のオンライン学習

教室＋Web講座

教室でも、Webでも、
自由に講義を受けられる！

【開講校舎】
新宿校・横浜校・大宮校・
名古屋校・梅田校・神戸校

各種資料のご請求・教員講座の受講や試験に関するご相談は

資料請求する

講座パンフレットを
ご自宅へお届けします

講義動画を
視聴してみる

無料体験動画を公開中

オンラインで
話を聞く

個別に学習や受講の
相談を承ります

TACカスタマーセンター　通話無料　**0120-509-117**
ゴウカク　イイナ
受付時間　平日・土日祝／10:00〜17:00

TAC出版 書籍のご案内

TAC出版では、資格の学校TAC各講座の定評ある執筆陣による資格試験の参考書をはじめ、資格取得者の開業法や仕事術、実務書、ビジネス書、一般書などを発行しています！

TAC出版の書籍
*一部書籍は、早稲田経営出版のブランドにて刊行しております。

資格・検定試験の受験対策書籍

- ❂日商簿記検定
- ❂建設業経理士
- ❂全経簿記上級
- ❂税　理　士
- ❂公認会計士
- ❂社会保険労務士
- ❂中小企業診断士
- ❂証券アナリスト

- ❂ファイナンシャルプランナー(FP)
- ❂証券外務員
- ❂貸金業務取扱主任者
- ❂不動産鑑定士
- ❂宅地建物取引士
- ❂賃貸不動産経営管理士
- ❂マンション管理士
- ❂管理業務主任者

- ❂司法書士
- ❂行政書士
- ❂司法試験
- ❂弁理士
- ❂公務員試験(大卒程度・高卒者)
- ❂情報処理試験
- ❂介護福祉士
- ❂ケアマネジャー
- ❂電験三種　ほか

実務書・ビジネス書

- ❂会計実務、税法、税務、経理
- ❂総務、労務、人事
- ❂ビジネススキル、マナー、就職、自己啓発
- ❂資格取得者の開業法、仕事術、営業術

一般書・エンタメ書

- ❂ファッション
- ❂エッセイ、レシピ
- ❂スポーツ
- ❂旅行ガイド (おとな旅プレミアム/旅コン)

(2024年2月現在)

書籍のご購入は

1 全国の書店、大学生協、ネット書店で

2 TAC各校の書籍コーナーで

資格の学校TACの校舎は全国に展開!
校舎のご確認はホームページにて

資格の学校TAC ホームページ
https://www.tac-school.co.jp

3 TAC出版書籍販売サイトで

CYBER TAC出版書籍販売サイト
BOOK STORE

24時間
ご注文
受付中

TAC 出版 で 検索

https://bookstore.tac-school.co.jp/

新刊情報を
いち早くチェック!

たっぷり読める
立ち読み機能

学習お役立ちの
特設ページも充実!

TAC出版書籍販売サイト「サイバーブックストア」では、TAC出版および早稲田経営出版から刊行されている、すべての最新書籍をお取り扱いしています。
また、会員登録(無料)をしていただくことで、会員様限定キャンペーンのほか、送料無料サービス、メールマガジン配信サービス、マイページのご利用など、うれしい特典がたくさん受けられます。

サイバーブックストア会員は、特典がいっぱい! (一部抜粋)

通常、1万円(税込)未満のご注文につきましては、送料・手数料として500円(全国一律・税込)頂戴しておりますが、1冊から無料となります。

専用の「マイページ」は、「購入履歴・配送状況の確認」のほか、「ほしいものリスト」や「マイフォルダ」など、便利な機能が満載です。

メールマガジンでは、キャンペーンやおすすめ書籍、新刊情報のほか、「電子ブック版TACNEWS(ダイジェスト版)」をお届けします。

書籍の発売を、販売開始当日にメールにてお知らせします。これなら買い忘れの心配もありません。

書籍の正誤に関するご確認とお問合せについて

書籍の記載内容に誤りではないかと思われる箇所がございましたら、以下の手順にてご確認とお問合せをしてくださいますよう、お願い申し上げます。

なお、正誤のお問合せ以外の**書籍内容に関する解説および受験指導などは、一切行っておりません。**
そのようなお問合せにつきましては、お答えいたしかねますので、あらかじめご了承ください。

1 「Cyber Book Store」にて正誤表を確認する

TAC出版書籍販売サイト「Cyber Book Store」の
トップページ内「正誤表」コーナーにて、正誤表をご確認ください。

CYBER TAC出版書籍販売サイト
BOOK STORE

URL：https://bookstore.tac-school.co.jp/

2 1の正誤表がない、あるいは正誤表に該当箇所の記載がない ⇒ 下記①、②のどちらかの方法で文書にて問合せをする

★ご注意ください★

お電話でのお問合せは、お受けいたしません。

①、②のどちらの方法でも、お問合せの際には、「お名前」とともに、

「対象の書籍名（○級・第○回対策も含む）およびその版数（第○版・○○年度版など）」
「お問合せ該当箇所の頁数と行数」
「誤りと思われる記載」
「正しいとお考えになる記載とその根拠」

を明記してください。

なお、回答までに1週間前後を要する場合もございます。あらかじめご了承ください。

---

① ウェブページ「Cyber Book Store」内の「お問合せフォーム」より問合せをする

【お問合せフォームアドレス】

https://bookstore.tac-school.co.jp/inquiry/

---

② メールにより問合せをする

【メール宛先　TAC出版】

syuppan-h@tac-school.co.jp

※土日祝日はお問合せ対応をおこなっておりません。
※正誤のお問合せ対応は、該当書籍の改訂版刊行月末日までといたします。

乱丁・落丁による交換は、該当書籍の改訂版刊行月末日までといたします。なお、書籍の在庫状況等により、お受けできない場合もございます。
また、各種本試験の実施の延期、中止を理由とした本書の返品はお受けいたしません。返金もいたしかねますので、あらかじめご了承くださいますようお願い申し上げます。

（2022年7月現在）